ТАТЬЯНА УСТИНОВА

ПЕРВАЯ СРЕДИ ЛУЧШИХ!

ТАТЬЯНА
УСТИНОВА

МИФ
ОБ ИДЕАЛЬНОМ
МУЖЧИНЕ

Устинова Т.В.
У80   МИФ об идеальном мужчине: Роман. — М.: Изд-во
        Эксмо, 2004. — 384 с. — (Серия «Первая среди лучших»).

        ISBN 5-699-01169-2

УДК 882
ББК 84(2Рос-Рус)6-4
У 80

Серийное оформление художника *Д. Сазонова*

Серия основана в 2002 году

Ранее роман «Миф об идеальном мужчине»
выходил под названием «Родня по крови»

Устинова Т.В.
У 80   **Миф об идеальном мужчине:** Роман. — М.: Изд-во
Эксмо, 2004. — 384 с. (Серия «Первая среди лучших»).

ISBN 5-699-01169-2

Вы верите в идеальных мужчин?! Сергей Мерцалов был именно таким — гениальный хирург, талантливый бизнесмен, любящий муж и отец, примерный сын... Но все это осталось в прошлом. Сергея нашли убитым в своем дворе, где он гулял с собакой. За Сергеем в последнее время кто-то следил. Впрочем, точно так же, как и за Клавой Ковалевой — бедной одинокой женщиной, бывшей детдомовкой. Но вот в ходе следствия всплывают весьма неприятные факты, миф об идеальном мужчине Сергее Мерцалове развеивается — помимо любимой семьи, у него есть женщина и внебрачный сын. Что же еще постыдное совершил убитый? И что за грешки водятся за детдомовкой Клавой, если ей по прихоти неизвестного палача жить оставалось всего несколько дней...

УДК 882
ББК 84(2Рос-Рус)6-4

Святой Дунстан был славным малым,
Он за нос дьявола водил.
А тот вертелся, упирался
И оглушительно вопил.

Английская народная песенка

Странную ему поручили работу.

Очень странную.

Нет, сама по себе работа была совершенно обыкновенной, он делал подобную много раз. Странным был «объект».

«Объектом» была высокая, костлявая и невыразительная девчушка, которая каждый день шмыгала на свою невыразительную работу и обратно. Изредка по дороге с работы она заходила в гастроном на «Речном вокзале» и покупала там какой-то тоже на редкость невыразительный набор продуктов. Банка дешевого растворимого кофе. Кочан капусты. Йогурты. Сыр. Палка копченой колбасы. Ну, это исключение, а не правило. Зарплату в тот день, наверное, получила.

Потом она топала домой, в облезлую «хрущевскую» пятиэтажку, где в одиночестве поедала все свои деликатесы, и с утра опять отправлялась в центр на работу.

Разве это «объект»?!

Кому она нужна, интересно? И зачем?

Такие мысли о клиентах развлекали его во время долгих часов нудного ожидания то на улице под деревом, вот как сейчас, то в машине, то в скверике, в компании местных гомосексуалистов, собиравшихся под вечер потолковать о своем, о девичьем, то на замусоренной детской площадке, откуда хорошо была видна подъездная дверь.

Может, она подпольная миллионерша? Или замаскированная бандитка? Или задолжала денег по глупости?

На какую бы то ни было, замаскированную или нет, бандитку похожа она не была совсем, на миллионершу тоже не тянула — кочан капусты и замороженная до деревянного состояния треска! а деньги... кто же в здравом уме и твердой памяти даст ей денег?!

А вот кто-то же платит за нее, ведь он таскается за ней уже... да, все правильно, десять дней. И заказчик, похоже, никуда не спешит, почитывает себе отчеты — «аптека, гастроном, троллейбус, «хрущевка», метро, аптека...» — и всем доволен. Наблюдение продолжать.

Он продолжал бы, если бы было что продолжать, а так... не работа, а маета одна. Хотя платят, конечно...

— Прикурить не найдется? — неожиданно спросил у его локтя гулкий бас.

Он повернулся, ожидая увидеть великана средних лет, обладателя бочкового, как пиво, баса, а увидел хлипкого юнца лет четырнадцати, болтающегося всем жидким тельцем от переизбытка музыки в замызганных наушниках.

Ошибся. Не угадал.

Он достал пачку дешевых сигарет из правого кармана джинсовой куртки — в левом лежал «Парламент», приберегаемый для себя, — и поднес юнцу зажигалку. В знак благодарности юнец болтнул головой на тонкой шейке и пошел прочь, загребая кроссовками августовскую пыль.

Ему стало смешно. Чего только не насмотришься на улицах, пока ведешь объект. Бывает, что передышки ждешь, как манны небесной, такие активные ребята попадаются, а это что за объект? Недоразумение какое-то...

Ну, какая у нас сегодня программа?

Сегодня драная кошка работает во вторую смену. Приехала к двум, уедет в восемь. Гастроном отменяется — слишком поздно. Значит, программа такая — метро, троллейбус, «хрущевка».

В десять его сменят, и он наконец-то попьет пивка и хоть до завтра забудет об объекте.

Интересно, когда заказчик собирается ее прикончить?

В том, что ее должны убить, он не сомневался.

Интуиция редко его подводила.

— Клава! — закричала начальница из коридора. — Ты еще не ушла?

— Нет! — откликнулась Клавдия. — Нужно что-нибудь, Варвара Алексеевна?

Заведующая появилась на пороге крошечной комнатки, в которой Клавдия собиралась домой. Заведующая была седая, бодрая, очень энергичная и сердитая.

— Ты сегодня с двух, я забыла? — полуутвердительно то ли спросила, то ли сказала заведующая. Вид у нее был отсутствующий.

— Да, Варвара Алексеевна, — четко, как в армии, отрапортовала Клавдия.

В восемь аптека закрывалась, весь персонал расходился по домам. Заведующая уходила, как правило, около шести, только сегодня что-то задержалась, полдня пробыв на каком-то большом совещании.

— Ты завтра с утра?

— Да, — все так же четко проинформировала Клавдия. — Вы мне хотите что-то поручить?

Заведующая посмотрела наконец на нее. Для этого ей пришлось закинуть голову. Заведующая улыбнулась.

— Клава, я тебя прошу, — сказала она, улыбаясь, — завтра по дороге на работу купи, пожалуйста, веник. Там ведь у вас на «Речном» веники продают?

— Что купить? — не поняла Клавдия.

— Веник, — раздражаясь, повторила заведующая. —

Знаешь, что это такое? Это такая штука, чтобы пол мести. Видала?

Клавдия улыбнулась:

— Видала.

— Купи, пожалуйста, — попросила заведующая, смягчаясь. — А то у нас в аптеке работают одни господа, они веник купить никак не могут. Сегодня я прошу уборщицу, а она мне отвечает: «Веники должен покупать завхоз». Ну а так как я и завхоз, и слесарь, и плотник, и маляр, то я это тебе поручаю. Мне завтра с утра с веником в аптекоуправление идти несподручно. А тебе прямая дорога на работу. Ну что? Купишь?

— Конечно! — с воодушевлением вскричала Клавдия. Даже, пожалуй, с излишним воодушевлением, потому что заведующая посмотрела на нее как-то подозрительно.

Клавдия обожала эту маленькую энергичную, очень непростую даму и для нее была готова на все, не то что на покупку какого-то там веника.

Она работала у нее уже лет восемь. Или даже больше. В этой аптеке она когда-то проходила институтскую практику и была совершенно твердо убеждена, что Варвара Алексеевна — это ее самая большая жизненная удача.

Она неустанно и ежедневно опекала Клавдию. Не то чтобы она выделяла Клавдию среди других сотрудниц — а работали в аптеке исключительно сотрудницы, сотрудник был всего один, древний дед Федор Иванович, чинивший задвижки на окнах и дверях и отлетавшие от столов ручки, — но все же относилась к ней как-то по-другому. Наверное, жалела, но жалела действенно и необидно.

Все в аптеке знали, что Клавдия Ковалева — детдомовский ребенок с «трудной судьбой».

Ух, как Клавдия ненавидела это выражение, как будто судьба могла быть легкой! Она очень не любила, когда ей напоминали о ее судьбе, и была совершенно убеждена, что у нее как раз все сложилось просто отлично. Немногие, выбиравшиеся вместе с ней с самого дна, могли похвастаться тем же. И кажется, одна Варвара Алексеевна понимала ее стремление ни о чем не вспоминать, ничего не рассказывать и ничем ни с кем не делиться.

— Подожди, я тебе денег дам, — сказала заведующая, поворачиваясь, чтобы идти. — Ведь нету небось денег-то?

У Клавдии и вправду было мало денег, но на покупку веника у «Речного вокзала» должно было хватить.

Стремясь избавить Варвару Алексеевну от любой минуты лишнего беспокойства, Клавдия принялась уверять, что у нее полно денег.

— Ладно-ладно, — сказала заведующая, удаляясь в сторону своего кабинета, — на те, которых у тебя полно, купишь себе булку к завтраку. А на веник я дам...

Клавдия преданно потрусила за заведующей через уже пустой торговый зал к новенькой белой дверце иностранного производства с изящной и не оскорбляющей глаз табличкой, тоже иностранного производства, «Только для персонала». После ремонта внутренние помещения старого особняка стали походить на декорации для съемок сериала «Дежурная аптека», так все было чистенько, приветливо, бело и свежо, и Клавдии это очень нравилось. Она любила свою аптеку.

— Так, вот тебе пятьдесят рублей, — сказала заведующая, доставая из кошелька аппетитную бумажку. Для Клавдии это было целое состояние.

— Зачем так много? — удивилась она.

— А ты думаешь, веник меньше стоит? — усомнилась заведующая. — Ну, если останется, купишь два, чтобы потом еще раз не ездить, а если на два не хватит. купи тогда какого-нибудь порошка, которым накипь

9

оттирают. На наши чайники страшно смотреть, как будто здесь не женщины работают, а бомжи...

— Хорошо, — запоминая, чтобы исполнить все в точности и — не дай бог! — не ошибиться, кивнула Клавдия.

— Иди, Клаша, — рассеянно сказала заведующая, уже изучая на своем столе какие-то бумаги. Очки у нее были сдвинуты на кончик носа. — Что-то мы сегодня поздно засиделись. Закрываться, наверное, уже пора.

Как хороший капитан, Варвара Алексеевна бдительно контролировала все службы вверенного ей судна — от машинного отделения и до камбуза, от отдела готовых форм и до уборщицы Тани, которая уже лет тридцать была малость не в себе и потихоньку таскала у бесшабашных практиканток медные деньги и помаду.

Клавдию восхищала ее капитанская хватка, и способность помнить обо всех мелочах, и умение вести свое судно, обходя мели и банки — идиотские приказы Минздрава, по три на каждой неделе, исключающие друг друга, внезапные визиты проверяльщиков из всевозможных инстанций, от аптекоуправления и до пожарной охраны, истеричных покупателей, требующих, как правило, невозможного, например, чтобы дорогущие импортные препараты выдавались бы желающим даром.

«Когда-нибудь, — мечтала Клавдия, — я тоже буду такой, как она, — сильной, справедливой, язвительной, уверенной в себе, все понимающей и очень профессиональной. И меня тоже будут награждать грамотами, и моя аптека тоже будет лучшей в округе...»

Мечтая, Клавдия сняла хрустящий крахмалом халат — стараниями Варвары Алексеевны такие «профессорские» халаты были у всей аптеки, замызганных и серых она страсть как не любила, — и нацепила джинсовую юбку и маечку. В последние августовские дни в Москве было жарко и сухо, как в Крыму.

— До свидания! — попрощалась она с Лидой и Таней, которые перекладывали что-то из одной сумки в другую в дальнем конце коридора. — До завтра.

— Пока, — отозвались они в один голос, и Клавдия потопала с высокого крылечка прямо в раскаленное асфальтовое марево, не остывавшее даже вечером.

Занятая своими мыслями, она, конечно, не заметила парня, курившего на скамеечке под чахлой желтеющей липой. Парень проводил ее глазами, далеко отшвырнул окурок и, выждав некоторое время, двинулся следом за ней к метро «Маяковская». Маршрут был ему хорошо известен.

Клавдия поставила на плиту картошку и огляделась. Ужин был почти готов, и больше на кухне нечего было делать. Кухню она содержала в аптечной стерильной чистоте, как и единственную комнатку своей квартиры, которую несколько лет назад выхлопотала для нее благодетельница — Варвара Алексеевна. Если бы не она, Клавдия, наверное, до конца жизни прожила бы в общежитии на окраине, где бесконечно пили и дрались, лезли в окна и ломились в двери, где маялись глупые девчонки, приехавшие, чтобы «покорить Москву», да так и завязшие в общежитиях и на убогих, тяжелых, скучных работах, на которые не соглашались идти избалованные столичные жители.

У Клавдии от того времени остались трудные воспоминания.

Чайник приятно зашумел рядом с кипящей картошкой. Есть хотелось ужасно.

Клавдия старалась экономить и редко обедала в аптеке, где все ели «Докторскую» колбасу или хорошенькие тоненькие сосисочки из колбасного магазина на Тверской, до которого было два шага. На сосисочки и колбасу у нее не было денег, а хрустеть, как заяц, надоевшим капустным салатом ей было почему-то неловко. Иногда

Варвара Алексеевна сажала ее обедать с собой, как подозревала Клавдия, специально, чтобы подкормить, но есть ее еду Клавдия стеснялась еще больше, чем капустного салата.

— Ешь! — приказывала управляющая строго.

— Нет, спасибо, — отказывалась Клавдия и улыбалась лучезарной фальшивой улыбкой. — Я на работе никогда есть не хочу.

— Смотри ты! — удивлялась заведующая. — А у меня в животе все трясется, если я вовремя не поем.

У Клавдии в животе тоже все тряслось, но у нее были свои понятия о том, что можно и что нельзя себе позволить.

К кофе у нее сегодня был кусок торта, сэкономленный от дня рождения заместительницы Галины Васильевны. Клавдия не съела его вместе со всеми потому, что после трех в аптеке начиналось самое горячее время и она никак не могла отойти от прилавка. На чаепитие она не попала, но торт ей достался, и она привезла его домой, как законную добычу, ревностно следя, чтобы его не раздавили в метро.

И телевизор у нее был шикарный — с дистанционным управлением с торжественно-скромной надписью «Sony» под плоским экраном. Телевизор ей подарили на тридцатилетие, и это был необыкновенный, невиданный подарок. Даже заведующей никто не дарил никаких телевизоров, и Клавдия подозревала, что Варвара Алексеевна заплатила большую часть денег из собственного кармана.

Телевизор Клавдия обожала и называла его Сеня. Он был ее друг. Пока Сеня не появился, ей было очень грустно по вечерам.

Она встрепенулась и принюхалась. Судя по всему, картошка была уже готова. Клавдия положила себе в тарелку две большие картофелины, исходившие сытным духом, и с тоской покосилась на капусту. Эта капуста надоела ей ужасно, но приходилось есть, потому что это были как бы витамины, которые она не могла себе позволить употреблять в виде клубники и апельсинов.

Ничего, бодро решила она. Один день без капустных витаминов не приведет ни к каким разрушительным последствиям. Отдохну немножко, не заяц же я в самом деле...

Клавдия включила Сеню и уселась за крошечный шаткий столик, приобретенный еще в институте и символизирующий собой стремление к красивой жизни. Такие столики в те времена часто показывали в кино. Кроме того, в ее общажную комнатку другой стол просто не вошел бы.

Стремление к красивой жизни осталось в безвозвратно ушедшем прошлом, а столик до сих пор с ней, и она каждый день за ним ужинает, пригласив в компанию Сеню.

Развеселый ведущий программы «Поле чудес» что-то радостно орал до невозможности смущенным участникам, которые никак не могли угадать русского писателя, в фамилии которого присутствовали буквы «...у ...ин». Участники пыжились, шевелили лбами, грозно нахмуривались, но таинственная фамилия была сильнее их и никак не давалась.

— Пукин, — подсказала Клавдия, с наслаждением откусывая от картофелины.

Бравый пожилой участник доковылял до сектора «Приз» и теперь жаждал получить причитающееся ему вознаграждение. Ведущий препирался и заигрывал, предлагая несметные богатства в обмен на неизвестный приз. Участник терялся и в глубокой тоске водил взором по рядам зрителей, надеясь, что кто-нибудь подскажет ему, как не продешевить. Наконец утюг был благополучно выдан, и игра понеслась дальше. Фамилия так и оставалась неразгаданной.

— Букин, — снова подсказала Клавдия, принимаясь за вторую картофелину. — Тукин, Мукин, Хрюкин.

Ей было очень весело.

В конце концов участники не без помощи хорошо осведомленного ведущего выяснили, что русского писателя звали не Пукин и не Хрюкин, а все же Бунин, и началась волынка с обменом всех выигранных сокровищ на еще более несметные, маячившие в суперигре. Клавдия доела картошку, по детдомовской привычке, с которой она боролась уже лет пятнадцать, вылизала тарелку, и тут зазвонил телефон.

— Да? — сказала она с вопросительной интонацией, пристраивая тарелку на шаткий столик.

— Капусту хрумкаешь? — спросила трубка без предисловий. — Или уже того, схрумкала?

Клавдия засмеялась.

— Привет, Танюш, — сказала она весело. — Я сегодня решила капусту не есть. Надоела.

— Неужели? — удивилась трубка. — Ты же образцово-показательный кролик Роджер. Тебе не может надоесть капуста. Страсть к капусте у тебя в крови.

— Может, у меня в крови страсть к осетрине горячего копчения, и я вовсе не кролик Роджер, — продолжала веселиться Клавдия. — Может, ты все эти годы во мне ошибалась. А?

Таня Ларионова, которую Клавдия так и не могла представить себе Павловой, хотя она была Павлова уже лет семь, была самой лучшей ее подругой.

Они познакомились в незапамятные времена на картошке под Зарайском, куда вывезли одновременно два института — совершенно мужской физико-технический, где училась Таня, и совершенно женский фармацевтический, где училась Клавдия. Кавалерами они тогда так и не обзавелись, зато на всю оставшуюся жизнь обрели друг друга.

— Как дела? — спросили они одновременно и засмеялись.

— Нормально, — сказала Таня. — Павлов с утра до ночи на работе, зато обещает, что в октябре поедем в отпуск аж на две недели. У нас тоже что-то работы стало полно, я приезжаю домой и падаю. А ты?

Таня работала помощником какого-то крупного банковского начальника, хорошо зарабатывала и все время тряслась, опасаясь, что ее уволят или сократят.

— Я не падаю, — сказала Клавдия. — У нас все как всегда. Осенью работы будет больше. Сама понимаешь, пойдут всякие гриппы и простуды.

— Ой, ну их к дьяволу! — энергично перебила Танька. — Я все эти зимне-осенние штучки, вроде снега и гриппа, ненавижу. Какие у тебя планы на выходные?

— Какие у меня могут быть планы? — вдруг рассердилась Клавдия. — Ты же знаешь, что никаких. Ну, полы помою. Может, постираю, хотя пока нечего. Ты что, не знаешь моих планов, Танька?!

— Откуда я знаю, может, ты на свидание собираешься, — сказала Таня легкомысленно. — А если не собираешься, приезжай к нам на дачу. Мама специально сегодня звонила, напоминала, чтобы я тебя пригласила. Хочешь, мы с Павловым в субботу с утра за тобой заедем?

Это было роскошное предложение.

Танины родители зимой и летом жили на даче в Отрадном, и поехать к ним было не просто удовольствием, а редким счастьем.

Клавдия всегда опасалась быть в тягость и редко пользовалась гостеприимством Таниных родителей. В конце концов у них была большая семья, двое взрослых детей — Таня и Танин брат, милицейский майор, — зять, невестка, родители невестки и зятя, которые тоже регулярно приглашались на дачу...

— Ты чего молчишь, Ковалева? — насторожилась в

трубке Таня. — Не хочешь? Или у тебя и в самом деле свидание?

— Нет у меня никакого свидания! — даже возмутилась Клавдия. — Просто я думаю, удобно это или нет...

— Неудобно спать на потолке, — сказала Танька, не страдавшая никакими комплексами. — Ты же знаешь родителей, они бы тебя не звали, если бы не могли принять. Кроме того, они тебя обожают и обижаются, что ты к ним не ездишь. Я им говорю, конечно, что ты натура тонкая и не можешь, как все нормальные люди, сказать «спасибо» и успокоиться... Ну что? Мы заедем?

— Да я и сама могу добраться, — пробормотала Клавдия. — На электричке ехать всего ничего...

— Особенно в субботу утром, — подхватила Таня. — Ты в субботу утром в каком-нибудь дачном направлении выезжала, Клавка? Или нет?

— Нет, — призналась Клавдия.

— И не надо, — уверила ее Таня. — Так что мы заедем. Только мы рано ездим. Не в одиннадцать.

— А во сколько?

— В девять, — усмехнувшись, сказала Таня. — Если только мне удается растолкать Павлова. Он считает, что по выходным вставать нужно самое раннее в двенадцать. А лучше в два.

— Заезжайте! — решилась наконец Клавдия. — Спасибо. Я так давно у ваших не была, соскучилась ужасно... Я так рада, что они меня не забывают.

— Ты просто незабываема, Клавка! — провозгласила Таня, и они попрощались.

Клавдия сполоснула тарелку и налила себе в кружку растворимого кофе.

Вечер неожиданно оказался просто изумительным — в субботу она поедет в гости, в дом, который очень любила, а к кофе у нее есть сэкономленный торт.

Человек, о существовании которого она не подозревала, в этот момент сдавал вахту своему напарнику. Неприметные «Жигули», в которых происходила смена караула, затерялись в ряду машин, мирно дремавших во дворе. Если бы Клавдия выглянула в окно, то непременно увидела бы их и, конечно, не обратила бы никакого внимания.

— Ну что? — спросил напарник, щелкая зажигалкой.

— Все как всегда — аптека, метро, теперь дома сидит. Ты долго будешь ее караулить?

— Часов до одиннадцати, — зевнул напарник. — Потом поеду. И кому она сдалась, эта аптекарша, и за каким чертом? Чего ее сторожить? Ладно, валяй езжай! Она тебе небось за целый день хуже горькой редьки надоела...

Кто-то настойчиво и не переставая долбил ему в череп чем-то острым и тонким. Он пытался спрятаться, уползти от этой долбежки, но она настигала его там, где он прятался. Со стоном он обхватил голову, чтобы спасти ее от того острого и тонкого, что в нее долбило. Что-то со звоном упало и рассыпалось то ли внутри головы, то ли снаружи, и он наконец проснулся.

Звонил телефон, черт бы его побрал. И в этом было все дело.

Никто не бил его по голове. Просто звонил телефон.

Пошарив рукой, он снял визжащий, как поросенок, аппарат с журнального столика, придвинутого вплотную к дивану, и волочащийся шнур снес по дороге что-то еще, кроме того, что он уже свалил, пытаясь защититься от настырного, бьющего в уши звука.

— Але, — сказал он хриплым голосом пропойцы и неудачника. — Але!

Он был уверен, что звонят с работы. И ошибался.

— Андрюша, — деловито произнесла ему в ухо бывшая жена, — ты что, спишь?

— Нет, — сказал он, морщась и не открывая глаз. Голова болела ужасно, и во рту было сухо. С чего это он вчера так перебрал?

— А что ты делаешь? — удивилась бывшая жена совершенно искренне.

— Пишу диссертацию, — ответил он, пытаясь так приладить к подушке голову, чтобы с ее помощью можно было хотя бы разговаривать. — О жизни и размножении карибских попугаев в неволе.

Последовала выразительная пауза. Он был бы счастлив, если бы она продолжалась час, а еще лучше — до вечера.

— Ты шутишь, — обиженно протянула бывшая жена. И уточнила: — Ты ведь шутишь, да?

Черт ее знает, вроде она никогда не была тупой. Но всю жизнь они разговаривали, как глухой со слепым. Или как гусь со свиньей. Нет, это другое... Гусь свинье не товарищ, вот как. Интересно, кто из них свинья?

— Андрюша! — подбодрила бывшая жена, побуждая его высказываться более четко.

— А? — спросил он и потер затылок, в который теперь ломился курьерский поезд, причем с внутренней стороны. — Нет, я не шучу. Я никогда не шучу. У меня отсутствует чувство юмора. — Он помолчал и добавил: — Как таковое.

«Как таковое» — это было ее выражение, и он как будто увидел бывшую жену рядом с собой.

Это зрелище оптимизма ему не добавило.

«Как таковая, моя работа тебя совершенно не интересует... У тебя отсутствует чувство долга, как таковое...Как таковые, общечеловеческие ценности для тебя ничего не значат...»

— Андрюша, — сказала бывшая жена с хорошо прочувствованной интонацией, — я все понимаю. Ты до сих пор не можешь простить мне, что я от тебя ушла. Но мы цивилизованные люди и должны все же оставаться в рамках цивилизованных отношений...

— С чего ты взяла? — спросил он вяло

— Что? — не поняла она.

— Что я не могу тебе что-то там такое простить?.. — выговорил он с трудом, потому что язык цеплялся за сухое небо и мешал ему блеснуть красноречием.

Не стоило этого говорить. Совсем не стоило.

Зачем он задает ей дурацкие вопросы? Не иначе как от вчерашнего перепоя у него помутился разум.

Как это говорят у них на работе? Снесло крышу, вот как. И еще — чердак потек.

Да, совершенно верно: от вчерашнего перепоя у него потек чердак.

Теперь жена в трубке объясняла ему, почему он так и не смог простить ей уход от него. На эту тему она могла рассуждать часами. Хорошо еще, что в трубке, а не у него в кровати.

— Ты ничего не понял, Андрей, — мягко утешала она, как будто он был подросток в переходном возрасте, который на глазах у всего класса не смог сделать «подъем — переворот». — Мы разошлись вовсе не потому, что я считала или считаю тебя недостойным. Твоя жизненная позиция заслуживает уважения, но ты заблуждаешься, думая, что всю жизнь сможешь прожить так, как живешь сейчас. Я не могла с этим смириться, я хотела большего, и ты прекрасно об этом знал...

Андрей осторожно вернул трубку на телефон, а телефон на журнальный столик. Зная бывшую жену, он был уверен, что через секунду она позвонит снова. Может, вообще сегодня к телефону не подходить?

Придерживая руками голову, чтобы не отвалилась по дороге, он побрел в ванную. Звонок настиг его уже у дверей, и он длинно содрогнулся, как от первого удара плетью по голой спине.

Ни за что не подойду. Хоть ты пополам разорвись от звона. Не подойду.

Он закрыл за собой дверь, и неистовые телефонные трели отдалились и сразу стали как будто совсем неважными.

Андрей неизвестно зачем глянул на себя в зеркало, скривился от отвращения и полез в облупившуюся ванну. Горячую воду дали только на прошлой неделе. Жильцы продержались на холодном пайке лишних десять дней. Все премии за экономию добывают, с вялой ленивой злобой подумал Андрей про ЖЭК. Конечно, поди проживи на зарплату рядового жэковца...

Это было смешно, и он улыбнулся, с наслаждением глотая попавшую в рот воду. Он злился вовсе не на махинации с водой, к которым все давно привыкли, а на себя за то, что вчера так надрался, а сегодня день начался со звонка жены. Бывшей.

Пока он трусливо отсиживался в ванной, телефон все разрывался от звона. Потом наступил короткий перерыв, во время которого Андрей побрился.

Теперь хорошо было бы что-нибудь съесть, но даже думать о запахе еды было страшно. Нет, нужно поесть, ему ведь сегодня за город ехать...

Хмуро глянув на телефон у разгромленного дивана, он пошел в кухню и плюхнул на плиту чайник. На этом силы иссякли окончательно, и Андрей в изнеможении присел на табуретку у холодильника. Кажется, где-то была минеральная вода...

Хорошо, что вчера пили не у него, а то пришлось бы еще заниматься уборкой. От этой мысли его едва не стошнило.

Телефон опять зазвонил. Андрей замысловато выматерился и, выразив таким образом свое отношение к жизни, снял трубку в кухне.

Конечно, решение вовсе не подходить к телефону было очень правильным и даже некоторым образом героическим, но совершенно неосуществимым. В конце концов ему могли позвонить с работы.

— Да! — сказал он. От холодной минеральной воды к нему неожиданно вернулся голос.

— Андрюша, что случилось? — с тревогой спросила жена. — Так неожиданно все разъединилось, и я уже полчаса не могу до тебя дозвониться.

— Я был в сортире, — объявил он, зная, что ее тонкая натура не может выносить подобных натуралистических подробностей. — Мне неожиданно срочно понадобилось в сортир.

Жена поперхнулась какой-то почти вылепленной фразой, и Андрей был вознагражден несколькими секундами приятного молчания.

— Ты грубишь, Андрюша, — наконец печально констатировала она. — Что с тобой происходит в последнее время? Ты уверен, что с тобой все в порядке?

Он вовсе не был уверен, что с ним все в порядке. Какой может быть порядок после такого перепоя?!

— Жанна, ты чего хотела? — спросил он, чувствуя, как минеральная вода льется в воспаленный желудок и, кажется, даже что-то там успокаивает. — Поговорить?

— Поговорить нам давно необходимо, — подтвердила жена с профессиональной интонацией. Она была психотерапевтом, с точки зрения Андрея, очень плохим. — Но я звоню не за этим.

— А зачем? — спросил Андрей. Чайник закипел, и, дотянувшись, он его выключил.

— Ты помнишь Иру Мерцалову? — спросила жена, и это было так неожиданно, что Андрей разлепил глаза и уставился на обои в наивный цветочек, которыми была оклеена кухня.

— Кого? — переспросил он осторожно. У него была профессиональная память на фамилии и лица, и что-то такое он действительно вспоминал, но ему требовалось подтверждение.

— Ах, господи, Ира Мерцалова, моя хорошая знакомая, — затараторила жена. — Мы вместе работали когда-то, я тебе про нее много рассказывала. Вечно ты ничего обо мне не помнишь! — пожаловалась она по ходу пьесы. — Ну, у нее еще такой потрясающий муж, Сережа, ну я тебе говорила....

— Ты говорила, но я их никогда в жизни не видел, — перебил Андрей, морщась от ее возбужденного стрекотания у себя в ухе. — Что нужно-то?

— Они оба врачи. Сережа — известнейший хирург, а она детский психолог. Ну, вспомнил?

Он давно все вспомнил, но предпочел промолчать.

— Ира мне вчера позвонила и была очень встревожена...

Почему он раньше никогда не замечал, что его жена говорит такими невозможно длинными, казенными фразами?..

— Сереже с недавних пор кажется, что за ним кто-то следит...

— Стоп, — перебил Андрей. — Все ясно. Когда кажется, креститься нужно. Это единственное, что я могу посоветовать твоим хорошим друзьям Ире и Сереже. Это понятно?

— Ты грубишь потому, что не уверен в себе, — радостно сообщила бывшая жена. — Ты даже не дослушал до конца. Сережа — очень, о-очень известный врач. С мировым именем. Ирочка позвонила именно мне потому, что не знала, что мы с тобой развелись. Она просила помочь... — По голосу жены Андрей чувствовал, как она горда тем, что Ирочка вместе со своим знаменитым мужем именно к ней обратились за помощью. — Сережа ничего не выдумывает, поверь мне. Ира говорит, что он расстроен и даже стал плохо спать.

— Выпиши ему снотворное, — сказал Андрей грубо.

— Андрюша! — воскликнула бывшая жена укоризненно. — Снотворное тут ни при чем. Ты должен им помочь.

— Я?! — поразился Андрей. — Чем?!

— Ты должен разобраться в ситуации, — твердо сказала бывшая жена. — Поговорить с ним, выяснить, кто за ним следит и почему. Правоохранительные органы призваны защищать спокойствие граждан, разве не так?

Он помолчал, стараясь взять себя в руки.

— Правоохранительные органы в моем лице, — сказал он наконец очень спокойно, — в данный момент заняты убийством бизнесмена Мурова. Читала? Его нашли на МКАДе с простреленной башкой. А вчера те же органы и в моем же лице взяли одного мудака, который накануне двух девчушек изнасиловал и убил. Девчушкам было семь и девять. Мудаку — семнадцать. Мне недосуг заниматься фантазиями каких-то болванов с мировым именем. Это понятно?

— Андрюша, — начала жена, но он перебил. Тон у него был такой, что она моментально поняла — дальше продолжать не нужно, иначе дело кончится плохо.

— Я не хочу больше это обсуждать и не буду. Я не занимаюсь проверкой ничьих глубоких переживаний. Я расследую убийства. Если твои друзья могут это себе позволить, пусть наймут частного сыщика или телохранителя. Все остальное не ко мне. Телефоны частных сыскных контор вполне легальны и доступны. Чтоб ты не переживала, я могу дать тебе слово офицера, что у меня нет ни одного знакомого в подобной конторе. — Он врал для того, чтобы жена от него наконец отвязалась. — Зря ты все утро угробила на телефон. Спала бы лучше.

— Андрей, я от тебя такого не ожидала, — отчеканила жена. — Даже для тебя это слишком.

— Ожидала, ожидала, — сказал Андрей. — И звонила-то просто так, для проверки. Я же знаю. Чтобы потом с этой Ирой обсудить, какая я сволочь. Верно?

— До свидания, — попрощалась жена холодно и повесила трубку.

Почему-то после разговора с ней ему стало еще противней, чем было.

Что не так?

Вроде все правильно. Он не частный детектив, готовый взяться за любую оплаченную работу, даже если у клиента паранойя или мания преследования. Конечно, он — «правоохранительные органы», ну и что из того? Кому-то что-то кажется, или не кажется, а мерещится, или не мерещится, а снится... Может быть все, что угодно — от ревнивого мужа, подозревающего богатенького и удачливого доктора, и до любимой супруги, тоже что-то подозревающей. А может, у них просто помутнение разума, как у него самого с утра...

Андрей заставил себя подняться с табуретки и заварил чай.

Может, бутерброд съесть?

И еще родители привязались — приезжай на выходные к ним.

Вчера он устал, закончил дело, вдребезги напился и сегодня не хочет никого видеть. Ему бы машину посмотреть в гараже на яме, в тишине, покое и прохладе, а то она совсем на ладан дышит и дымит, как зараза. Гаишники свои ребята и права у него, конечно, не отберут, но машину жалко. Андрей к ней привык. Она была его любимая девочка. По секрету от коллег он даже придумал ей имя и называл ее по имени, когда ремонтировал или мыл. Ему казалось, что она его понимает.

Может, собаку купить?

Такую замечательную, желтую, беспородную собаку. Щенка. Назвать его Тяпа. Поехать на Птичку и найти там одного-единственного, собственного щенка, с карими глазами, обведенными желтым ободком, и холодным любопытным носом. Толстого и неуклюжего, похожего на всех породистых собак сразу и оттого еще более беспородного. У него должно быть сытое розовое пузо, младенческие лапы и выражение любви ко всему окружающему миру на милой мохнатой морде. Он будет кидаться к Андрею, встречая его с работы, как будто Андрей самый лучший человек на земле, лизать ему руки и скулить от полноты чувств. Андрей вымоет его в ванне, сварит ему овсянки, а ночью он будет спать в ногах его дивана, как настоящий сторожевой пес, оберегающий покой хозяина. И заживут они вдвоем, и никто им не будет нужен.

Он мечтал о собаке все свое детство. Он много раз представлял ее себе и точно знал, какая она, его собака. Но бабушка болела, и о собаке не могло быть даже речи.

У него дежурства, ночные бдения, срочные вызовы и «ненормированный рабочий день», как это называется в законодательстве о труде. Какая, к бесу, собака?! Она через неделю сдохнет от тоски и одиночества и будет совершенно права.

Бывшая жена популярно разъяснила ему, что он — индивидуум, непригодный для жизни «в социуме» и патологически тяжелый в общении. Именно этим она объясняла его выбор профессии. «Копаться в отбросах может только человек, всецело преданный своему делу и сознающий его важность, или неудачник, пытающийся доказать окружающим свою мнимую значимость», — говорила она.

На «всецелую преданность» он не тянул и потому автоматически попал в неудачники.

Вот несчастье-то...

Чай получился слишком крепким, и в желудке опять что-то загудело, как в пчелином улье. Чего бы такого съесть, чтобы не стошнило?

Он поискал на полках. Ничего. Засохший батон, крупа и несколько банок с засахаренным вареньем, которое регулярно привозила мама. Варенье он не любил.

Зато в холодильнике был сыр и одеревеневший от мороза хвост копченой колбасы.

Интересно, откуда она взялась?

Последние недели он пахал день и ночь, ел в столовой — страшно вспомнить! — и ни в какие магазины не ходил.

Точно! Колбасу принесла Галка, ночевавшая у него дней пять назад. Она всегда что-нибудь с собой приносила, зная, что у Андрея есть, как правило, нечего. Ее муж укатил в очередную командировку, и она выкроила вечерок для Андрея. Каждые полчаса она звонила няне и проверяла, соблюдает ли няня указания по правильному воспитанию Галкиных отпрысков. Няня все указания соблюдала, а Андрей бесился, как всякий индивидуум, непригодный для жизни в социуме.

Что-что, а жизнь в социуме никак ему не давалась.

Все его раздражало.

Раздражали Галкины звонки и то, что она приперлась к нему не по какой-никакой великой любви, а от скуки, потому что иметь в любовниках милицейского майора, человека из совершенно другого мира, в их кругу считалось чрезвычайно романтичным. А то, что он когда-то вытащил из передряги ее мужа, крупного мебельного торговца, лишь добавляло ощущениям остроты.

Он злился на себя, потому что втайне мечтал о чем-то совсем другом, чему не знал даже названия, потому что слово «любовь» было не из его лексикона.

Он никогда и никому не признавался в этом, тридцатишестилетний, разведенный, циничный, хладнокровный, злопамятный, жестокий и удачливый профессионал. Милицейский майор. Масса выносливых и тренированных мышц, девяносто килограммов живого веса, три пулевых ранения, сломанный нос, послужной список «отсюда и до заката» — и тайные мечты о толстом щенке по имени Тяпа и женщине, которая принимала бы его таким, какой он есть.

Без препарирования его психики. Без извращенного, сладкого, отвратительного любопытства — каково это, переспать с ментом, низшим существом, у которого только и есть что тренированное тело и для которого женщина из высшего общества — невообразимый подарок судьбы, с которым он и обращаться-то как следует не умеет.

Андрей с силой швырнул на плиту чайник. Кипяток плеснул ему на руку.

Стоп. Хватит. С чего это ты так разошелся?

В университете, где он прилежно учил английский язык, в какой-то книжонке — Бернарда Шоу, что ли? — ему встретилась поговорка, которую он вспоминал всю жизнь, и, как ни странно, она его иногда выручала.

«Делай, что должен, и будь, что будет» — вот как примерно она переводилась. Андрею она нравилась больше всех остальных пословиц и поговорок.

Пить надо меньше, и все будет хорошо.

Он должен попасть к родителям на дачу не позже двух часов дня, потому что в это время мама, как правило, загоняет семью обедать. Если он не приедет, его будут ждать, нервничать, голодать, и проблем потом не оберешься. Значит, у него еще четыре часа, чтобы посмотреть машину, вместе с другом Витькой сменить ей масляный фильтр, помыться и выбраться за город.

Успею...

Делай, что должен, и будь, что будет.

Ну слава богу, хоть какое-то разнообразие.

Что-то ее за город понесло, эту аптечную крысу. Принарядилась даже — сарафанчик нацепила с голыми плечами.

А плечи-то бледные до синевы, как позавчерашний

кефир, а босоножки латаные-перелатаные, а сумка точь-в-точь из кино про семидесятые годы, а лопатки торчат так, что хочется хлопнуть ее по спине. Вот волосы у нее красивые. Не то каштановые, не то рыжие, и много их очень, и пострижены они хорошо — не коротко и не длинно, до плеч, как раз так, чтобы закрыть убогую тощую шею.

Посмотрим, посмотрим, куда ты направляешься и что тебе там нужно. Неужели у такой тихой крысы есть друзья или, может, любовник, которого она посещает раз в месяц? Хотя с ее темпераментом и одного раза в месяц должно быть много.

В переполненной электричке он примостился сзади нее так, что ее волосы щекотали ему нос. Конечно, она читала. Ее толкали, пихали, задевали, сдавливали, а она читала, ничего не видя вокруг. Идиотка.

Он переместился так, чтобы увидеть, что именно она читает, детектив или дамский роман с эротическими сценами?

Он поставил бы десять баксов, что дамский роман. И пускает слюни на каждой странице, где описано, как именно герой хотел и любил героиню. Это как раз для таких, как она, написано, недотраханных, никчемных старых дев.

Конечно, она читала дамский роман. Герой как раз метался по комнате в припадке страсти или чего-то там еще. Она так увлеклась, что даже не замечала, как он сопит ей в ухо.

Ему было смешно. Никогда в жизни он не работал с таким полоумным объектом. Ведь она ни за что его не узнает, если завтра столкнется с ним нос к носу у своей аптеки или в подъезде.

Надо будет написать в отчете, что по дороге в Отрадное она запоем читала пошлый романчик. То-то заказчик порадуется.

Освободилось место, и он плюхнулся в крохотное

жаркое отверстие между телами дачников, жаждущих подмосковной природы. Опоздавшие зароптали, а он проверил, что его подопечная продолжает жадно поглощать свое чтиво, и сделал вид, что задремал.

Ехать еще долго, жарко, а крыса никуда не денется.

— Здравствуйте, Елена Васильна! — закричала Клавдия от калитки. — Это я! Вы мне откроете?

Как всегда, откуда-то выскочили собаки, которых всегда было полно в этом доме, и маленькая женщина в нарядном сарафане поспешно разогнулась и шагнула с грядки, где она стояла, наклонившись над огурцами.

Собаки — в этот раз их было всего две, но огромные, — радостно скакали у ворот, поднимая клубы пыли и взлаивая от избытка чувств.

— Привет, ребята! — сказала им Клавдия, но войти не решилась. Елена Васильевна торопливо приближалась, и подол ее сарафана раздувался, как шлейф.

Маленькая государыня маленького королевства.

— Дима! — закричала она на ходу. — Иди скорей, Клаша приехала! Нужно собак забрать!

Откуда-то сбоку, из гаража вынырнул Дмитрий Андреевич в шортах и рваной майке в масляных и керосиновых пятнах.

— Так вот кто это пришел! — сказал он с удовлетворением. — Нашлась пропажа!

Он оказался у калитки раньше жены и по очереди схватил за ошейники скакавших собак.

— Сидеть! — сказал он им строго. Собаки посмотрели на него с умилением и завиляли хвостами. Та, что была побольше и имела вид овчарки, сделала попытку его лизнуть, но ей это не удалось. Вторая грозно залаяла на Клавдию, демонстрируя хозяину бдительность.

— Сидеть! — повторил Дмитрий Андреевич. — Кому сказал?!

Очевидно, собаки решили, что сказал он это все-таки не им, потому что одна из них вдруг припала к земле, намереваясь поваляться в пыли, а вторая широко ухмыльнулась и залаяла еще громче.

— Никакого сладу с ними нет! — сказала Елена Васильевна и открыла калитку. — Проходи, Клаша! Дима, ты их держишь?

— Держу, держу! Не бойся, Клаша!

Клавдия нисколько не боялась, совершенно уверенная в их, собачьем, дружелюбии.

— Почему ты за все лето ни разу не приехала? — строгим учительским тоном спросила Елена Васильевна. Наверное, именно таким тоном она разговаривала когда-то с учениками в своей школе. — Смотри, какая бледная. Аж с зеленью.

— Ничего и не с зеленью, — подал голос Дмитрий Андреевич, подставляя Клавдии щеку. — С синевой.

Клавдия счастливо засмеялась.

— Знакомьтесь, ребята, — обратилась Елена Васильевна к собакам. — Клаша, дай им себя обнюхать, только не разрешай ставить лапы.

Собаки дружелюбно обнюхали Клавдию, и таким образом ритуал знакомства был завершен. Дмитрий Андреевич отпустил ошейники, и обе собаки первым делом прыгнули на Клавдию. Клавдия зашаталась.

— Назад! — грозно крикнул Дмитрий Андреевич. — Не сметь ставить лапы!

Клавдия почесала за ухом того, кто был ближе и чья оскаленная пасть ухмылялась дружелюбней. Потом спросила, как их зовут.

— Тот, что как бы овчарка, — Мухтар. А тот, что как бы эрдель, — Линда, хотя он тоже мужик. Но переименовывать поздно, он уже привык, — махнул рукой Дмитрий Андреевич. — Видишь, как давно ты у нас не была! Мухтара соседи выбросили, когда в прошлом году уезжали в Москву, а Линду Елена на станции подобрала, еще зимой. Проходи в дом, Клаша! Скоро обедать будем.

— Ты не знаешь, где наши дети? — спросила Елена Васильевна. — Татьяна, к примеру?

— У нее беда, — сказала Клавдия и засмеялась. — Павлов проспал. Они с минуты на минуту подъедут, я думаю. За мной заезжать они никак не успевали, а то бы мы точно к ночи приехали. А об Андрее я ничего не знаю.

Она никогда про него ничего не знала. А спрашивать стеснялась.

— Ты ужасно бледная, — заметила Елена Васильевна, подходя к крыльцу. — Купальник взяла?

Клавдия кивнула.

— Тогда иди переодевайся и полежи до обеда в гамаке, позагорай немножко, — распорядилась Елена Васильевна. — Обедать будем на террасе. На улице осы.

— Я вам лучше помогу, — заскулила Клавдия. Лежать в гамаке она не умела.

— Мне нечего помогать. Стол накрыт давно. Щи томятся, картошка начищена, закуски в холодильнике. Только детей неизвестно где носит. Слава богу, первый ребенок приехал. Так что — в гамак!

— Может, прополоть чего? — тоскуя, спросила Клавдия.

— Я уж без тебя как-нибудь прополю, — отрезала Елена Васильевна. — Ты так редко у нас бываешь, девочка, что мне хочется, чтобы ты отдохнула.

Они были удивительными, родители Тани и Андрея. Засыпая, тридцатилетняя Клавдия иногда мечтала, чтобы это были *ее* родители. И в полусне ей мерещилось, что так оно и есть. Елена Васильевна — ее мама, почему-то потерявшаяся, когда Клавдия была маленькой, а Дмитрий Андреевич — папа, и она имеет полное право на их внимание, любовь и заботу. Она и приезжала-то к ним так редко потому, что до смерти боялась, что они увидят ее страстную к ним любовь, разглядят ее глупые фантазии, совершенно несвойственные взрослым людям, и перепугаются или, хуже того, сочтут себя обязанными ее опекать...

Таня привела ее к себе домой сразу после той картошки, на которой они познакомились, и Елена Васильевна с чисто учительским пристрастием моментально выведала у Клавдии все про детдом, общежитие и вселенское одиночество. Она никогда не сокрушалась и не смотрела на Клавдию «жалостливо», но она очень быстро сумела сделать так, что Клавдия стала чувствовать себя в этой семье как дома.

Ее приглашали на все домашние праздники. В честь дня ее рождения всегда пекли «большие пироги», как это называлось в доме Ларионовых и означало, что готовится не изысканный тортик по рецепту из журнала «Бурда», а с вечера заводится тесто в огромной белоснежной кастрюле, выбирается и обсуждается начинка — сладкая и мясная. А потом целый день в доме пахнет пирогами, и все томятся, ожидая, когда их подадут на стол, целую гору.

Елена Васильевна и Дмитрий Андреевич всегда были в курсе всех Клавдиных институтских дел и даже приходили к ней на выпускной вечер, оба нарядные, красивые и очень похожие на настоящих родителей, которые собрались в тот вечер в актовом зале. От счастья у Клавдии захватывало дух и щеки горели непривычным ярким румянцем. И платье они сшили вдвоем с Еленой Васильевной из куска необыкновенно красивой ткани, которую Дмитрий Андреевич привез из Китая.

Они никогда не жили легко, и Клавдия это знала.

Елена Васильевна до срока вышла на пенсию, чтобы ухаживать за бабушкой, которая и пятнадцать лет назад была совсем старенькой, Дмитрий Андреевич работал иногда даже слишком много. Большую семью нужно было содержать... Дети учились, бабушка старела, и московскую квартиру пришлось оставить, потому что бабушке в ней было невмоготу, особенно летом. Елена Васильевна жила как бы на два дома, мотаясь между Москвой и Отрадным, ухаживая за всеми и успевая везде.

Пироги пеклись, обед являлся на стол вовремя, сад сиял навстречу ухоженной, ровно подстриженной травой, в которой с ранней весны и до поздней осени цвели умопомрачительной красоты цветы, и ревнивые соседки недоумевали, как в средней полосе можно вырастить такие розы и гладиолусы. Огурцы приходилось солить в бочках, так много их было, тяжелая малина висела на ветках так соблазнительно-свежо, что при одном взгляде на нее у Клавдии капали слюни, клубники можно было есть сколько угодно.

И никогда она ни на что не жаловалась, эта маленькая императрица, бывшая одновременно и поварихой, и уборщицей, и прачкой, и садовником...

Она ни в чем не перечила своим внезапно выросшим детям и не пыталась изменить или устроить их жизнь по-своему.

«У меня потрясающие старики. Необыкновенные», — говорила Таня, и Клавдия ей поддакивала, хотя никогда не могла понять, зачем называть таких молодых и сильных людей стариками.

Они не возражали, когда Андрей, с блеском закончив университет, вместо аспирантуры пошел почему-то в Школу милиции. Они не возражали, когда Таня вдруг решила бросить свою инженерную специальность и заделалась секретаршей в никому не известный крохотный банк. Они готовы были искренне любить невестку и зятя и очень горевали, когда в прошлом году Андрей развелся с женой. Но горевали молча, вдвоем, никогда и ни в чем не упрекая и не поучая ни сына, ни дочь.

— Это не в традициях семьи, Андрюша, — только и сказала Елена Васильевна, когда Андрей сообщил ей о разводе, и у нее стало напряженное и усталое лицо.

Все у них было естественно и просто. И очень по-человечески.

— Клаша, ты где? — закричала из глубины дома Елена Васильевна. — Кофе будешь пить?

Задержавшись на залитом солнцем крылечке, где стояли вынесенные из комнат цветы в горшках и жмурился флегматичный огромный кот, Клавдия протопала в дом, радуясь отсутствию перемен.

— Я спрашиваю, кофе будешь пить? — повторила Елена Васильевна, появляясь на пороге. Вид у нее был озабоченный. — Кто их знает, когда они приедут, эти шалопаи.

— Буду, — решилась Клавдия. Кофе ей очень хотелось, и нервничала она ужасно. Нельзя, чтобы Елена Васильевна это заметила. Если заметит, мигом все выведает. Врать Клавдия совсем не умела.

— Сейчас сварю, — сказала Елена Васильевна с удовлетворением. Она была такая же страстная кофейница, как и Клавдия. — Бутербродик сделать?

Клавдия знала, что и без всяких вопросов к кофе будут поданы необыкновенно вкусные маленькие бутерброды, и поздняя малина, и сливки в муравленом горшочке с серебряной паутиной выступившей влаги...

— Давайте я сварю, Елена Васильевна! Уж кофе-то можно мне доверить!

— Вари, — подумав, разрешила хозяйка. — А я сделаю бутерброды.

Кофе был почти готов, когда неожиданно выяснилось, что нет хлеба.

— Дима! — закричала императрица, призывая императора. — Сходи за хлебом, пожалуйста! Я совсем про него забыла.

Император покладисто переодел майку, взял пакет, дернул Клавдию за нос и ушел за калитку.

— Подожди, я сейчас молоко достану, — сказала Елена Васильевна озабоченно, открывая подпол. Она знала, что Клавдия больше всего на свете любила с кофе концентрированное прибалтийское молоко и всегда держала у себя баночку на случай ее приезда.

У ворот засигналила машина.

— Это Андрей! — крикнула из подпола Елена Васильевна. — Клаша, впусти его. Ключ с правой стороны на заборе, ты найдешь!

У Клавдии взмокли ладони, а спине стало холодно.

Приехал Андрей.

Ведь она знала, что он вот-вот приедет, и даже прислушивалась к шуму машин за забором, и даже поглядывала на московскую дорогу, которая сразу за домом взбиралась на мостик и была хорошо видна с участка. Но он посигналил, и ноги приросли к полу, и в голове стало как-то неопределенно — ни связных мыслей, ни умных фраз...

— Клаша, ты что? — спросила Елена Васильевна. С металлической банкой в руке она стояла на шаткой лесенке, собираясь вылезать из подпола, и вид у нее был встревоженный. — Пойди и открой ворота! Ты что, не слышишь?!

Медленно, оттягивая неизбежный момент встречи, она поплелась с крыльца, стараясь не смотреть за калитку, где он уже стоял, свесив на эту сторону забора огромные ручищи с надувшимися синими венами. Клавдии казалось, что ни у кого на свете нет больше таких красивых, сильных, мужских рук.

Собаки, дружелюбно виляя хвостами, толкались около забора, оттесняя друг друга.

— Привет! — поздоровался он негромко. — Я и не знал, что ты здесь. Танька мне не сказала. Если бы знал, с утра бы приехал.

Всегда он разговаривал с ней так, что она не знала, смеяться ей или плакать. Он никогда ее не замечал.

— Привет, — сказала она, не глядя на него и делая

вид, что увлечена поисками ключа от ворот. — Я сама только что приехала.

— Ты не это ищешь? — спросил он, разжимая здоровенную ладонь с желтыми островками мозолей. На ладони лежал длинный старинный ключ.

— Как ты его достал? — искренне поразилась Клавдия и первый раз посмотрела ему в лицо. И больше уже не могла отвести взгляд.

Он засмеялся.

— Я вырос в этом доме, — сказал он. — Я могу достать все, что угодно откуда угодно. Эх ты, девчонка!..

Она взяла у него с ладони ключ. Жесткая, как наждак, кожа царапнула ей пальцы.

Господи, зачем она приехала?! Ведь знала, что он тоже собирается на дачу, и теперь она полгода будет мусолить подробности этой встречи и вспоминать, как он сидел, стоял, молчал, ел...

— Где все? — спросил он, пока она возилась с замком.

— У Таньки Павлов проспал, — объяснила Клавдия, не отрываясь от замка. — Они сейчас приедут. Дмитрий Андреич за хлебом ушел пять минут назад. А мама в подполе.

— Все как всегда, — сказал он, усаживаясь в машину. — Придержи собак, чтобы не выскочили.

Клавдия послушно схватила собак за ошейники, чем страшно их удивила, и ухоженная чистенькая машина точненько въехала в узкое пространство между гаражом и старой липой.

— Выпускай! — велел Андрей, выкарабкиваясь из машины. — Ворота я закрою.

Больше говорить было не о чем, и Клавдии следовало сразу же уйти в дом, под крыло Елены Васильевны, и заняться там чем-нибудь полезным, и не попадаться ему на глаза до самого вечера.

Но она продолжала стоять.

Он запер ворота и вернул на место ключ.

— Как дела? — спросил он Клавдию с равнодушным дружелюбием.

— Нормально, — сказала она. — А у тебя?

— У меня лучше всех. — Он неожиданно улыбнулся. — Что-то ты бледная. Работаешь много?

Ей стало жарко.

— Как обычно, — сказала она и сцепила за спиной руки.

— Приезжала бы почаще, — посоветовал он все так же равнодушно. — Родители тебя любят, и мы с Танькой тоже...

— Спасибо, — сказала Клавдия, поворачиваясь, чтобы идти к дому.

— Замуж не вышла? — спросил он сзади, и ей послышалась в его голосе насмешка.

Это ее задело.

За десять лет она ни разу не дала ему повод догадываться о том, как сильно она влюблена в него. Ни разу она не сделала ничего такого, что заставило бы его хотя бы вспомнить на пять минут о ее существовании.

И все-таки он не должен был задавать вопросы, от которых ей хочется реветь и топать ногами.

— Не вышла, — ответила она с удивившей его злобой в голосе. — Все тебя дожидаюсь!

Ему и в голову не приходило, что его вопрос может задеть ее. Эх, никак он не приспособится к жизни в социуме!

— Меня?! — переспросил он, понимая, что нужно как-то ее отвлечь. — Так это просто шикарно, Клава. Я как раз в данный момент временно не женат.

— Ты дурак какой-то, Андрей! — выпалила она и стремительно ушла в дом.

Он посмотрел ей вслед.

Что-то она сегодня не в настроении. Лучше к ней не приставать, а то укусит.

Краем глаза он увидел в окошке мать, которая смотрела на него внимательно и без улыбки.

— Мамуль, привет! — крикнул он, внезапно осознав, как он соскучился по этому дому и по родителям. Словно сделав над собой усилие, мать улыбнулась в ответ, и он пошел в дом.

От его шагов цветы на крыльце зашатались, а в старом бабушкином шкафу жалобно зазвенела посуда.

Таня с Павловым оставались ночевать, а Клавдия в девятом часу засобиралась домой.

— Ты что, с ума сошла? — спросила Елена Васильевна. — Только приехала, и обратно! Переживешь денек без своей Москвы ненаглядной. Останешься, и дело с концом.

— Правда, Клавка, — протрубила из гамака Таня, — что за глупости? Завтра вместе поедем. Мы тебя довезем до самого дома. Куда ты сейчас попрешься на ночь глядя?

— Знаю я вас, — сказала Клавдия весело. Про себя она твердо решила, что ни за что не останется. — Павлов опять проспит до вечера, и вы на работу в понедельник поедете, а я куда денусь?

— С нами поедешь, — из кустов подал голос Павлов. Он ел малину, и вид у него был счастливый. — Какая тебе разница, в воскресенье или в понедельник?

Ей-то как раз была разница. Павлову не было никакой.

Теща с тестем его уважали, Танька была при нем, что еще нужно усталому мужику в выходные?

— Сейчас еще раз самовар поставим, — пообещал Дмитрий Андреевич. — Елен, пироги остались?

— Полно, — ответила Елена Васильевна, — и до мороженого мы еще не дошли. А завтра шашлык будет, Клаша. Ты же его любишь!

Клавдия обожала шашлык, и поесть его ей выпадало

только раз в году на даче у Ларионовых, но даже такой аргумент, как шашлык, не мог убедить ее остаться.

— У меня завтра дежурство в аптеке, — неловко соврала она. Интересно, они догадались, что это вранье, или нет? — Спасибо. Я так люблю к вам приезжать!..

— Так чего ж не приезжаешь? — спросил Дмитрий Андреевич. Сидя на корточках, он изо всех сил дул куда-то под самовар. Из самовара во все стороны летели зола и искры. Подошел Андрей, присел рядом и тоже стал дуть.

— Прекратите, — попросила Елена Васильевна, отмахиваясь от летевшей в разные стороны золы. — Наш самовар нежный, он этого не вынесет.

— Вынесет, — уверенно сказал Андрей. Из самовара внезапно повалил дым, словно он решил, что дешевле будет снова разгореться. Андрей покидал в него шишек и сказал, отряхивая руки: — Я тебя довезу, Клава. Мне тоже завтра на работу.

Клавдия уставилась на него в смятении. Еще не хватало провести с ним два часа в машине. Да она с ума сойдет, и ее придется везти не домой, а прямо в Кащенко!

— Спасибо, — поблагодарила она Андрея под пристальным взглядом Елены Васильевны. — Тебе, наверное, это неудобно... А мне еще в магазин зайти нужно...

— Как хочешь, — сказала императрица, — а одну я тебя не отпущу. На дворе не июнь, темнеет рано. Так что или оставайся, или езжай с Андреем.

— В магазин я тебя тоже завезу, — пообещал Андрей, залезая к Павлову в малинник. — У меня в холодильнике можно в хоккей играть — просторно и холодно.

Возражать было нечего, и Клавдия дала себе слово, что немедленно заснет мертвым сном, как только они выедут с участка. А проснется уже в Москве.

— Сейчас чайку еще попьем и поедем, — сказал Андрей из малинника. — Мам, ты что-то там говорила про пироги...

Они уехали через час, наевшись так, что трудно было дышать.

— Я тебе в пакет сунула остатки пирогов, — напоследок шепнула Елена Васильевна Клавдии. — Смотри не забудь, положи их на ночь в холодильник. А утром перед работой разогреешь...

— Спасибо, — пробормотала Клавдия, чувствуя себя худшей из обманщиц. — И извините меня, что я уезжаю...

— Я все понимаю, — сказала Елена Васильевна строго. — Работа есть работа...

Андрей о чем-то договаривал с Таней, и Клавдия ужасно ей завидовала потому, что она может так легко и просто разговаривать с ним, смеяться и целовать его в щеку.

Дмитрий Андреевич вывел с участка его машину, собаки скакали вокруг, лаяли и толкались.

— Садись, Клаша, — сказал Дмитрий Андреевич, открывая ей дверь. — Они еще будут полчаса целоваться.

Клавдия осторожно села в машину Андрея и огляделась. Внутри она была такой же чистой и ухоженной, как снаружи, и Клавдии приятно было, что она сидит в машине Андрея.

Какой-то тип в полосатой рубашке стоял на мостике, через который им предстояло проехать, возвращаясь в Москву, курил и сплевывал в воду. Что-то в его облике вдруг насторожило Клавдию, и она взглянула раз и потом еще раз.

В детдоме, а потом в общежитии ей приходилось все время быть настороже. Чуть зазеваешься — и пиши пропало. Хорошо, если просто побьют, а не зарежут. Привычка оглядываться по сторонам и замечать все, что происходило вокруг, была у нее в крови. Инстинкт самосохранения не раз спасал ей жизнь, и, даже прожив несколько лет в относительной безопасности, она всегда слушалась этого своего инстинкта...

Она видела этого мужика в полосатой рубашке раньше.

Где?

Шум проводов, Танин смех, громкие голоса, собачий лай и урчание двигателя мешали ей сосредоточиться. Она закрыла глаза.

Дело не в рубашке, хотя таких дешевых полосатых одеяний этим летом в Москве было просто неприлично много. Должно быть, какая-то турецкая фабрика запустила новую линию. Но она отчетливо помнила именно типа, а не рубашку.

Да. Точно.

Сегодня он ехал вместе с ней в электричке и противно сопел в ухо. Было жарко, и ей все время хотелось его оттолкнуть, но она не стала, опасаясь нарваться на неприятности.

Она чуть успокоилась, выдохнула и открыла глаза. Ничего страшного, он просто ехал туда же, куда и она, — в Отрадное. Может, у него здесь тоже родственники.

Клавдия тихонько усмехнулась. Тоже! У нее-то как раз никаких родственников здесь нет. Она снова посмотрела на мостик, чувствуя себя очень защищенной в машине Андрея. Тип удалялся в сторону станции, и внезапно опять накатила тревога.

Дело не только в электричке. Она видела его где-то еще. Именно такую удаляющуюся спину, напряженную и внимательную, как если бы на этой спине были пристальные, осторожные глаза.

Ладони вспотели, и она вытерла их о подол сарафана. Вечно ей мерещатся всякие ужасы. Вот что значит постоянное чувство опасности, выросшее вместе с ней из крохотного испуганного ребенка во вполне взрослого человека.

Нет, ей не померещилось.

Она видела эту спину, он выходил из аптеки неделю или две назад. В дверях он посторонился и пропустил молодую девицу с коляской и еще одним малышом на буксире.

Она не может ошибаться, ее детдомовская память фиксирует и откладывает все, нужное и ненужное, как сама Клавдия когда-то прятала в фанерный чемоданчик хлеб, зная, что, когда ей захочется есть, рассчитывать будет не на что, кроме собственных запасов. Недаром лучше всех и быстрее всех в аптеке она запоминала названия новых лекарств, и фирму-изготовителя, и показания к применению, и дозировку, и препараты-аналоги, и заменители, и даже номера накладных. «Ты у нас ходячий справочник, Клава», — всегда говорила ей Варвара Алексеевна.

«Справочник» не подвел. Это был именно тот человек, которого она видела в аптеке.

Тоже совпадение? Он мог просто зайти за лекарством именно в ту аптеку, где работает Клавдия. Ничего такого.

Странные какие-то совпадения. В Москве тысяча других аптек, а под Москвой сотни дачных поселков, и все-таки этот человек дважды попался ей на пути. А может, не дважды, а трижды? Или четырежды?

— Господи, — пробормотал Андрей, усаживаясь рядом. — Уехать невозможно. Миллион указаний. Тысяча пожеланий. Приезжай скорей. Не забывай обедать. Не кури на голодный желудок. Чисть зубы и мой руки перед едой.

Клавдия засмеялась, моментально позабыв обо всех своих подозрениях. Она вообще обо всем забывала в его присутствии. Как школьница-переросток.

— А ты моешь руки перед едой? — спросила она.

— Еще как! — ответил он и посигналил родным, вышедшим за ворота проводить его. Все замахали руками, а Елена Васильевна послала воздушный поцелуй. — Меня хлебом не корми, дай только что-нибудь помыть. Руки и все такое...

Он сидел очень близко, большая рука двигалась, переключая скорости. И невозможно, невозможно было забыть о том, что он развелся, что он теперь... ничей, что он мог бы быть... ее.

«Господи, — подумала Клавдия, напряженно глядя на дорогу, — зачем ты оставил мне надежду? Это нечестно, господи...»

Словно боясь, что он может подслушать ее мысли, Клавдия быстро отвернулась к окошку и еще раз увидела *ту самую* спину.

— Ты знаешь, — сказала она Андрею, стараясь отделаться от ненужных мыслей, — вон идет тип, которого я сегодня видела в электричке, и еще в Москве, в аптеке. Странно, да? Как ты думаешь, это совпадение?

Совершенно неожиданно для нее он разозлился.

— Взбесились вы все! — сказал он грубо. — У тебя тоже галлюцинации?

— А у кого еще... галлюцинации? — осторожно спросила Клавдия.

— У моей жены, — ответил он, резко выворачивая на асфальт. Он не сказал «бывшей», и Клавдия это заметила. — У какой-то ее подруги. У подругиного мужа. У всех, черт побери. Всем мерещится, что за ними следят. Ты что, подала заявление в израильскую разведшколу?

— Да вроде нет, — ответила Клавдия, рассматривая его так, чтобы он этого не заметил. Майора и оперуполномоченного Андрея Ларионова она не знала, и ей интересно было посмотреть, какой он. Выходило, что совсем другой.

— А раз не подавала, то успокойся. В Москве и Подмосковье огромное количество всяких мужиков, и некоторые из них даже похожи друг на друга. Можешь себе представить? Пока ты еще не глава Росвооружения, следить за тобой нет никакого резона. Это понятно?

— Понятно, — послушно пробормотала Клавдия. Не могла же она ему объяснить про годами тренируемую память на мелочи, про детдом и про хлеб...

Говорить было не о чем, и Клавдия вспомнила свой

блистательный план заснуть сразу по выезде из ворот. Но жалко было тратить два часа, которые выпали ей раз в жизни и могли больше не выпасть никогда, на притворство.

Лучше она посидит тихонько рядом с ним.

Она умела виртуозно выдумывать себе другую жизнь, не такую, какая была у нее на самом деле. Это было очень просто и помогало, когда становилось совсем невмоготу.

Пусть он будет ее мужем. Как будто. Они возвращаются в Москву с дачи, оставив бабушке детей и радуясь этому короткому отдыху вдвоем и тому, что впереди у них длинный, молодой вечер, а завтра еще выходной, и можно будет проваляться в постели до полудня, ни о чем не заботясь. Он устал, конечно, на своей сумасшедшей работе, и она будет ухаживать за ним весь вечер и утро — нальет ему ванну погорячее, заварит чай, будет мурлыкать и тереться о него, как кошка. Интересно, какой он по утрам? Почему-то ей казалось, что очень сердитый. Но она смогла бы его развеселить, запросто...

Внезапно ей стало так неловко, что она резко поменяла положение и отодвинулась.

— Ты чего? — спросил Андрей.

Какая-то она была чудная. Танька, что ли, чем-то ее огорчила? Вряд ли, они ведь такие подруги...Или это он на нее так действует? В социуме-то он жить не умеет.

— Ты чего? — повторил он и мельком глянул на нее. Она смотрела в окно. — На меня обиделась?

— Что ты, Андрюша, — забормотала она, испугавшись, что ее можно заподозрить в подобной глупости. Разве она могла на него обижаться? Обижаться можно только на близких, а на чужих что обижаться?

— Ты странная какая-то стала, — сообщил он ей. — Дуешься, что ли? Или влюблена?

Она вздрогнула и посмотрела на него с изумлением.

«Кажется, попал, — подумал он с неожиданным раздражением. — Молодец, майор. С твоим тактом нужно немедленно перевестись на склад хранения табельного оружия».

Ему некогда было анализировать собственные чувства, и он крайне редко этим занимался, тем более до недавнего времени его чувства постоянно анализировала жена, напрочь отбив у него охоту к этому занятию. Поэтому он не стал думать, откуда взялось раздражение. Просто ему было неприятно, что он угадал, и все.

Много лет эта рыжеволосая тихая девушка принадлежала его семье, а следовательно, и ему тоже. И он никогда не задумывался, что будет, если в один прекрасный день она перестанет им принадлежать.

И что это за мужчина, в которого она влюбилась? И впишется ли он в семью?

— Давно? — спросил он неожиданно для себя.

— Что давно? — не поняла Клавдия.

— Влюбилась-то давно?

Она вдруг развеселилась.

— Давно, Андрей. А что? Неужели ты заметил?

— Заметил, — буркнул он, не понимая причины ее веселья.

А может, она не влюбилась, а просто морочит ему голову? На них это похоже, на девчонок. Хорошо бы морочила...

Странно, он никогда не думал о своей жене как о «девчонке». А о Таньке с Клавой только так и думал, хотя им обеим уже... сколько? По тридцатнику, наверное.

— Андрюха, ты такой потрясающий слон, — сказала она и засмеялась. — Неужели на твоей работе можно быть таким слоном?

— Каким слоном? — спросил он, подозревая, что речь идет о пресловутом «социуме», но в других выражениях.

— Таким, — сказала Клавдия, заливаясь идиотским смехом. — Я же была в вашем управлении, когда тебя орденом награждали, и там все в один голос говорили, какой ты необыкновенный сыщик. Шерлок Холмс по сравнению с тобой просто маленький неопытный мальчик.

— Так не говорили, — сказал он, польщенный. Ему было приятно, что она об этом помнит. Никому не было никакого дела до его работы и до того, плох он или хорош в деле, которым занимался уже много лет. А она... помнила, что его хвалили. — И все-таки почему я слон?

— Не скажу, — ответила она, — не проси. Расскажи мне лучше, как ты живешь?

— Нормально, — ответил он, все еще раздумывая над слоном. — Работа, дом. Работа, дом. Вот в гараж сегодня съездил, с бывшей пообщался. Напился вчера...

— Зачем? — спросила она.

— Затем, что хреново было, — ответил он честно. — Иногда мне бывает хреново.

— Ну что ж, — сказала она рассудительно, — пожалеть себя и напиться по поводу собственной загубленной жизни время от времени очень полезно. Ты из-за этого напился?

Ее неожиданная проницательность удивила его.

Она не могла знать его так хорошо, чтобы с одного раза угадать причину. И все-таки угадала.

— Да, — буркнул он. Она его смутила. — Все-то ты знаешь. В следующий раз, когда мне захочется оплакать свою загубленную жизнь, я тебе позвоню.

— Давай! — разрешила она с непонятным ему энтузиазмом. — Я вполне могу напиться вместе с тобой.

— Ты-ы? — протянул он. — Кишка тонка!

Это был очень странный разговор, каких они никогда не вели раньше. Это был очень легкий разговор, болтовня и треп, и непонятно было, почему им обоим показалось странным, что никогда раньше они не разговаривали так легко.

Андрей высадил Клавдию у подъезда, помахал на

прощание, развернулся на крошечном пятачке между домом и детской площадкой и уехал.

Клавдия долго смотрела вслед его красным «Жигулям». Потом вздохнула и повернулась, чтобы идти в подъезд.

Внезапно сильно стукнуло сердце, и полиэтилен пакета противно пополз из ставшей влажной ладони.

Она еще раз глянула, проверяя.

На лавочке у беспорядочно торчащих «ракушек» сидел *тот* тип в полосатой рубашке. Он смотрел в сторону, на площадку, где под одиноким фонарем прогуливались несколько собак с хозяевами. Это был именно он, и майор Ларионов мог заткнуться со всеми своими подозрениями, что у нее галлюцинации.

Она вся подобралась, как бывало в детдоме перед большой войной.

Что-то происходит вокруг нее, и она не знает, что именно. И что бы там ни думал майор, это происходит на самом деле.

Ей нужно подумать и подтвердить свои подозрения.

Сердце билось медленно и сильно.

Она все выяснит и расскажет Андрею. Конечно, он все ей объяснит и успокоит. Только сначала нужно проверить. Тот тип или не тот? Он приходил в аптеку или нет? Зачем она может быть ему нужна?

В понедельник она посмотрит, и если увидит его у аптеки, значит, тот самый.

Слежка? Что за глупости?

Она юркнула в подъезд и опрометью бросилась к себе на третий этаж. Только заперев дверь на все замки и цепочку, она почувствовала себя в безопасности и перевела дух.

Она все поймет на следующей неделе. Поймет и позвонит Андрею. И он ее спасет.

Если бы она только могла догадаться, что принесет

ей следующая неделя, она скорее всего собрала бы вещи и улетела ночным самолетом на Камчатку...

Спала Клавдия плохо.

Полночи она пролежала, зажмурившись и напрягая слух.

Ей слышались какие-то звуки, вчера еще совсем не страшные, и даже успокоительные, сегодня они казались зловещими и предвещающими беду.

Уличный фонарь заливал комнатку мертвенно-синим светом. Разросшийся за лето клен постукивал тонкой когтистой лапкой в подоконник.

А может, это не клен? Может, это кто-то заглядывает к ней в окно и проверяет, одна она или нет?..

Скрипнула половица в крохотной прихожей. Хлопнула подъездная дверь.

Что это? Сквозняк или кто-то поднимается на ее этаж?

Шевельнулись белоснежные занавески, казавшиеся в мертвенном свете фиолетовыми.

Нет, это не сквозняк. Ей стало жарко от страха.

Успокойся, это просто твои фантазии. Ни один злоумышленник не полезет на третий этаж, в квартиру, где совершенно нечем поживиться, да еще среди ночи, да еще в присутствии хозяйки!

Да, но почему опять хлопнула подъездная дверь?.. Разве она когда-нибудь хлопает по ночам? И что за странный сквозняк шевелит штору? Откуда он взялся? Форточка на кухне закрыта, значит, открылась дверь на лестницу?

О господи, наверное, нужно встать и посмотреть, но это очень страшно...

— Кто там? — неожиданно даже для себя тонким голоском спросила Клавдия, и вопрос повис в тишине ночной квартиры, как мертвец на потолочном крюке.

Ледяной рукой Клавдия нащупала шнурок торшера и дернула его вниз. Комнату залило желтым светом, штора сразу стала белоснежной, а стеклянный омут окна как будто потемнел и провалился.

Ни в комнате, ни в прихожей, конечно, никого не было.

— Я не буду трястись, как последняя дура! — громко заявила Клавдия себе и всем окружающим ее предметам. — Ничего не происходит. Все в полном порядке. Я расскажу обо всем, что видела, Андрею Ларионову, и он посоветует мне, что делать. Скорее всего я ошибаюсь. У меня эти... как он сказал?.. галлюцинации. Сейчас я лягу спать и усну. В пятницу я веник так и не купила, придется завтра ехать на рынок. Слышала? — строго спросила она себя. — Ложись сейчас же!

Она легла, убеждая себя, что нужно спать, но смалодушничала и свет гасить не стала.

В этом желтом веселом свете пугающие ночные звуки как-то растворились, ушли, и Клавдия перестала их слышать. Лежа на боку, она вспоминала, какой чудесный был день, и как она приехала, и собаки скакали вокруг, а Дмитрий Андреевич их держал, и оказалось, что Линдой зовут собаку-мальчика и не переименовывают, потому что он привык, а потом Андрей протягивал ей ключ от ворот, и она смотрела ему в лицо, в неопределенного цвета глаза, конечно же, самые прекрасные глаза на свете.

Так она и уснула со светом, до шеи натянув одеяло и мечтая об Андрее, который знать ее не желал и думать о ней не думал.

Зато в это же самое время о ней думал другой человек.

Он думал о ней так пристально, что именно его напряжение полночи не давало ей спать, нагоняя ужас.

На столе перед ним лежали отчеты наблюдателей за последние две недели, которые он уже знал почти наизусть, до самых мелких деталей. Знал так же твердо, как то, что *время пришло*.

Он убедился во всем, в чем должен был убедиться. По крайней мере в том, что касалось мужчины.

За женщиной придется еще некоторое время понаблюдать, но он совершенно уверен, что это она. Именно она.

Время, время... Оно поджимало и торопило его, но торопило не как враг, а как союзник. Оно укрепляло его решимость и мягко подталкивало вперед бархатной неумолимой рукой. Если бы не время, которое невозможно остановить или уговорить подождать, он долго бы еще тянул, отодвигая неизбежное и закрывая глаза на очевидное.

А медлить было уже нельзя.

Мужчину устранить сложнее, именно поэтому он будет первый. Даже в школе учили сначала браться именно за самое трудное.

С женщиной будет легче. В конце концов она всего лишь женщина — слабое, неумное, никчемное существо.

Он вспомнил еще одну женщину, умершую в мучениях.

Это было много лет назад, но он помнил и чувствовал *ту* смерть так, как будто она случилась час или два назад. Он видел ее изменившееся лицо и скрюченную, неестественно белую руку. Он рассматривал ее с жадным любопытством и торжествующим, ни с чем не сравнимым ликованием — это сделал он!

Он убрал ее с дороги. Он придумал сделать так, что она уже никогда не будет ему опасна и ее поганый язык не сможет ничего и никому рассказать.

Об одном он жалел — она так и не узнала, что он ·убил ее.

Жалел остро, истово, постоянно.

Она умерла — и все. Наслаждаясь тем, что это дело его собственных рук, он так и не смог насладиться ее ужасом, страхом, чувством обреченности, которые в миллион раз усилили бы ее мучения, знай она, что ее смерть — это *он*.

Тогда он думал, что все предусмотрел и поставил точку в деле, мучившем его годами. Много лет он прожил в покое и счастье, наслаждаясь тем, что убрал с дороги лукавую гадину, мешавшую ему дышать. И вот теперь приходится снова планировать и рассчитывать, устраивая новую смерть.

Только эта смерть, и даже не одна, а две, даст ему возможность жить так, как он привык.

Этих двоих он ненавидел меньше, чем ту, первую. Они были недостойны его ненависти, мелки и — он уверен — трусливы.

От долгого сидения за столом у него затекли ноги, и он встал, чтобы размяться.

За окнами была непроглядная, густая, почти осенняя ночь. Только душно было не по-осеннему. Наверное, придется все же купить кондиционеры. Конечно, по старинке, с открытым окошком приятнее, но жара давит, угнетает, не дает работать и думать. Он плохо переносит жару.

Срок для мужчины был уже назначен.

Пистолет он отверг, хотя, купленный заранее, он лежал у него в столе, ожидая своего часа.

Нет, пистолет — это слишком просто и незамысловато. Он хочет, чтобы *это* не было так быстро. Чтобы потребовало усилий. Чтобы его жертва не умерла мгновенно и безболезненно — вздох, а выдоха уже никогда не будет.

Ему нужно, чтобы тот человек не просто умер, а *умирал*. Пусть недолго, пусть всего несколько секунд, но ему-то он скажет, кто заставил его платить по счетам. Давней ошибки он не повторит. Этот умрет не просто так. Этот умрет, твердо зная, *за что*.

Именно поэтому он не поручил это дело никаким

исполнителям, готовым за деньги на все. Он должен сделать это сам, исправив то, что он когда-то не доделал.

И зажить дальше веселой счастливой жизнью.

Он глубоко и радостно вздохнул.

За запертой дверью послышались шаги, и дорогой, любимый, единственный голос, ради которого он был готов на все, спросил озабоченно:

— Почему ты не спишь? Тебе же нужно отдыхать! Ты знаешь, который час?

— Иду-иду, — отозвался он с нежной готовностью. — Ложись скорее.

Он поправил штору на распахнутом окне и задвинул ящик стола, в котором лежал короткоствольный израильский пистолет с глушителем и моток обыкновенного капронового шнура, который продается в любом хозяйственном магазине.

Понедельник начался дождем.

Дождь шел всю ночь, и к утру весь город был мокрым, холодным и нахохлившимся, как воробей, переживший зиму.

Жара последних дней лета почти заставила уверовать в то, что невозможное возможно и осень, задержавшаяся где-то по дороге, еще не скоро вспомнит о Москве и спешно начнет наверстывать упущенное.

Не тут-то было.

Осень прибыла точно по расписанию, прихватив с собой дождь, туман и северный ветер. И сразу стало видно, что она и не собиралась нигде задерживаться и давно уже в городе — со старых лип в скверике напротив густо и обильно сыплется листва, клены уже совсем пожелтели, озябшие от ветра капли нервно дрожат на стеклах, и впереди только холод, дождь, короткие дни и ранние сумерки...

«Уеду, к черту, в отпуск», — сердито решил Сергей,

глядя в окно на залитый дождем серый асфальт больничного двора. Прикрываясь мокрым плащом, под окнами наискосок пробежал санитар Дима, толкая перед собой белую больничную тележку. Полы его халата тоже были мокрыми.

Что это за климат? Шесть месяцев в году зима, а все остальное не поймешь что — то предзимье, то предлетье какое-то. Только-только придет тепло, только-только расслабятся и успокоятся замученные зимними стрессами люди, и снова — дождь, холод, ветер... Жди теперь еще полгода следующего предлетья. Настоящее лето в этих широтах бывает раз в двадцать лет.

«Точно, нужно в отпуск уехать, — обрадовавшись собственному решению, подумал Сергей. — Бог с ней, со школой, что там они пропустят, первый и третий класс? Уговорю Ирку. Не будем ждать никаких каникул. Сдохнуть можно, пока дождешься. Лучше тогда в ноябре еще раз слетаем. Или они без меня слетают. Хотя Ирка, конечно, одна никуда ездить не любит, но я попробую вырваться. Может, и получится...Поедем в отпуск, и точка».

Он отвернулся от окна, подошел к столу и длинным, красным от постоянного мытья пальцем нажал кнопку на селекторе.

— Марина Викторовна, — попросил он, когда селектор отозвался, — зайдите ко мне, пожалуйста!

Он отпустил кнопку и, обойдя громадный стеклянный стол — идиотский шедевр дизайнерской мысли, — стал копаться в карманах пиджака, наброшенного на спинку кресла.

— Можно, Сергей Леонидович? — секретарша робко просунула голову в узенькую щелочку приоткрытой двери.

Сергея всегда удивляло, как ей удается просунуть такую огромную голову в такую крошечную щель. Ее милая робость никак не вязалась с громоздким многопудовым телом и сиреневыми волосами, уложенными в немыслимую прическу. Секретарша она была отличная — исполнительная, вежливая и, что самое удивительное, проворная. Сергея она боготворила и боялась.

— Можно, можно, заходите! — Он продолжал рыться в карманах, не находя нужной визитки, а секретарша застыла посреди кабинета, как айсберг, неожиданно решивший не топить «Титаник».

— Черт, куда же я... А! Вот. — Он выудил из внутреннего кармана желанную визитку и протянул ей. — Это телефон Игоря Бородина, он генеральный директор какой-то туристической фирмы. Ага... «Таласса», вот как она называется. Позвоните ему и попросите, чтобы он подобрал мне поездку недели на две туда, где тепло.

— То есть куда? — подобострастно спросила секретарша. Когда шеф изволил изъясняться непонятно, она всегда старалась переспросить, чтобы — боже сохрани! — ничего не перепутать и в точности выполнить монаршую волю.

— Неважно куда, — сказал Сергей нетерпеливо. — Турция, Греция, Испания, Италия, Крит, Египет, Канары... Далее везде. Пять звезд. Детский клуб. Номер желательно двухкомнатный, чтобы дети не ночевали одни... Допустим... с пятницы. Или с будущего понедельника.

— С пятницы, которая будет в конце этой недели? — уточнила секретарша.

— Совершенно верно, — улыбнулся Сергей. — Я думаю, проблем никаких не будет, потому что каникулы кончились, а в пятизвездочные отели и в каникулы никто особенно не ломится... Сделаете?

— Конечно, — уверила секретарша, задом отступая к двери. — Конечно, Сергей Леонидович...

— И соедините меня с женой! — вспомнил он, когда она была уже у двери. — Пока я оперировал, она не звонила?

— Нет, нет, — испуганно заверила секретарша. — Я бы сразу передала, Сергей Леонидович.

Плохо, что не звонила. Сергей не любил, когда она подолгу ему не звонит.

Пусть он несовременный, пусть он отсталый, пусть он какой угодно, но ему легче живется и работается, когда он знает, что с ней все в порядке. Дети в школе — младший сегодня пошел в первый класс, и Сергею даже удалось выкроить время, чтобы проводить его! — Ирка на работе, вечером все соберутся дома, и он им объявит, что они едут в отпуск, и не когда-нибудь, а через три дня. Ирка, конечно, будет ворчать сначала, она не любит неожиданных решений и резких изменений в планах. Зато когда они уложат детей спать и сами разлягутся на шикарном новом водяном матрасе, и все обсудят, и решат, что брать из вещей и кому пристроить Ники, веселого рыжего колли, и он расскажет ей, как устал за это лето — от работы и от неясных глупых подозрений, — тогда наконец она обнимет его и, как всегда, непременно скажет, что он во всем прав, и они будут долго и пылко заниматься любовью. А через три дня он уже будет греться на вечном солнце на берегу вечного моря...

С утра у него были две тяжелые операции, и обе были проведены «с блеском», как сказал ему ассистент. Сергей и без ассистента знал, что сработано все на редкость хорошо, но похвала была ему приятна. После обеда он съездил в министерство и, как это ни странно, увидел всех, кто был ему нужен. Такая удача выпадала редко. Вернувшись, он провел короткую летучку с докторами и нарисовал план завтрашней операции. Такая у него была привычка.

А потом решил поехать в отпуск.

Всех срочных больных он постарается прооперировать на этой неделе, а вместо себя оставит Сашку Гольдина. Сашка — отличный хирург, едва ли не лучший, чем он сам. И администратор прекрасный.

Все, можно уезжать домой.

— Сергей Леонидович, Ирина Николаевна, — доложила секретарша в селектор.

— Спасибо, — ответил он.

— На первой линии, — уточнила секретарша и отключилась.

— Привет, — сказал он. — Ты чего мне не звонишь?

— Я тебе на мобильный звонила, — сказала жена весело. Всегда ей было весело. Не умела она сердиться, негодовать и выражать неудовольствие. Вот такая редкая у него была жена, и он любил ее последние пятнадцать лет. — Твой мобильный мне сказал, что ты недоступен. То есть абонент. Сережка, ты — абонент?

— Я великий хирург, — сообщил он ей. — И грозный начальник. Всех сегодня построил, всем влепил по первое число. Сейчас приеду домой и тебе влеплю.

Она не испугалась.

— Как наш сын посетил школу? — спросил он, надевая пиджак. Рукав завернулся, и он старательно его выворачивал.

— Который, первый или второй? — уточнила жена.

— Обое, — сказал он. Иногда ему нравилось загнуть что-нибудь такое, вроде «обое», «вчерась», «надысь» или «ихние».

— Все отлично, — ответила жена. — Приезжай. Татьяна Павловна сказала, что абсолютно все без исключения довольны и счастливы.

Татьяной Павловной звали няню, которая забирала мальчишек из школы и оставалась с ними до приезда родителей.

— Я купила торт-мороженое для бандитов, «Баскин Роббинс» для тебя, орехов для себя, и еще осетрину и отбивные. Есть хочешь?

— Ужасно, — сказал он, улыбаясь, как идиот. — Я тебя люблю, Ирка. Выезжай. Я ненавижу приезжать раньше тебя.

— Тиран и сатрап, — объявила она и повесила трубку.

Это был чудный вечер.

Детей удалось загнать в кровати только в половине десятого, хотя Ира всегда строго контролировала время укладывания — в девять, и никаких гвоздей. Они оба были врачи и потому отлично понимали, что детям, которые ходят в школу и спортивные секции, нужно много спать и плотно есть, иначе к восемнадцати годам они превратятся в инвалидов и неврастеников. Но сообщение об отпуске, в который они на днях уедут, — подумать только, на целых две недели! — выбило семейство из привычной колеи.

Мальчишки скакали, Ники лаял, отбивные шипели на сковородке, а Ирка ворчала, что вечно он придумывает невесть что, когда только начался учебный год и самое время налаживать нормальный ритм занятий, входить в рабочую колею, составлять разумный график и делать что-то еще, такое же правильное и скучное.

Очень быстро она отошла и стала строить планы, а Гришка притащил бумажку в клеточку и фломастер — писать список вещей. Список был отложен на завтра, и дети, стеная и вопя, удалились в свои комнаты.

Сергей быстро затолкал посуду в посудомоечную машину, потрепал Ники и улегся на свой суперматрас, купленный неделю назад за бешеные деньги. Он стал плохо спать из-за каких-то придурков, провожавших его в клинику и обратно, и Ирка купила это изделие, решив сделать ему приятное.

Сегодня, садясь в машину, он посмотрел по сторонам, но не обнаружил никого из тех, что караулили его уже недели две.

«Что за номера? — подумал он, раздражаясь. — Что это за слежка? Ей-богу, еще раз увижу, морду набью!»

Пришла Ирка, плюхнулась рядом, пристроила коротко остриженную голову ему на живот и запустила руку в его джинсы.

— Ого! — Он дернулся и захохотал. С разгону она сделала ему больно. — Полегче, дорогая. Я ведь твой старый муж, а вовсе не молодой любовник!

Они долго катались по матрасу, к размерам и конструкции которого никак не могли привыкнуть, хохотали, тискались и стаскивали друг с друга одежду. Потом занимались любовью и отдыхали, сцепившись вялыми пальцами. Замерзли и грелись под одеялом, улегшись «кучкой», как это называла Ирка.

Потом заскулил терпеливый Ники.

— Я про него совсем забыл, — застонал Сергей. — Ники, извини, мой хороший, я про тебя забыл. Ну, пойдем скорей, я тебя выведу...

Делая над собой усилие, он поднялся, надел джинсы и первый попавшийся под руку свитер. Ники крутился под ногами, пихался и повизгивал. Носки искать было лень, и он сунул в кроссовки голые ноги.

— Зонт возьми! — крикнула из ванной Ирка. Шум воды заглушал ее голос. — И не ходи далеко, поздно уже!

— Ладно, — сказал Сергей и следом за обрадованной собакой сбежал по лестнице.

— Добрый вечер, Сергей Леонидович! — сказала ему Вера Игнатьевна, сторожиха, или, как принято было теперь говорить, консьержка. — Что-то вы как поздно сегодня!

— Мы про него забыли, — улыбнулся Сергей, открывая тяжелую холодную дверь на улицу. — Да я на пять минут.

Собак выгуливали в скверике напротив, и Сергей потопал туда за Ники, привычно устремившимся через дорогу. Дождь перестал, но было сыро, ветрено и неуютно, и хотелось скорее домой, в постель, под теплый Иркин бок.

— Ты как там? — спросил Сергей у Ники, пушистый хвост которого торчал из чахлых кустов. — Пописал или нет еще?

Ники что-то вынюхивал в кустах, шелестел листьями. Сергей посмотрел на небо. В рваных дырявых облаках время от времени открывалась темная холодная бездна. Голые ноги в кроссовках начинали подмерзать.

Внезапно странным отчаянным голосом взвизгнул Ники.

Сергей вздрогнул и поискал его глазами. Собаки нигде не было.

— Ники! — позвал Сергей. — Ники, ты что?!

Ни о чем не думая и ломая мокрые ветки, он бросился в кусты, где только что светилась белая кисточка.

— Ники, где ты? Да где же ты, чертова собака?!

Он споткнулся обо что-то, чуть не упал и выругался, поправляя сваливающуюся кроссовку.

Веревка плотно и безнадежно захлестнула его горло.

Еще секунду он ничего не понимал.

А потом стал сопротивляться, бешено, безумно, но тот, кто душил его, был сильнее, да и эту драгоценную секунду, единственный шанс на спасение, он потерял.

Свет стремительно темнел в глазах, и горлу было очень больно, и напоследок он подумал — как же они теперь, без него? Особенно маленький, Ваня.

И Ирка будет горевать.

Больше всего на свете он не любил расстраивать жену.

Дело сделано.

Все спокойно и тихо.

Правда, сказать он ничего не успел, потому что эта скотина доставила ему больше хлопот, чем он думал. Даже руку ободрал, хирург, гуманный и милосердный врач, каждый день кромсающий живые человеческие тела. Мерзавец.

Он еще раз удостоверился, что человек у его ног мертв.

Он порвал ему горло, пока тот извивался и корчился, надеясь спастись. А теперь лежал, уткнувшись оскаленным ртом с высунутым языком в шерсть своей мертвой собаки, как будто собирался ее укусить.

Туда тебе и дорога. Счастливого пути.

Он брезгливо бросил шнур на труп, перешагнул через него и неторопливо направился к выходу из замусоренного и загаженного собаками сквера, оставив Сергея Мерцалова остывать под вновь начавшимся дождем.

Андрей считал секунды.

Раз, два, три, четыре...

Двое вышли из машины и направились к бетонному парапету набережной. Один из них оглянулся через плечо. Глаза обежали пустынную, залитую дождем реку, тротуар в мелких пузырящихся лужах, желтый забор какой-то конторы напротив. Двое остались в машине.

...восемь, девять, десять...

Рядом шевельнулся Игорь Полевой, хладнокровный и надежный, как скала. И опять замер. Димка Мамаев держался из последних сил, возбуждение захлестывало его, переливаясь через край. Он хотел активных и решительных действий, после которых все враги окажутся поверженными, а сверкающий Димкин ботфорт будет попирать спину трусливого противника, распластавшегося на земле.

Не будет никакого кино, мальчик. И НТВ не покажет нас в программе «Криминальный дневник». Если мы не облажаемся, все пройдет без шума и пыли. И даже без стрельбы, в которой для тебя основной смысл оперативной работы. Пока.

...двенадцать, тринадцать, четырнадцать...

А вот и вторая машина. Гости прибывают точно по расписанию. В этой машине их всего двое. Оба выходят. Один закуривает, закрывая от дождя сигарету ладонями. Ладони сложены ковшиком. Тот же внимательный и короткий взгляд по сторонам.

Все спокойно.

В холодном влажном воздухе сытный кондитерский дух. Дальше по набережной — «Красный Октябрь». Сладкий конфетный запах вязнет в носу, от него невыносимо хочется курить. И есть.

...двадцать. Один, два, три...

Ребята за желтым забором подобрались и натянули маски. Андрей не мог этого видеть, но точно знал, что это так.

Может, бизнесмен Муров и не стоит их усилий, и даже скорее всего не стоит, но убийцу его они сейчас возьмут.

Четверо у парапета разговаривают спокойно. Смеются.

Ну, бог в помощь...

Двигатель ревет, и машина сразу выскакивает на тротуар, с визгом приседая перед растерянной четверкой. Двери распахнуты, и Андрей уже снаружи. Слева от него Полевой. Только Димка где-то застрял.

— Стоять! Руки на голову!!

Один из них бросается бежать, сбоку на него кидается оперативник в маске. Кто это? Андрею некогда соображать.

Ругань, глухой удар. Стон.

— Мордой в парапет, ноги!.. Ноги шире, мать твою!! Ботинком в голень... стоять!!

Один валится на колени, другой, захрипев, перегибается через парапет.

— Руки на голову, ну!!

Мат, дождь.

Операция прошла успешно, так они напишут в отчетах.

Те двое, что остались в машине, стоят на коленях, уткнувшись лицами в капот. Тоненькая красная струйка бежит по бежевому борту щегольской иностранной машины.

Все. Конец истории. Двенадцать секунд.

— Сколько?

Это Полевой.

— Двенадцать, все нормально. Мужики, по машинам! Стволы подберите, если кто уронил!

Это шутка, и они смеются.

Андрей садится в машину, Гена Барский, водитель, хлопает его по спине.

— Ты молоток, Андрюха, мать твою! Железный опер!

Да, конечно. Он и сам знает. Все чисто, красиво, быстро и без единого выстрела. Не придется писать никаких объяснительных, и покой честных граждан не потревожен.

Неужели с тех пор, как он приехал на работу, прошло только полтора часа?! Время позволяет себе какие-то немыслимые кульбиты.

Как похолодало!

Андрей закурил.

— Дим, ты как? — спросил он, затягиваясь.

— Отлично! — ответил сзади Димка неестественно бодрым голосом.

Все ясно. Хреново, но не слишком. Какой это у него выезд? Второй вроде? Ну, для второго выезда неплохо.

Можно расслабиться и отдохнуть в теплой машине. Ехать им минут пятнадцать.

Мать твою...

Их двое, установила Клавдия. В субботу с утра до вечера за ней таскался один, а в воскресенье — другой.

Не обнаружив по дороге в булочную унылую рожу субботнего соглядатая, Клавдия решила, что у нее все-таки галлюцинации. Прав майор Ларионов. В булочную ей не особенно было надо, она пошла туда только «для проверки». Второго она разглядела, выходя из вертящейся магазинной двери. В руках, как заправский конспиратор, она держала батон.

Ее сопровождающий маялся у ларька, покупал сигареты. Интересно, сколько раз в день им приходится делать вид, что они покупают сигареты, жвачку, пиво? Десять? Тридцать?

Этого она тоже видела у аптеки. И один раз у метро. Она уронила пакет с морковкой, и он на нее налетел. Но собирать морковку не помог, а понесся дальше, не оглядываясь. Клавдия тогда еще подумала неодобрительно, что джентльменов в роду человеческом совсем не осталось.

Почему-то они совсем не опасались, что в один прекрасный момент она поймет, что они таскаются именно за ней. Принимают за полную кретинку и простофилю? Конечно, у нее, наверное, вид такой, соответствующий, но только слепой в конце концов не обнаружил бы их присутствия. Или они уже очень давно за ней ходят и совершенно расслабились?

Господи, с кем же они ее перепутали?

И кто?! И зачем?!

Воскресенье прошло плохо.

Обнаружив второго, она расстроилась и перепугалась.

До похода в булочную ее страхи были просто ночной фантазией. Поводом для звонка майору Ларионову.

Когда-то она добыла его рабочий телефон и с тех пор трепетно хранила, смеясь над своим подростковым энтузиазмом. Домашний его телефон был у нее всегда. Когда в этой квартире еще жили Таня, и Елена Васильевна, и Дмитрий Андреевич, Клавдия звонила часто, наверное, каждый день. С Танькой они просто болтали, а с Еленой Васильевной обсуждали всякие житейские проблемы — что у нее с практикой, пишет ли она диплом, какая у нее будет зарплата и сделан ли наконец в общежитии давно обещанный ремонт.

Потом они переехали за город. Андрей остался в Москве, и Клавдия звонить перестала. В Отрадном у них не было московского телефона, а звонить через междугороднюю Клавдия не могла себе позволить. Это в корне подорвало бы ее бюджет.

Мифическая слежка, оказавшаяся внезапно вполне реальной, была как бы ключом, которым открывалась заветная дверца. Впервые за десять лет у Клавдии был настоящий повод позвонить Андрею. Кажется, она даже никогда не слышала, как звучит его голос по телефону.

Только теперь это был никакой не ключ. За ней действительно следили.

Звонить или подождать?

Скорее всего он опять скажет, что она бредит, и на этом разговор окончится. Что тогда делать? Идти на Петровку? И что там рассказать, на этой Петровке?

Она не слишком боялась потому, что была абсолютно уверена — парни, которые ходят за ней, совершают какую-то ошибку. Их босс еще головы с них снимет за это.

Недоглядели. Перепутали. Приняли Клавдию Ковалеву за кого-то другого. За Клаудию Шиффер, например.

На работу в понедельник за ней потащился первый. Только теперь он был не в полосатой рубашке, а в клетчатой. Она засекла его у дома и потом на лавочке в школьном дворе, напротив аптеки.

Увидев его внимательную спину, уже ставшую знакомой, Клавдия отошла от окна и присела на шаткий стульчик. Ей нужно было подумать.

Надо же, все-таки она была уверена, что недоразумение, по которому эти парни взялись следить за ней, вот-вот разрешится. Тем не менее он здесь, тот, кто сопел ей в ухо в электричке и покуривал на мостике в Отрадном. Может, подойти и сказать, что она вовсе не та, кто ему нужен? Что она всего лишь Клавдия Ковалева, провизор, аптечный работник, сирота, владелица четырех «хрущевских» стен, цветного телевизора Сени и жидкого полушубка из искусственного меха. Ничего другого у нее просто нет.

Вы ошибаетесь, ребята!

Она не слишком боялась еще и потому, что выросла в детдоме. Она никогда не была барышней, нежным созданием и «цветком в пустыне». Даже когда ей было восемнадцать лет. Она умела постоять за себя, потому что, если б не умела, ее давно уже не было бы в живых. Она ненавидела темноту, вздрагивала от резких звуков, опрометью неслась домой от автобуса, когда работала во вторую смену, стараясь не думать о подстерегающих ее в ночи маньяках. Но, пожалуй, ни один маньяк не ушел бы без потерь, решись он в самом деле напасть на Клавдию Ковалеву.

Возможно, она и не победила бы, но боролась бы до конца.

В романе, который она закончила читать в воскресенье, отважный полицейский как раз выручал барышню. По кварталу разгуливал полоумный насильник, а барышню понесло на вечернюю прогулку. Герою ничего не оставалось делать, как пристрелить маньяка и прижать барышню к могучей полицейской груди. В самом деле, не бросать же ее на произвол судьбы. Клавдии такие истории нравились.

Но она всерьез опасалась, что отважный полицейский из ее романа не кинется ей на выручку, а в лучшем случае посоветует отнести участковому заявление. После чего зевнет и скажет, что у него был трудный день он хочет спать, как зараза. Иногда он так выражался.

Ты что-то еще хотела сказать, Клава?

Клавдия вытянула шею и со своего места на стульчике вновь увидела соглядатая. Теперь он читал газету.

Наверное, нужно позвонить Таньке и обсудить это с ней. Танька умная, она что-нибудь посоветует. А звонок Андрею приберечь на черный день. Повод-то у нее был всего один...

До начала рабочего дня оставалось двадцать минут, и Клавдия встрепенулась. Она всегда пила перед работой чашку кофе, сидя в одиночестве и покое на маленькой и чистой аптечной кухоньке. Веники — два! — стояли у двери в директорский кабинет, стыдливо прикрытые газеткой. Добавив пятерку из собственных денег, Клавдия купила и «Пемоксоль» для чистки посуды и теперь раздумывала, попросить у Варвары Алексеевны пятерку обратно или сыграть в благородство и сказать, что все покупки сделаны на пятьдесят рублей? Пятерка таким образом будет утрачена навсегда, зато заведующая Клавдию похвалит...

Заглянула уборщица и спросила презрительно:

— Ты, что ль, веники купила, которые у кабинета стоят?

Клавдия кивнула, старательно дуя на кофе.

— Все прислуживаешь, — помолчав, выдала уборщица. — Все за начальством ухаживаешь...

Она была неплохая девка, но неустроенная и от этого сердитая.

— Чего же не поухаживать, если начальство хорошее? — спросила Клавдия спокойно.

Уборщица, которая отвергла идею покупки веника как недостойную, когда начальница ее об этом попросила, в сердцах швырнула на вешалку чистое полотенце и затопала в коридор.

— Нина, открывай! — закричала в зале заместительница Наталья Васильевна. — Без пяти!

Клавдия одним глотком допила кофе и заторопилась в торговый зал, еще девственно чистый и нетронутый после утренней уборки. Ее рабочее место было сразу при входе в аптеку. Она поздоровалась с Ниной, работающей за вторым столом, проверила все свои ящики, ручки, калькулятор и пластмассовую коробку для рецептов. Все было в порядке.

Ей очень не хотелось смотреть. Работу нужно начинать в хорошем настроении, только тогда работаться будет хорошо. И все-таки она взглянула в окно. Соглядатай был на месте.

Черт бы его побрал.

— Убийство, Андрей, — сказал эксперт Борис Семенович. Он увидел Андрея издалека и пошел ему навстречу. — Тебе уже сказали?

— Сказали — тело. — Андрей зевнул и сунул руки в карманы. Ночью он почти не спал, думал о сегодняшнем задержании и теперь мерзнет, зевает и курит уже вторую пачку. — Мужчина, женщина?

— Мужик, — ответил эксперт. — Молодой. Дай сигарету, что ли.

Андрей вытащил из кармана «Мальборо».

— Нет, браток, — сказал Борис Семенович и засмеялся мелким рассыпчатым смехом. — Эти ваши «Лайты» я курить не могу. Фикция, а не сигареты. Пойду у ребят чего посолиднее стрельну.

— Далеко не уходи, Борис Семенович! — вслед попросил Андрей.

— Да я тебе там не нужен, — сказал эксперт серьезно. — Ладно, не пойду.

Игорь Полевой и Ольга Дружинина, капитанша из их отдела, негромко разговаривали в сторонке, патрульная машина взблескивала сквозь дождь синей заполошной мигалкой.

— Выключили бы, — сказал Андрей водителю, проходя мимо. — Привет, Ольгунь.

— Привет, — сказала Ольга и потянулась, чтобы поцеловать его в щеку. — Ну как вы сегодня? Без нальбы, говорят?

— Без пальбы, — согласился Андрей. — Вы давно приехали?

— Минут двадцать назад, — отозвался Игорь.

Андрей присел на корточки, откинул темную ткань, прикрывающую тело.

— Веревка сверху валялась, на нем, — сказала Ольга. — Ее Семеныч забрал и упаковал уже.

— Кто его нашел? — спросил Андрей, осторожно перемещаясь так, чтобы рассмотреть лицо. — Патруль?

— Нет. Утром дедуля вышел с собакой, ну и... Собака нашла. Тут все местные собачники гуляют, так я понимаю, — сказал Игорь. — Семеныч говорит, он часов шесть точно пролежал. Мог бы и дольше пролежать. Видишь место какое — с бульвара не видно и из сквера тоже.

Андрей хмуро посмотрел на грязную голубоватую ступню. Ее мочил дождь, и почему-то Андрею это было неприятно. Он потянулся и закрыл мертвую ногу тканью.

— Где дедуля, который его нашел? Ты с ним говорил?

— Нет пока. Он в шоке почти что, — Игорь ткнул сигаретой в сторону второй машины. — Вон в машине. Ольга ему даже кофе наливала.

— Конечно, наливала, — встрепенулась Ольга. — Он старенький совсем, ему трупы небось только во сне снились...

В одной из машин припадочно захрипела и захрюкала рация. Ольга пошла к ней.

— Он откуда-то из этих домов, — сказал Игорь. — С собакой гулял. Видишь, даже носки не надел. Сейчас быстро проверим, может, кто звонил, сообщал, что он домой не вернулся.

— Озадачь Диму, а? Пусть из магазина позвонит. — попросил Андрей. Он поднялся с корточек и обошел тело. — А вторая кроссовка где? Нашли?

— Да чего ее искать-то? Вон в кустах лежит. Я не трогал, тебя дожидался.

— Собака залаяла, что ли? — вслух подумал Андрей. — Или он ее сначала замочил?

— Почему ты думаешь, что это он? — спросил Игорь. — Может, она?

— Интуиция, — сказал Андрей и ухмыльнулся. — Семеныч, это он или она?

Эксперт с удовольствием курил какую-то махорку, неизвестно где добытую, и вокруг него висело плотное, вонючее облако.

— Вот это? — переспросил эксперт. — Это, без сомнения, он, дорогой мой Андрей Дмитриевич. Но если ты хочешь, чтобы я тебе моментально сообщил, кто это его так уделал, то не на того напал. Ничего я тебе не сообщу. Теоретически, конечно, со здоровым мужиком может сладить только здоровый мужик, ну а практически человеческие возможности ничем не ограничены. Может, и она. Но только такая.... монументальная она.

Семеныч был замечательный эксперт, один из лучших в управлении. Больше всего Андрей любил работать именно с ним. Он никогда не капризничал, не ленился, не учил оперативников жить, и всезнайский тон был ему несвойствен.

— А ты сможешь установить, кто все-таки, он или она? — спросил Андрей. — Практически, а не теоретически? Под ногтями у него явно чья-то кровь. И кожа.

— Всему свое время, Андрюша, — сказал эксперт добродушно. — В лаборатории все посмотрим. Да ты не переживай, я быстро работаю.

Это была такая корпоративная шутка, неизвестно когда и неизвестно из чего родившаяся, но все засмеялись.

— Следов нет, — сам себе сказал Андрей. — Вернее, конечно, они когда-то были, но после мужика с собакой и любопытных...

— Ольга вызвала нашу собачку, — сказал Игорь, отряхивая с куртки дождевые капли. — Может, она нас приведет куда...

— Знаю, куда она нас приведет. На бульвар, где у него была машина, — пробормотал Андрей. — Или у нее, что, как говорит наш эксперт, теоретически возможно. Да и дождь всю ночь наяривал... Но чем черт не шутит...

Из магазина на другой стороне бульвара выскочил Дима Мамаев и быстро перебежал дорогу. У него было возбужденно-сосредоточенное лицо.

— Нашел что-то, — сказал Андрей и посмотрел на Игоря.

— Есть, Андрей Дмитриевич! — переходя на шаг, издалека крикнул Дима. — Есть!!

Народу в этот день в аптеке было непривычно много. Отвыкли за лето. Расслабились.

Осень загнала людей в город, а дождь заставил всех вспомнить о том, что после летней свободы наконец-то настало время поболеть.

— Ничего наш народ не любит так сильно, как лечиться, — со вздохом сказала Варвара Алексеевна, приостанавливаясь около Клавдии. — Да, Клава? Ну, нам-то от этого только польза, у нас товарооборот возрастает.

— Возрастает, Варвара Алексеевна, — тут же согласилась Клавдия.

В стеклянные двери входила следующая партия покупателей — две старушки в мокрых плащах и молодой мужчина с мобильным телефоном, притиснутым к уху.

— Вот он нам сейчас товарооборот и повысит, — так, чтобы слышала только заведующая, пробормотала Клавдия. И они улыбнулись друг другу понимающими улыбками.

Клавдия была профессионалом. Она всегда знала, *кому* и *что* нужно предлагать. Кому красногорский ас-

пирин за четыре восемьдесят и парацетамол за два пятьдесят, а кому лорейн за пятьдесят три рубля и особое
массажное масло, отлично помогающее от целлюлита,
за двести десять.

— Давай, давай, — подбодрила заведующая. — Зара-
батывай премию. Новый год скоро.

Она всегда так говорила. Первого мая она утвержда-
ла, что скоро Седьмое ноября, а Седьмого ноября, что
скоро Первое мая.

— Мне бы от насморка что-нибудь, — пробубнил
обладатель мобильного телефона, не отнимая трубку от
уха. — Только чтобы помогало.

— Капли или таблетки? — уточнила Клавдия, поворачиваясь к своему стеллажу.

— Откуда я знаю, капли или таблетки, девушка! —
сказал «телефонист» с досадой. — Нет, это я не тебе, —
пояснил он в телефон. — Я в аптеке. Что-то расклеился
совсем...

— Здравствуйте, Клавочка, — ласково проговорила
из-за его спины одна из старушек. — Мы опять к вам.

Клавдия улыбнулась в сторону старушек и выложи-
ла на прилавок, к окошку, две невообразимой красоты
коробки — с таблетками и каплями в нос.

— Вот это капать, — сказала она мужчине. — А вот
это глотать. Возьмете?

В его простуженных глазах внезапно появился интерес, вызванный, очевидно, надеждой на спасение.

— Да, конечно, — сказал он, с вожделением глядя на
коробочки. — Сколько с меня?

— Сто тридцать один восемьдесят, — объявила Клавдия.

Она давно заметила, что лекарства часто производят
на людей совершенно магическое впечатление. Только
взглянув на коробку, человек начинает верить, что уж
это-то обязательно поможет. Не может не помочь. Вон
какая солидная упаковка, и как красиво все на нэй на-

писано. Нужно только быстро все это съесть и выпить, и я буду как новенький...

— А чтобы капать, нужна эта самая... как ее... — Мужчина замялся, вспоминая.

— Пипетка, — догадалась Клавдия. — Нет. Там такой флакончик со специальной насадкой. Вы сразу можете закапать, и станет легче.

— Спасибо, — поблагодарил телефонный страдалец и рассовал по карманам свои приобретения. Он никак не мог расстаться со своей трубкой и, отступая, налетел на старушек, которые, как куры в курятнике, взволнованно метнулись в стороны, давая ему дорогу.

— Господи Иисусе, — пробормотала одна из них неодобрительно, — какие все нынче стали стремительные...

Это были две постоянные покупательницы, подруги, жившие, насколько знала Клавдия, на улице Чехова. Наталья Ивановна заходила к ним чуть не каждый день, а Ашхен Арутюновна довольно редко. Ей лекарства, как правило, покупал зять, точно такой же беспокойный до крайности мужчина с неизменным мобильным телефоном.

— Рада вас видеть, Клавочка, — сказала Наталья Ивановна церемонно. — Как погода, не действует на вас?

— Как на нее может действовать погода? — темпераментно перебила Ашхен Арутюновна. — Сколько ей лет, по-вашему? Шестьдесят? Семьдесят?

— Ашхен, я совсем не то имела в виду, — поворачиваясь к подруге, начала Наталья Ивановна. — Просто от такого... активного начала осени у всех плохое настроение, и я спросила Клавочку как раз об этом.

— У меня превосходное настроение! — заявила боевая Ашхен. — Исключительное. Отличное. И вам я не советую киснуть.

Клавдия улыбнулась несколько принужденно. Ей нужно было работать, а не выслушивать их милые препирательства, но остановить их она не решалась. Эти старухи были... свои, аптечные, такие же обязательные и постоянные, как вывеска над высоким крылечком и стойкий приятный запах лекарств.

Они препирались еще некоторое время, а потом все-таки повернули к Клавдии негодующие физиономии. Обе были очень недовольны друг другом.

— Что вы сегодня берете? — спросила Клавдия. За старухами уже собралась некоторая очередь.

Наталья Ивановна взяла обычный набор сердечных средств и крем для рук, а Ашхен снотворное, «Доктор Мом» для внука и бальзам Биттнера.

— Спасибо, приходите еще! — Провожая их, все еще что-то друг другу объясняющих, Клавдия ненароком взглянула в окно.

Под деревьями его не было, и Клавдия чуть не подпрыгнула от счастья.

Разобрались? Ушли?

— Прошу прощения, — извинилась она перед следующим покупателем, метнулась к окну и чуть ли не до пояса втиснулась в глубокую нишу.

Конечно, он не ушел. Он шатался по переулку. Клавдия увидела его не сразу, а когда увидела, то поняла, как сильно надеялась на то, что ее соглядатай испарился. Даже слезы навернулись.

Кому и какого черта ему от нее нужно?

Уходи отсюда! Проваливай! Отправляйся следить за кем-то, кто вам действительно нужен!

Он медленно повернулся и направился в сторону Садового кольца.

— Девушка! — позвали сзади. — Нельзя ли побыстрее?

Клавдия слезла с подоконника и стыдливо одернула халат.

— Извините, — пробормотала она. — Я вас слушаю.

— Сергей Мерцалов, — задыхаясь от собственной оперативной смекалки, доложил Дима. — Он живет в доме напротив. Адрес: Хохловский переулок, дом пять, квартира сорок. Вчера сразу после двенадцати ушел гулять с собакой и не вернулся. Был одет...

— Подожди, — перебил Андрей, и сердце вдруг ударило сильнее. — Как, ты сказал, его зовут?

— Сергей Мерцалов, — сверяясь с блокнотом, ответил Димка. — А что? Что-то не так? Нет, вы не подумайте, Андрей Дмитриевич, я же не утверждаю, что это он... Просто он подходит — живет напротив, тридцать пять лет, собака у него, рыжая колли... И вчера домой не вернулся...

Но Андрей не слушал Диму Мамаева.

«Ты помнишь Иру Мерцалову? — спросила бывшая жена, и он услышал ее так, как будто она снова говорила с ним по телефону, а он мучился от головной боли. — Мы вместе работали когда-то, я тебе про нее много рассказывала. Ну, у нее еще такой потрясающий муж, Сережа, ну я тебе говорила.... Сережа — очень, о-очень известный врач. С мировым именем. Ирочка позвонила именно мне потому, что не знала, что мы с тобой развелись. Она просила помочь... Сереже с недавних пор кажется, что за ним кто-то следит...»

«Как я тогда ответил? Когда кажется, креститься нужно?»

«Ты должен разобраться в ситуации. Поговорить с ним, выяснить, кто за ним следит и почему. Сережа ничего не выдумывает, поверь мне...»

Лучше бы выдумывал.

— Ольга, сходи по адресу, — распорядился Андрей. — Игорек, мне нужно тебе два слова сказать.

То, что осталось от человека и его собаки, уже собирались увозить. Там не спеша двигались санитары, и мигалка снова работала. Как будто «Скорая» могла чем-то помочь Сергею Мерцалову.

— Что, Андрей?

— В субботу с утра мне звонила моя бывшая... — начал Андрей.

— После той поддачи? — развеселился Игорь.

— После нее, — кивнул Андрей. — Она что-то долго несла, не имеющее отношения к жизни, а потом сказала, что ее коллега, детская врачиха Ира Мерцалова очень беспокоится за мужа. Мужу кажется, что за ним следят. — Игорь длинно свистнул. Андрей втянул в легкие дым. — Мужа зовут Сергей Мерцалов, и он какой-то там суперврач. Она хотела, чтобы я... разобрался...

— Ну да, — кивнул Игорь. — А она не хотела, чтобы ты к нему в телохранители поступил?

— Я сказал, чтобы они обращались в частную контору, — продолжил Андрей. Сигаретный дым прилипал к языку, обволакивал его непривычной, отвратительной горечью. — И поменьше телевизор смотрели. Выходит, не прав я был.

Игорь посмотрел на него внимательней.

— Выходит, не прав, — согласился он осторожно. — И что из того? Ты чего, собираешься по этому поводу убиваться «за дорогим покойником, как за родным братом»? И может еще, это и не Мерцалов никакой.

— Мерцалов, — сказал Андрей. — Это я тебе точно говорю. Пойдем дедулю порасспросим.

«Ты должен разобраться в ситуации. Поговорить с ним, выяснить, кто за ним следит и почему...»

Он ничего и никому не был должен. Ни разбираться, ни выяснять. Еще не хватает, чтобы оперативники взялись проверять всякие идиотские подозрения!

Андрей швырнул сигарету в лужу. Она зашипела, испустив напоследок тонкую струйку синего дыма, которую дождь тут же прибил к земле.

Андрей даже не стал слушать бывшую жену, не то что вникать в чужие проблемы. И мужика убили в двух шагах от собственного дома. Но если он что-то там подозревал, значит, нужно было проявить хотя бы минимум осторожности!

Твою мать...

Внезапно все это перестало быть работой. Как будто он всю жизнь дружил с неизвестным Сергеем Мерцаловым, играл в одной песочнице, сидел за одной партой и делил первую сигарету.

С Андреем за десять лет службы такое случилось в первый раз. Он слышал от мужиков, что иногда такое бывает, но никогда не испытывал на собственной шкуре.

Лучше бы и дальше не испытывал.

Ему всегда были чужды высокие материи, и словосочетание «дело, которому ты служишь», вызывало в нем раздражение и недоверие. Никогда он не думал, что чему-то там служит. Он делал то, что у него получалось лучше всего. Гораздо лучше, чем, например, проникновение в основы древнеримского права. А в университете он только и занимался тем, что проникал в основы неизвестно чего.

«Если бы я в субботу поехал и встретился с ним, сейчас он был бы жив. Или не был?»

Морщась, как от сильной зубной боли, Андрей дернул дверцу милицейских «Жигулей» и сел на заднее сиденье, рядом с пожилым мужчиной в сером плаще.

— Здрасьте, — сказал Андрей и сунул ему под нос удостоверение. — Майор Ларионов.

Мужчина с некоторым испугом покосился на открытое удостоверение и замигал глазами. «Небось без очков ничего не видит», — подумал Андрей.

— Здравствуйте, товарищ майор, — пробормотал мужчина. — Доброе утро.

Андрей усмехнулся.

— Как вас зовут?

— Белов Владимир Иваныч, — с готовностью сообщил мужчина. — Ваши... коллеги уже все записали.

— Расскажите мне, как вы его нашли, — скучным голосом попросил Андрей.

В крышу машины усыпляюще стучал дождь. Андрей судорожно зевнул, не разжимая челюстей. Почему-то ему ужасно не хотелось слушать Белова Владимира Ивановича.

— В шесть часов... ну, может, минут в пять седьмого я вышел погулять с Норой. Нора — это наша такса. — Он как-то неловко подвинулся на сиденье, и Андрей вдруг увидел на полу длинную печальную спину, свисающие до резинового коврика уши и грустные глаза. — Да, так вот...

— Простите, — перебил Андрей, — где вы живете?

И старательно записал адрес. В другой стороне от Хохловского переулка. Мерцалова он вполне мог и не знать, особенно если они выводили собак в разное время.

— Мы пришли сюда... идти нам минут шесть... и вошли в скверик вон там, видите, где выломана решетка. Мы всегда там заходим. Вот, мы зашли, и Нора стала бегать, а я пошел в эту сторону...

Он очень старался ничего не упустить, пенсионер Белов Владимир Иванович, хотя вид у него был растерянный и глубоко несчастный. И — Андрей заметил — он мучительно отодвигал и отодвигал тот момент, когда нужно будет рассказать, как он увидел труп.

— ...Я постоял вон там, у лавочки, хотел сесть, но она была совсем мокрая, а мне теперь трудно подолгу стоять...

Андрей не торопил его, понимая, что ему нужно собраться с духом.

— И вот тогда Нора... залаяла. Она лаяла так отчаянно, я никогда не слышал, чтобы наша собака так лаяла. Просто припадок какой-то... Я подошел к ней, она, знаете, даже хрипела, и стал ее уговаривать. Я думал, она

77

нашла мертвую кошку или птицу... На войне я слышал, как лают собаки, когда чувствуют мертвого...

Андрей снова посмотрел на Нору, которой тоже сегодня досталось. Она-то не была на работе и не могла утешить себя тем, что выполняет свой долг. Спина собаки напряглась, глаза похолодели. Она явно понимала, о чем говорит хозяин.

— Я нагнулся, чтобы оттащить ее, и тут увидел... — Пенсионер Белов переглотнул и, как-то странно сжавшись, вдруг осторожно попросил Андрея: — Дайте закурить, молодой человек. То есть товарищ майор. Не поверите, последний раз курил в Восточной Пруссии.

— Кенигсберг брали? — спросил Андрей, доставая сигарету.

— Пилау, — сказал Белов. — Старший лейтенант запаса. Танкист. Немец тогда тараном шел. Спасались... Как мы к морю прорвались, так решил — все, брошу курить. Выбросил окурочек в Балтийское море, НЗ ребятам раздал... И не курил больше никогда.

— Понятно, — сказал Андрей.

Милая капитанша Ольгуня Дружинина была уверена, что этот перепуганный старикашка трупы видел только в кино. Ошиблась. Наверное, пенсионер Белов в своей жизни видел столько трупов, сколько не видели вс они, вместе взятые.

— Ну вот, — пенсионер тяжело вздохнул, понимая, что отступать больше некуда и придется договаривать до конца. — Я увидел ногу. И как-то сразу понял, что это... мертвый. Не бомж, который прилег отдохнуть, не пьяный из соседнего гастронома. А именно труп. Ну, вы понимаете...

Андрей понимал.

— Нора прямо заходилась, но я все-таки заглянул поглубже и увидел... все, до конца...

— Вы ничего не трогали, не перекладывали его? Собака не подходила?

Пенсионер печально взглянул на Андрея:

— Собака была в истерике. Я не подходил потому, что... меня сильно затошнило, и я понял, что ничем не смогу ему помочь. Понимаете, он был совершенно мертвый. Абсолютно. Совсем.

— Что вы сделали?

— Я взял Нору на руки, — он закрыл глаза. — Магазины все закрыты. Людей нет, рано еще... Мы привыкли с Норой рано гулять... Телефон на углу, видите? Но он такой, карточный... Милицию не вызовешь...

— Почему? — спросил Андрей. — Вызовешь. Все карточные телефоны 01, 02 и 03 соединяют бесплатно.

— Да что вы? — совершенно искренне удивился пенсионер Белов. И добавил растерянно: — Я не знал. Честное слово, я был уверен, что нет... Просто это все такое... чужое, такое.... Новое. Все эти карточные телефоны... А такая карточка в метро стоит сто рублей.

Андрей хотел сказать, что сто пятьдесят, и не стал.

— Я все-таки побежал к тому телефону. Кроме того, там более оживленная улица, по ней уже шли машины, я надеялся, что смогу кого-нибудь остановить... Нора была у меня на руках. Я добежал почти до угла, когда из переулка вышел какой-то человек с портфелем. Я остановил его...

— Стоп, — сказал Андрей. — Из какого переулка?

— Из Хохловского, — пояснил Белов. — Ну вот, он вышел, и я попросил у него телефон, чтобы позвонить в милицию...

— Почему вы попросили у него телефон? Откуда вы знали, что у него есть телефон?

— Да боже мой, он держал его в руке! — терпеливо объяснил пенсионер. — В одной руке у него был телефон, а в другой портфель. Я закричал, что там в кустах — труп и нужно срочно позвонить. Он не сразу согласился, понимаете? Сначала он думал, что я не в себе, и что-то говорил мне, вроде «иди проспись», но я настаивал.

Я боялся, что он уйдет и не даст мне позвонить. Тогда я сказал, чтобы он сам пошел и посмотрел, и он, как бы это сказать... заинтересовался.

— Заинтересовался, — повторил Андрей. Теперь он слушал очень внимательно.

Он вообще умел слушать так, что собеседнику обычно хотелось рассказать майору Ларионову как можно больше. Пожаловаться. Понегодовать. Похвастаться. Поделиться. Вспомнить случаи, произошедшие в детском саду и на танцах в пионерлагере.

Так слушать его научила мать, твердо верившая в то, что ключ к любому успеху лежит в умении выслушать собеседника.

— Он сказал: «Покажи». Мы с Норой повели его сюда. Нора опять забеспокоилась, хотя сидела у меня на руках, а он заглянул в кусты, тоже с дорожки, там же, где заглядывал и я. Он посмотрел, потом выпрямился и быстро отошел. И там, под липой, он... того... Вырвало его... Но телефон он мне дал. Он сам набрал номер и, когда соединилось, дал мне. И я вызвал милицию. Вот и все...

— А куда девался хозяин телефона? — спросил Андрей.

— А он... ушел, знаете ли. Как только я вызвал милицию, он сразу же ушел. — Пенсионер смутился. — А что? Я сделал что-то не так, да? Мне не стоило его отпускать? Кстати, я подумал об этом, но уже поздно... Когда он за угол сворачивал....

— За какой угол?

— Да все за тот же. В Хохловский.

— Нет, подождите, — сказал Андрей. Этот обладатель мобильного телефона был ему интересен. — Вы только что сказали, что он *вышел* из Хохловского переулка. И ушел в него же?

— Да-да! — подтвердил пенсионер уверенно. — Знаете, товарищ майор, я сам обратил на это внимание. Как будто он забыл, куда шел. Он очень быстро вернулся обратно и свернул в переулок.

— Понятно, — сказал Андрей. — **Как он выглядел?**

— Да... как все... — подумав, сказал пенсионер Белов и вдруг улыбнулся. У него были крепкие белые зубы. Явно свои, а не американские. — Как все обладатели мобильных телефонов.

Андрей тоже развеселился.

Это был чудный пенсионер, не истерик, не трус, не болван. Идеальный свидетель. Странно было питать какие-то чувства к свидетелю, но он искренне нравился Андрею. Наверное, с ним хорошо выпить водки и поговорить про то, как наши штурмовали Кенигсберг — или что там? Пилау? — как прорывались к морю немцы, как все было тогда: не показанное в кино, не снятое операторами, тайное, темное, многотрудное дело — война. Похоже, ему можно верить, старшему лейтенанту запаса, танкисту Белову. Не наврет, не приукрасит, не добавит от себя «для красивости». Хороший мужик.

— И как выглядят обладатели мобильных телефонов? И конкретно этот?

Пенсионер суетливо затолкал окурок в переполненную пепельницу на двери машины и посмотрел на Андрея. Андрей протянул ему пачку и щелкнул зажигалкой. Пенсионер затянулся и уважительно покосился на зажигалку. У Андрея была шикарная зажигалка, подарок жены, привезенная из Парижа с какого-то психотерапевтического конгресса.

— Дайте вспомнить... — пробормотал пенсионер Белов. — Он такой... ваших лет...

— Каких моих? — перебил Андрей. — Тридцать пять? Сорок?

— Скорее сорок, — подумав, сообщил пенсионер. — Но ниже вас и, как бы это сказать... рыхлее, что ли... Но не толстый. Впрочем, он был в длинном плаще, а под ним особенно не разберешь...Ну, упитанный такой. Плащ черный и шарф... сложной расцветки, модный. Портфель.

— Цвет волос, глаз?

— Глаз я не разглядел, товарищ майор, — сказал пенсионер виновато. — Брюнет. Именно брюнет, а не шатен. И еще он был такой... свежевыбритый. У брюнетов щеки после бритья всегда малость синевой отливают, и у него они отливали, я заметил. Он когда труп увидел, побледнел весь, а щеки синие остались...

— Каких-нибудь колец на пальцах или шрамов не заметили? — спросил Андрей. Это была полная безнадега. Редко у кого имеются приметные шрамы, на кольца, как правило, не обращают внимания, особенно пенсионеры.

А этого типа с мобильным телефоном придется искать. Ох, придется...

— Колец не заметил, шрамов тоже, — доложил пенсионер уверенно. — У него татуировка была. На четырех пальцах. Я заметил, когда он телефон держал. Такая едва видная, как будто очень старая или...

— Или сведенная, — подсказал Андрей.

— Да-да! — воскликнул пенсионер. — Написано было «Женя», на каждом пальце по букве, а на среднем еще какая-то загогулина...

Андрей записал: «Женя».

— Машину поблизости не видели? Не ждала его машина?

— Нет, машины не было, — сказал пенсионер, старательно вспоминая. — В переулке, может, и была, но я в переулок не заглядывал.

Значит, подытожил Андрей про себя, минут в пятнадцать седьмого из Хохловского переулка вышел Женя с татуировкой на пальцах и мобильным телефоном в руке. Он увидел труп, и его вырвало. Но милицию он все же вызвал и ушел почему-то обратно в Хохловский переулок.

— Спасибо, — сказал Андрей. — Спасибо, вы мне

очень помогли. Наверное, вам придется подъехать на Петровку, составим портрет этого вашего Жени. Хорошо?

— Вы думаете, что он... — пробормотал пенсионер, — он мог... сам сделать это?

— Я не знаю, — сказал Андрей честно. — Посмотрим. Спросим...

В зеркале заднего вида вдруг что-то мелькнуло, и он стремительно оглянулся назад.

Кто-то бежал наискосок через сквер, странно виляя и чуть не падая. Из-за дождя было не разобрать — кто. И еще кто-то бежал сзади, но догнать бегущего впереди не мог.

— Что там? — спросил пенсионер с жадным любопытством, вытягивая худую морщинистую шею.

Андрей уже понял — что.

— Игорь! — заорал он, распахивая дверь машины и чуть не вываливаясь наружу. — Игорь, не пускай ее туда!!

Полевой растерянно оглянулся, но, как и Андрей, он был слишком далеко.

Она уже добежала, остановилась, глядя вниз, где все еще лежала залитая кровью собака, потом как-то странно села на землю и медленно завалилась на бок.

Андрей уже почти добежал до нее.

Дозвониться удалось с большим трудом. Он даже стал нервничать. А нервничая, он всегда орал на секретаршу и очень много ел.

В половине десятого он в двадцатый раз выглянул в приемную. Секретарша взглянула на него со стоическим смирением монаха первых лет христианства, которого нечестивые язычники уже поволокли на костер.

— Ну что? — спросил он, раздражаясь от одного ее вида.

— Еще нет, Евгений Васильевич, — сообщила секретарша голосом первой ученицы, незаслуженно получившей двойку. — Мобильный не отвечает, дома нет, до офиса еще не доехал.

— В офисе знают, где он может быть?

— Нет. Говорят, что к десяти подъедет.

Шеф зарычал и начал помаленьку наливаться кровью, как постепенно наедающийся комар.

— Для чего я плачу вам зарплату, если вы не можете выполнить элементарных требований? — начал он, и секретарша со внутренним вздохом поняла, что собирается большая гроза. Придется перетерпеть. Пустить слезу. Написать заявление об уходе. Разлить около кресла валокордин, чтобы целый день в офисе пахло больницей и ее страданиями.

Переживем. И не такое переживали. Завтра будет прощения просить, каяться, ссылаться на расшатанные нервы, на постоянные стрессы и нагрузку. А я еще подумаю, простить тебя сразу или поломаться немножко. Ишь, взял манеру орать на нее, как на уличную девчонку. Кому ты нужен, вечно недовольный, жадный, капризный и почти ни на что не годный в постели? Добро бы денег было много, а то так... серединка на половинку. То густо, то пусто. Бросить он ее, конечно, не бросит, что бы ни вопил. Новую искать — силы нужны и здоровье. Опять же лень непроходимую победить придется, а на это мы уж точно не способны.

Нет, не боялась секретарша своего босса. Но зарыдать для видимости стоило.

— Я не виновата, что он выключил мобильный. — Глаза ее наполнились хрустально чистыми слезами, и одна из них аккуратно капнула на стол, не попав ни на бумаги, ни на клавиатуру компьютера.

— А кто виноват?! — заорал шеф. — Я?! Я тебя с восьми утра прошу, найди мне одного или другого, и только и слышу, что у них мобильные выключены!! А если бы у них не было мобильных?!

— Как это... не было бы? — искренне заинтересовалась секретарша. Людей без мобильных телефонов для нее просто не существовало. Может, они, конечно, где и были, но для чего предназначались и как ими пользоваться, она не знала.

— Да так! — пуще прежнего наддал босс, выскочил из-за двери и в порыве начальственного энтузиазма стукнул кулаком по столу. — Если в течение пятнадцати минут я не дождусь разговора, можете считать себя уволенной. Только вначале поедете на Таганку и разберетесь, что там с мобильными телефонами! И не ревите! Я хорошо знаю все ваши бабские штучки! Но здесь вам не бордель, а офис! Здесь нужно головой работать, а не...

Вот это он зря, пожалуй. Сотрудников у них немного, но наверняка все давно уже слушают под дверью. Наслаждаются. Разговоров теперь не оберешься. И Мурке доложат, конечно, как в прошлый раз доложили, когда он вместо работы в баню поехал. Зря, зря... И на извинения придется потратить вдвое больше времени, чем обычно. Теперь надуется, будет рожу кривить, подарков каких-нибудь потребует.

Вот жизнь! Мечешься, крутишься, здоровье гробишь, башку подставляешь, а бабы все одно помыкают как хотят.

От этой мысли он вновь пришел в спасительную ярость, пнул ногой кресло, забежал в кабинет и закричал уже оттуда:

— Кофе хоть сварите. И бутербродов дайте! Я сегодня не завтракал даже!!

Надувшись, он барабанил пальцами по столу, когда, легонько постучав, секретарша внесла поднос с кофе и множеством тарелочек.

— Пирожное уберите! — приказал он брюзгливо. В последнее время он начал стремительно поправляться и поэтому старался ограничивать калории, а в этом пирожном их было, наверное, сотни или тысячи. Сложив губки куриной гузкой, секретарша забрала с подноса пирожное, налила кофе и покинула кабинет. Не вышла, а именно покинула.

Да уж, придется ему попотеть, восстанавливая разрушенные бурей линии электропередачи...

Но он ничего не мог с собой поделать.

С той самой минуты, как он увидел в кустах труп этого несчастного врачишки, у него словно бы помутилось в голове. Конечно, врача ему жалко не было. Что хотел, то и получил, поганец, но трудно было предположить, что события примут столь... интенсивный характер. И так скоро! Нужно было срочно разобраться, выяснить и предупредить, а у нее, видите ли, мобильные не отвечают! Дура.

Из окна квартиры он видел, как подъехали менты, как под дождем они лениво толпились возле тела, как потом санитары грузили в фургон темный мешок. Небрежно и неуважительно, как будто не человек там был, а картошка. Ох, не хотел бы он, чтобы однажды и его так же погрузили в невзрачную трупововку... Черт принес этого дедка, выскочившего прямо на него! А не позвонить в милицию он не мог. Дедок небось крик бы поднял такой, что пол-Москвы сбежалось бы разбираться...

Неожиданный звонок селектора заставил его вздрогнуть. Он посмотрел на него, как на врага, и нажал кнопку.

— Евгений Васильевич, Юрий Петрович на первой линии, — доложила секретарша. — Соединить?

— Да, черт возьми! — гаркнул он. — Соединяйте!

— Ты че, Евгеш? — насмешливо спросил в трубке знакомый голос. — Вчера не допил, что ль? Весь мой офис на ноги поставил с утра пораньше.

— Я тебе сейчас на мобильный перезвоню, — сказал он. — А то вдруг чего...

— Ну ты даешь, — сказали в трубке. — Случилось что?

— Перезвоню, говорю, — повторил он нетерпеливо, хотя с этим человеком следовало разговаривать уважительно и даже с некоторой долей почтительности. — Не занимай его.

— Да на х... он мне нужен, занимать его, — ответил собеседник, и Евгений Васильевич уловил в его голосе тревогу.

Это было приятно. По крайней мере сознание того, что он знал нечто такое, чего еще не знал его собеседник при всей своей всесильности, заставляло его чувствовать себя значительным и умным.

Он набрал знакомый номер. Ему тотчас же ответили.

— Ну что там у тебя?

— Сегодня утром у нас в сквере нашли труп того врача, — без предисловий бухнул Евгений Васильевич. — Я сам видел.

— А я при чем? — спросили в трубке с издевкой. — Звони во «Времечко». Может, прославишься...

— Юр, ты не понял, — сказал Евгений Васильевич терпеливо. — Того, понимаешь? *Того* врача.

Юра соображал непривычно долго.

— Ага, — сказал он наконец. — А ты откуда знаешь?

— Я его труп видел, — впадая в тоску от воспоминаний, сказал Евгений Васильевич. — Я у Лильки ночевал, ну и вышел рано, а тут дедок какой-то навстречу. Труп, говорит, в кустах. Я пошел посмотреть, ну и...

— Ага, — опять повторил Юра. — Точно он?

— Да точно, точно, — заверил его Евгений Васильевич. — Я бы не перепутал. Он мне теперь до гроба сниться будет...

— Переживешь, — сказал Юра неожиданно жестко. — Надо же, как это... Это все прояснить надо. А с ментами ты разговаривал?

— Нет, что ты! — как-то чересчур поспешно возмутился Евгений Васильевич. — Я посмотрел на него и ушел. Пытался тебе дозвониться и Борису...

— То есть просто так взял и ушел? — перебил его Юра, и Евгений Васильевич понял, что буря в пустыне, которую он устроил секретарше, это ничто, нежное дуновение по сравнению с тем, что ему сейчас устроит Юрий Петрович.

Этого он и боялся.

— Да ты что, не понимаешь, скотина, что они тебя искать будут?! Какого х... ты оттуда смылся, не дожидаясь ментов? Ведь ты смылся?! Да если это *тот* врач и ты со страху ничего не перепутал, ты хоть понимаешь, что это может означать?!

— Что? — спросил Евгений Васильевич тупо.

— Ну вот что, — как бы внезапно обессилев, проговорил Юрий Петрович угрожающе тихо. — Никуда не звони, никуда не ходи, скажи своей шлюхе, что заболел, и срочно приезжай. Понял? Ты понял или нет?!

— Понял, — упавшим голосом сказал Евгений Васильевич. И подтвердил в смолкшую трубку: — Понял...

— Он ушел с Ники около двенадцати. Я была в душе. Слышала, как хлопнула дверь. Он ушел и больше не вернулся.

Ее сильно трясло, и она постоянно курила. И каждую сигарету запивала остро пахнущим лекарством.

Андрей отчаянно ей сочувствовал, несмотря на то, что все в нем восставало против такого сочувствия.

Ты должен просто работать. Работать, как всегда. Ты хорошо умеешь это делать, а ей уже никто никогда и ничем не поможет. Всю оставшуюся жизнь ей предстоит прожить *с этим*.

— Может, кофе? — спросила она, и Андрею показалось, что она говорит сквозь стиснутые зубы.

— Да, если можно, — согласился он, понимая, что ей все время нужно чем-то заниматься, чтобы не сойти с ума.

Он был у нее в квартире уже больше часа, и за все это время она ни разу не заплакала. В соседней комнате рыдала навзрыд какая-то женщина средних лет, и она, заглянув туда, сказала ей строго:

— Возьмите себя в руки, Татьяна Павловна.

Непрерывно звонил телефон, в дверь входили и выходили оперативники. Димка разговаривал с консьержкой, Игорь с Олей пошли по соседям.

Она ничего не замечала.

Андрею было страшно наедине с ней.

Утром, на задержании, ему совсем не было страшно.

Она с грохотом уронила веселую фарфоровую турку с цветочками. Турка разбилась, кофе рассыпался по чистому полу. Она посмотрела на осколки и коричневую пыль, запорошившую пол, и достала из шкафа другую турку. Медную.

— Может, бог с ним, с кофе? — спросил Андрей осторожно.

— Нет-нет, — отозвалась она. — Я сварю.

Кухня, в которой они разговаривали, тоже была веселой и в цветочках. Как турка. Здесь было уютно, светло, просторно и чувствовалось, что в этом доме живет семья. Именно живет, а не собирается вечером или в выходные, чтобы заночевать или провести время, свободное от делания денег.

Квартира была огромной и дорогой. Ее хозяин явно процветал и в деньгах не нуждался. И оформлял ее дизайнер-профессионал, и стул, на котором сидел Андрей, явно стоил больше, чем он зарабатывал в месяц.

И все же она не была похожа на десятки других огромных и дорогих квартир, в которых перебывал Андрей за время своей работы.

Игрушки были разбросаны на полу в гостиной. Из открытой пасти видеомагнитофона торчала кассета с надписью «Малыш и Карлсон». Белая кожа громадного кресла была кое-где порвана на подлокотниках. Очевидно, пес прыгал на подлокотники или грыз их. На стенах вместо обязательной модной дорогостоящей муры висели детские рисунки в тонких деревянных рамках. Под одним из них название: «Корова и ее щенята на лугу». Название было даже больше самой картины, и написано очень разборчиво, хотя и немного коряво.

Пепельница, полная окурков. Очевидно, она курила всю ночь, пытаясь разыскать мужа и уже понимая, что произошло именно то самое худшее, о чем страшно даже подумать.

Всевозможная детская и взрослая обувь свалена под вешалкой в огромную кучу, и рядом, очевидно не вытертые со вчерашнего дня, отпечатки собачьих лап.

В этом доме жили. Растили детей, ссорились, смеялись и любили друг друга. Принимали гостей. По выходным готовили что-нибудь вкусненькое. Читали книжки, лежа на ковре рядом с собакой, и ленились убирать на место обувь.

И ничего этого больше не будет. Никогда.

Если бы я тогда дослушал бывшую жену, он был бы сейчас жив. И эта чужая, с белым и пустым лицом, женщина не варила бы кофе, повернувшись ко всему миру натянутой до предела спиной и пытаясь хоть одну секунду отдохнуть от того, что обрушилось на нее так внезапно.

— Вы знаете, — сказала она, не поворачиваясь, — Сережка всегда говорил мне, что он непременно должен умереть раньше меня. — От воспоминаний у нее вдруг изменился голос, стал даже какой-то веселый. — Тебе, говорит, все равно, конечно, а я один ни за что не останусь.

Она мельком взглянула на Андрея и понесла к столу полную турку. У нее было совсем больное лицо и сухо горящие глаза.

— Вы представляете? Мы собирались в отпуск. Он вчера приехал и сказал, что на днях мы уезжаем. — Она присела к столу, держа турку обеими руками. — Он терпеть не может осень, всегда старается уехать, когда она начинается. Он вообще у нас такой... теплолюбивое растение.

Ее нужно отвлечь. Вызвать врача, чтобы он уколол ей успокоительное. Заставить лечь. Позвонить родителям. Купить бутылку водки и стоять над ней, пока она не выпьет ее до дна.

— Ирина Николаевна, — Андрей поднялся и взял у нее из рук турку. Она даже не заметила этого. Поискав на полках, он поставил на стол две чашки и разлил кофе. Она не шелохнулась. Она не помнила, что в кухне, кроме нее, был кто-то чужой. Последовательно открывая все шкафы и ящики, он нашел наконец коробку с лекарствами и накапал еще валокордина. — Выпейте, пожалуйста.

Она залпом выпила и опять замерла, сгорбившись на своем стуле. Лучше бы билась в истерике.

— Он же великий врач, — вдруг сказала она удивленно. — Разве можно было просто так убить такого врача? Дело не в том, что я его жена, и поэтому мне кажется, что он гениальный. Дело в том, что он на самом деле и был гениальным... Разве таких убивают?

Убивают всяких. Даже таких, как Сергей Мерцалов, — благополучных, любимых, талантливых. Всяких.

И майор Ларионов для того и существует, чтобы убийц искать. Больше он ни за каким хреном никому не нужен.

— Ирина Николаевна, кого он опасался в последнее время, ваш муж? Почему нервничал? О какой слежке он вам говорил?

Она встрепенулась и впервые за все время посмотрела на Андрея и *увидела* его.

— Да-да, — сказала она растерянно. — Как же я забыла... Про Ники рассказала и про отпуск, а самое главное забыла... Да, он несколько раз замечал, что два каких-то человека постоянно сопровождают его на работу и с работы. На прошлой неделе мы ходили в какой-то кабак... Постойте, кажется, в «Эльдорадо», что ли... — Она прикрыла глаза. — Мы были в театре, а мальчишки остались у свекрови со свекром, и мы решили кутить... Он даже показал мне одного из тех двоих, ну и он ничем не отличался от обыкновенного прохожего, который просто идет мимо ресторана... Сережка сказал, что около дома мы его тоже непременно увидим, но около дома никого не было. Я, конечно, сказала ему, что у него мания величия, а он рассердился страшно и велел мне заткнуться. Он, знаете, любит, когда мы играем в грозного главу семьи, которого все боятся. Но постойте, — вдруг прервала она себя и сдвинула брови, словно пытаясь сфокусировать расплывающийся взгляд. — Откуда вы знаете, что за ним следили? Он никому об этом не рассказывал, и я говорила только одной своей знакомой, у которой муж в уголовном розыске. Но он оказался бывшим, этот муж, и ничем нам не помог... Так откуда вы знаете?!

Андрей вытащил сигарету из пачки и закурил:

— Я этот бывший муж, — сказал он. — Я ничем вам не помог.

— Что? — переспросила Ирина Мерцалова. — Что вы сказали?

Он затянулся и ничего не ответил.

И тогда она бросилась на него.

— Ну смотри! Да вот же он, справа! Да не слева, а справа! Ты совсем не туда смотришь, Танька!

— Да где?!

— У тебя на бороде! Вон под деревом стоит.

— Ну и что? Стоит, и пусть себе стоит. Может, ему надо?

— Он не просто так стоит, — сказал Клавдия значительно. — Он стоит по мою душу. Он за мной следит.

Танька посмотрела на нее в изумлении, а потом, решив, что это, очевидно, просто идиотская шутка, плюнула с досады и сказала сердито:

— Ну тебя к аллаху, Ковалева! Я думала, у тебя и вправду что стряслось, а ты...

— И вправду стряслось. Он стоит здесь с утра. И когда я приеду домой, он будет стоять около моего подъезда. А завтра они поменяются, и на работу меня проводит второй. Тань, я не шучу...

— О господи Иисусе, — сказала Танька и присела на подоконник, глядя на Клавдию во все глаза. — Ты что, серьезно? А когда ты это... заметила?

— В субботу. — Клавдия повернулась спиной к залитому дождем окошку. — У вас на даче. Когда мы уезжали и я уже сидела в машине, а все семейство толпилось у ворот, я обратила на него внимание. Он стоял на мосточке и курил. И я вспомнила, что видела его раньше, сначала в Москве, а потом в электричке. Он мне в ухо сопел.

— И ты прямо так взяла и вспомнила? — спросила Таня недоверчиво.

Клавдия раздраженно почесала за ухом. Изящная докторская шапочка, на которой настаивала заведующая, всегда натирала ей кожу. Шапки Клавдия носить не могла.

— Да сними ты ее! — сочувственно сказала Таня, но Клавдия старалась ее не снимать. Боялась заведующую.

— Взяла и вспомнила! — сказала она уверенно. — У меня на лица очень хорошая память, и я всегда все вокруг замечала, даже когда маленькая была. Тань, я тебе точно говорю, что они за мной ходят. Я даже спала плохо.

— Со страху? — уточнила Таня.

В слежку она не очень верила. В конце концов, она работала в банке и была уверена, что знает о жизни все.

Слежка, да еще сколько-нибудь продолжительная и профессиональная, — удовольствие не из дешевых.

Вряд ли какой-то тайный поклонник ее подруги решился вогнать себя в такие расходы для того, чтобы с точностью до секунды знать, во сколько она ушла с работы, и с точностью до грамма — вес куска вареной колбасы, который она купила в гастрономе на ужин. Да и поклонников никаких не наблюдалось, ни бедных, ни богатых.

Если бы ее брат не был таким тупым, возможно, что поклонники бы не понадобились.

«Я гениальный сыщик. Мне помощь не нужна. Найду я даже прыщик на теле у слона!» — так они пели когда-то у него на дне рождения.

Сколько лет назад это было? Пять? Семь?

Тридцать ему исполнялось, вот когда это было. Ему исполнялось тридцать, он получил капитана и собирался жениться. Они тогда слегка подпили, и Клавдия ночевала у Тани с Павловым. Ночью Таня встала, разбуженная странными звуками, доносившимися из района санузла, — что-то среднее между прокачкой труб и плачем Ярославны. В ванной она обнаружила свою лучшую подругу, наревевшуюся до икоты, красную, страшную и очень несчастную.

«Идиот!» — подумала она о брате и заставила себя сосредоточиться.

Оказывается, Клавдия развернула целую теорию о том, что эта слежка — какая-то ошибка и что она, в общем, совсем не боится, но вчера хотела позвонить Андрею.

На этом месте она покраснела и отвернулась. Таня, единственная из всех Ларионовых посвященная в ее страшную тайну, смотрела на нее с сочувствием.

— Ну и позвонила бы, — сказала она, пока Клавдия делала вид, что устраняет какой-то непорядок на подоконнике. — Подумаешь, дел-то, Андрюхе позвонить! Мне-то ты моментально позвонила.

Клавдия и вправду позвонила Тане незадолго до

обеденного перерыва. Ей нужно было срочно с кем-то поделиться. Она не могла и дальше поминутно выглядывать в окно и поминутно убеждаться, что ее соглядатай на месте и вовсе не думает исчезать. Таня работала довольно близко, на Большой Никитской, и приехала без промедления.

— Как ты думаешь, что им может быть нужно? — спросила она Клавдию.

— Ну, я думаю, что нет никакой надежды на то, что они хотят отнять у меня «единственное богатство бедной девушки», — усмехнувшись, сказала Клавдия. — Так что это явно какая-то ошибка. Тань, может, мне пойти и сказать ему, что это не я? То есть я, конечно, но совсем не тот объект, который ему нужен.

— Ну да! — дернула головой Таня. — А он скажет тебе, что он маньяк-убийца, и пырнет тебя ножом.

— О господи, — пробормотала Клавдия, которой такая перспектива показалась удручающей, — зачем меня ножом, а? У меня нет ничего. А все, что есть, я могу и так отдать. Невелика потеря. А, Тань?

— Я ж тебе говорю — потому что он маньяк, — сказала Танька нетерпеливо.

— Маньяки не работают в паре, — успокаивая себя, заметила Клавдия и опять выглянула в окно.

Таня раздраженно проследила за ее взглядом. Похоже, подруга всерьез решила, что это следят именно за ней. Фантазерка. Но у нее ведь и вправду всегда была очень хорошая зрительная память.

— Клавка, может, у тебя в доме клад? — развеселившись, сказала вдруг Таня. — Сундук с сокровищами под полом. Или в стене.

— В «хрущевской» квартире пол и потолок совмещенные, — напомнила Клавдия. — Под моим полом не может быть никаких сундуков, там только соседи помещаются.

— Да, — задумчиво проговорила Таня, — «хрущев-ка» — это тебе не старинный замок...

— Да, — согласилась Клавдия. — Не замок.

— Андрюхе, конечно, можно позвонить... — все так же задумчиво продолжала Таня, — но, боюсь, без толку.

— Я даже знаю, что он скажет, — подхватила Клавдия и улыбнулась. — Он мне уже сказал в машине, что у меня галлюцинации.

— А ты с ним сразу подозрениями поделилась? Не утерпела? — съязвила Таня.

Клавдия кивнула.

— Ну, теперь он нас точно слушать не будет! — уверенно сказала Таня. — Я же его знаю, как себя. Даже лучше.

— Клава, машина сейчас придет из «Протека», — заглянув в кухоньку, сказала заведующая. — Поможешь девушкам?

Она увидела Таню и кивнула приветливо:

— Здрасьте!

— Добрый день, — поздоровалась Таня и стала подниматься с узенького стульчика, потому что Клавдия при виде начальницы подобралась, как хорошая лошадь перед прыжком, вытянулась, распрямилась, и в глазах у нее, как показалось Тане, моментально загорелся глубокий рабочий энтузиазм.

— Да вы разговаривайте, разговаривайте! — крикнула заведующая уже из коридора. Очевидно, и она заметила моментальную готовность своей работницы приступить к свершению трудовых подвигов. — Никакой срочности нет!

— У меня перерыв тоже заканчивается, — пробормотала Таня. — Клав, давай так. Я за тобой вечером заеду, и мы все-таки съездим к Андрюхе. Конечно, хорошо бы ему сначала позвонить, потому что он по вечерам может быть где угодно, но мы рискнем. Без звонка подъедем. Авось, не выгонит.

Клавдия перепугалась.

— Тань, а может, не надо, а? — заскулила она. — Выгонит ведь. И что мы ему скажем?

— Пошла ты к черту, Ковалева! — сказала Таня, натягивая плащ. — Скажем, что за тобой следят, и пусть он нам советует, что делать дальше. В конце концов он мент, а не кто-нибудь.

— Гениальный сыщик, — слабо улыбнувшись, пробормотала Клавдия.

— Вот именно, — подтвердила Таня.

— Андрюш, давай я тебе щеку заклею, — предложила сердобольная Оля Дружинина, сочувственно глядя на Андрея. — Надо же, как она тебя...

— Перехватить не успел. — Андрей безразлично пожал плечами.

На самом деле он и не пытался.

В тот трижды проклятый момент, когда это перестало быть работой, он понял, что сделает все, чтобы найти подонка, задушившего Сергея Мерцалова в двух шагах от собственного дома, а когда он увидел его жену, неловко повалившуюся в истоптанную башмаками грязь около мертвого колли, что-то еще больше сдвинулось у него в голове.

Он должен был дать ей возможность хоть как-то выразить свое горе, чудовищнее которого ничего не могло быть. Выместить. Хоть на нем. Поэтому он лишь спокойно стоял, пока она крушила все в чудесной веселой кухоньке, которая еще недавно была ее раем и которой предстояло теперь стать ее адом, и неловко защищался, когда она бросалась на него снова и снова. И выла, как подстреленная волчица.

Андрей никогда не слышал такого воя.

— Ладно, Оль, — сказал он, торопясь отделаться от воспоминаний. — Бог с ними, с моими телесными повреждениями. Давайте сядем, поговорим, что у нас есть и чего у нас нет.

В кабинете было холодно и мрачно. Дождь заливал окно, выходившее во двор. Батареи вместо того, чтобы греть, казалось, забирают остатки тепла. Дима Мамаев присел было на стул около батареи, но тут же отодвинулся, стараясь не коснуться ее ледяного чугунного панциря.

У Андрея ныла рука — верный признак перемены погоды. Интересно, потеплеет или похолодает?

— Семеныч заключение когда обещал? — спросил Андрей у Полевого.

— Завтра будет, — ответил Игорь. — Может, чего и прояснится...

— Может, и прояснится, — согласился Андрей, втыкая в розетку хвост доисторического алюминиевого чайника. — У меня еще кофе остался. Кто-нибудь желает?

Все немедленно пожелали.

— На халяву-то все горазды, — посильно веселя себя, проговорил Андрей. — Нет бы купить баночку...

— Купим с зарплаты, Андрей Дмитриевич! — с готовностью откликнулся глупый Димка.

— С зарплаты! — фыркнул Андрей. — С зарплаты я сам куплю целых... две! Никакого нет интереса, Дима, покупать кофе с зарплаты. В зарплату у всех кофе — море, можно ложкой из банки есть. И сахаром закусывать.

— Сахара нет! — вскрикнула Ольга. Она проворно поднялась и стала по очереди выдвигать все ящики желтого канцелярского стола. Сахара не было.

— Придется к Желнину сходить, — пробасил Игорь. — Он тебе не откажет. А, Ольгунь?

— Пусть лучше Димка идет, — сказала Ольга. — Что все я да я? Он меня скоро в кабинет не пустит.

— Ты же у нас самая обаятельная и привлекательная, — сообщил Андрей, — а не Димка. Или теперь Димка будет самым обаятельным?

— Ну вас к черту, — сказала Ольга и вышла в коридор.

Чайник на окне засопел, всхлипнул, из его облупившегося носа как-то неожиданно повалил густой пар, и окно по кругу запотело, как в бане.

— Восемь кусков, — сообщила Ольга, попкой открывая дверь. — По два на рыло. Просьба не толкаться и соблюдать живую очередь.

— Значит, так, — начал Андрей. Кружка с кофе приятно обжигала ему руки, и кофейный дух щекотал нос. — Сергей Мерцалов, тридцать пять лет, кардиохирург, доктор наук, профессор. Директор Института кардиологии. По слухам, кстати, еще не проверенным, великий врач. Был вчера сразу после двенадцати задушен капроновым шнуром в сквере, где обычно гулял с собакой. Вечер провел с семьей, которой объявил, что решил на две недели уехать в отпуск. Почему так внезапно? Жена говорит, что осень он не любил, но ведь октябрь, насколько мне вспоминается, тоже вроде осень, а в отпуск он собирался именно в октябре. Пункт первый: неизвестно зачем он перенес отпуск. На улицу пошел так поздно потому, что, по словам жены, они смотрели какой-то фильм, а потом долго разговаривали и про собаку попросту забыли.

— Можно мне, Андрей Дмитриевич? — Андрею показалось, что Димка сейчас поднимет руку, как в школе.

— Валяй! — разрешил он.

— Домработница, или няня, Татьяна Дьякова, сказала мне, что собака у них бестолковая и дружелюбная до крайности. Я думаю, что собака подбежала к убийце, просто чтобы...

— Поздороваться, — подсказал Андрей.

Димка осекся и быстро глянул начальнику в лицо — не шутит ли. Начальник не шутил.

— Ну да, — продолжил он неуверенно, — чтобы поздороваться... И он ее... бац — и убил.

— Н-да, — протянул Игорь и подъехал в кресле к чайнику, чтобы добавить себе кипятка. — Ты свой сахар будешь жрать? — спросил он Андрея. Андрей отрицательно качнул головой. Игорь помешал ложкой в своей кружке и продолжил: — Вот с этого «бац» у нас все проблемы и начнутся. Какого хрена он убил собаку? Если она тупая и добрая, зачем ее убивать? Почему он сидел в кустах именно в двенадцать ночи, если Мерцалов со своей собакой обычно ходит гулять в девять? Или он сидел там с девяти? Почему наша собака не взяла след? Может, он по воздуху прилетел? И в воздухе же висел?

У Димы был ошарашенный вид.

— Собаку убил, чтобы шума не подняла, — сказал он, глядя на Андрея. — Вдруг бы она бросилась...

— Дим, — спросила Ольга, прихлебывая из чашки, — ты когда-нибудь пробовал убить собаку, да еще такую крупную, как этот колли?

Андрей чуть-чуть улыбнулся:

— Они хотят сказать, что гораздо проще убить человека, когда он идет без собаки, чем убивать еще и собаку. Причем ножом. Ты представь себе, что ты убийца и ты видишь свою жертву. Ты знаешь, что сейчас будешь ее душить. Тебе нужно достать из кармана шнур, удобно его взять и вообще... приготовиться к работе. А вместо этого в кромешной темноте — фонари там не горят, я посмотрел, — ты достаешь из кармана нож, который тебе непременно будет мешать, если ты уже держишь веревку, высматриваешь эту собаку, бросаешься на нее. А может, она не подойдет к незнакомому? А может, залает? А может, мимо пробежит, и тогда — привет. Скорее всего Мерцалов просто так в кусты не полез бы. Не идиот же он. Ведь ее нужно убить сразу, иначⸯ она точно... поднимет шум. И на все про все у тебя секунды четыре — пока Мерцалов сообразит, что происходит что-то неладное и бросится ее спасать. А он мужик здоровый, молодой и сильный, наверное, как все хирурги.

Они помолчали.

— И способ убийства... — сказала Ольга. — Почему нож и веревка? Почему не пистолет? С пистолетом проще и приятней.

— Это тебе приятней, — буркнул Дима. — А ему, может, нет.

— Или ей, — подсказал Игорь.

— Да, — согласился Дима. — Или ей.

— Продолжим. — Андрей поставил свою кружку на подоконник и откинулся в кресле, сунув замерзшие руки под куртку. — Ночь он пролежал в сквере. Жена искала его, звонила в милицию, спускалась к консьержке. Они выходили на улицу, но далеко не пошли. Консьержка вернулась, а Мерцалова, по ее словам, бегала в сквер и звала то собаку, то мужа. Естественно, никто не отозвался. В семь минут седьмого в сквере появился пенсионер Белов Владимир Иванович и обнаружил тело. Он стал метаться по окрестностям в поисках телефона и остановил раннего прохожего, который разрешил ему позвонить со своего мобильного. Этот ранний прохожий тоже видел труп, и его стошнило, как только он отошел. На четырех пальцах правой руки у него татуировка «Женя» и на среднем еще закорючка. Вот тут мне пенсионер ее изобразил. — Андрей продемонстрировал закорючку, нарисованную в блокноте. — Фоторобот завтра будет, и примемся искать. Непонятно, почему он не дождался милицию. Непонятно, почему ушел туда же, откуда пришел. Непонятно, куда он двигал так рано. Ребята с мобильными телефонами, как правило, в семь утра работать не начинают.

— Может, на самолет спешил, — предположил Димка.

— На самолет он спешил бы на машине. Пешком до Шереметьева далеко, — возразил Андрей сухо и закрыл глаза. — И не бросился бы обратно в Хохловский переулок, не дожидаясь нас, грешных. Может, конечно, у него к ментам органическое отвращение, а может, он узнал убитого и почему-то испугался. Будем действовать последовательно, как в школе учили. Дим, на тебе этот Женя с татуировкой. Составите с Беловым фоторобот, и чеши, милый, по квартирам. Скорее всего найдешь. Если нет, то я тогда поговорю с Бакуниным, придется искать по телефонным компаниям. Вряд ли с многих номеров в начале седьмого утра сегодняшнего числа звонили 02. Найдем. Ольга, на тебе соседи. Кто что слышал, кто у подъезда распивал, кто на лавочке трахался, у кого снотворное кончилось, кто скандалил и до ночи не спал, ну и так далее. Не видел ли кто-нибудь машину, которая после полуночи отъехала из этого района — Хохловский, Потаповский, Маросейка.

— Обязательно какая-нибудь отъехала, Андрюш, — сказала Ольга со вздохом. — Вечно ты меня нагрузишь, как последнюю лошадь.

— Все мы немножко лошади, — процитировал Игорь. — Откуда это, майор? Ты же у нас самый образованный.

— Не знаю, — сказал Андрей честно. — Ты по коллегам-соратникам пойдешь?

— Конечно, — подтвердил Игорь. — Чувствую я, не простой он был врач, а золотой. Квартирка — дай бог каждому, «Фольксваген» опять же. Кроссовки «Рибок», джинсики «Ливайс», все как у нормальных людей.

— Да, — сказал Андрей, не открывая глаз. — Это точно.

— Что-то граф Суворов у нас нынче не в духе, — пробормотал Игорь, которому не нравилось настроение Андрея. — И не ест ничего.

— Чего не ест? — спросил Димка.

— Ничего, — ответил Игорь.

Почему-то Андрей не рассказал оперативникам, что за Мерцаловым следили и Ирина Мерцалова даже жаловалась на это приятельнице. Бывшей Андреевой жене.

Что за секретность? Переживает, что тогда не воспринял это всерьез и ничем не помог? Но это смешно. Чем он мог помочь? Вместо Мерцалова с его собакой в сквер пойти?

— А я, — продолжил Андрей, все так же не открывая глаз, — поговорю с родственниками. Может, что и всплывет. Старые враги и не менее старые друзья. Соперники. Уволенные. И так далее.

Он открыл глаза и оглядел всю команду.

— Ну что? — спросил он. — По домам?

Уже в коридоре, когда Андрей запирал дверь и пристраивал пластилиновую печать, Игорь спросил:

— А чего она так на тебя бросилась? С горя?

— Я спросил у нее про слежку, — буркнул Андрей, — и сказал, что бывший муж ее знакомой — это я.

— Ты совсем спятил, майор, — сказал Игорь скучным голосом.

— Это точно, — согласился Андрей.

— Да нет его, — упавшим голосом сказала Клавдия, прислушиваясь к трелям звонка в глубине пустой квартиры за запертой дверью. Сердитая Танька держала палец на желтой кнопочке, не отпуская. Звонок заливался вовсю.

— Все-таки нужно было звонить сначала, — пробормотала она, — а я понадеялась, что и так застанем.

Андрея Ларионова не было дома.

Это стало очевидно сразу, но зачем-то они продолжали трезвонить, как будто Андрей, где бы он ни был, мог услышать их настойчивые призывы и неожиданно материализоваться в квартире.

Клавдия чувствовала, что разочарование, острое и почти физически осязаемое, затопляет ее, как паводок, и поглощает все остальные мысли и чувства.

Зачем она согласилась ехать сюда? Чтобы лишний

раз убедиться, что по вечерам его нет дома? Что его жизнь не имеет никакой, даже выдуманной, даже мифической связи с жизнью Клавдии? Чтобы потом вдоволь поупиваться тоской и отчаянием?

— Хватит звонить, Тань! — попросила она сердито.

«Приеду домой, налью себе ванну, сяду в нее и буду реветь».

А соглядатай, которого она почему-то не увидела, выйдя вечером из аптеки, будет мирно дремать в своей машине, изредка встряхиваясь, чтобы взглянуть на окна и удостовериться, что ничего не изменилось и свет по-прежнему горит.

— Черт! — сказала Танька. — Где его носит?

Внезапно за дверью соседней квартиры послышалось какое-то шевеление и неровный от страха, но тем не менее очень грозный голос предупредил:

— Если вы сейчас же не перестанете хулиганить, я вызываю милицию! Слышите?

Клавдия и Таня переглянулись. Таня прыснула и повернулась в сторону соседней двери.

— Слышим! — крикнула она даже громче, чем следовало бы. — Вызывайте!

— И вызову, — пообещал голос. Клавдия, как ни прислушивалась, не могла разобрать, мужской он или женский. — Убирайтесь сейчас же! Совсем распустились!

Таня снова нажала звонок и держала довольно долго. Звонок заливался и даже похрипывал от натуги.

— Пошли, Танюш, — негромко сказал Клавдия. — Все равно его нет, только соседей нервируем.

— Мы не виноваты, что они такие нервные, — пробормотала Таня, не отпуская кнопку.

— Кому сказано, убирайтесь!! — закричал голос из-за соседней двери. — Я звоню в милицию!

— Звони!! — согласилась Таня громко. — Мы все равно не уйдем!

— Танька, чего ты разошлась? — дергая Таню за рукав, спросила Клавдия. — Сейчас и вправду милицию вызовут, и нас заберут.

— Ничего, — сказала Таня мстительно, — Андрюха нас из застенка вызволит в случае чего. Сам виноват. Нечего шляться неизвестно где.

— Сейчас приедут, — ехидно сообщил голос из-за соседней двери. — И если вы не успеете смотаться, будут вам неприятности! Попомните мои слова, будут!

— Это у вас будут, — неожиданно вступила в дискуссию Клавдия. — За ложный вызов знаете какой штраф положен?

— Ах ты, дрянь такая! — переполошились за дверью. — Она мне еще и угрожает! Ну-ка выметайтесь отсюдова, нечего трезвонить, когда хозяина дома нет!

— Уже есть.

Таня отняла палец от кнопки, а Клавдия чуть не скатилась с лестницы. Андрей не спеша поднимался на площадку. В руках у него были ключи, а вид замученный.

— Вы чего? — спросил он, дойдя до них. — Давно звоните?

— Давно, давно, Андрей Дмитриевич, — засуетились за соседней дверью, и все трое изумленно на нее уставились. Загремели замки, засовы, цепочки и перекладины, дверь приоткрылась, и в нее уставился одинокий блестящий глаз.

— Арестуйте их, Андрей Дмитриевич, — затараторили за дверью. — Они уже здесь полчаса болтаются и безобразничают.

— Мы? — удивилась Клавдия. — Мы безобразничаем?!

— И безобразничают, — подтвердил голос. — И звонят, звонят, как бы не стянули чего у вас, я уж хотела милицию вызывать, а тут вы подъехали, я в окошко глянула, ну, думаю, Андрей Дмитриевич сам разберется...

— Я разберусь, — подтвердил Андрей, открывая

свою дверь. — Спасибо, Тамара Васильевна. Заходите, мартышки!

Почему-то иногда он звал их мартышками.

— Как же вы их в квартиру-то пускаете? — пуще прежнего заволновалась Тамара Васильевна. — Бродяжек этих? Может, милицию вызвать?

— Милиция уже прибыла, Тамара Васильевна! — объявил Андрей, заходя в квартиру. — Спасибо, не волнуйтесь!

Он закрыл дверь и, не глядя на девиц, таращившихся на него в изумлении, стал стаскивать ботинки.

— Бдительность, бдительность и еще раз бдительность, — пробормотал он, отыскивая тапки. — Они все сорок четвертого размера, и большинство из них почему-то на левую ногу. Вам какие больше нравятся, мартышки?

— Андрюш, а что это такое было? — спросила Таня с любопытством. Потом наклонилась и поцеловала брата, лежащего животом на полу, в макушку. Он что-то выуживал из-под шкафа. — Ну там, на лестнице?

Андрей вытащил пыльную тапку.

— Смотри-ка, правая! — удивился он и поднялся, отряхивая джинсы. — Что? — спросил он. — А... Это Тамара Васильевна, соседка. Ильины два года назад ее выписали. Из Канска. Она там на поселении с одна тыща девятьсот тридцать девятого года жила. В Москве никому, кроме меня, не доверяет. Целый день караулит под дверью, боится, что придут забирать. У нее на этот случай даже мешочек приготовлен, со всем необходимым для этапирования. В уголке лежит, в коридоре.

— Ты что? — спросила Клавдия. — Шутишь?

И посмотрела на Таню.

— И не думаю даже. — Андрей пожал плечами и пошел в кухню.

— Вечно у тебя фантазии какие-то, Ларионов, — пробормотала Таня. — Некачественные.

— Есть хотите? — спросил Андрей негромко. — Сейчас картошки нажарим. Будете?

— Будем, — отозвалась Клавдия неуверенно и снова посмотрела на Таню. В Андреевой квартире она чувствовала себя неуютно.

— Тапки только обуйте, — посоветовал Андрей из кухни. — Холодно очень, и не убирался я давно. Хотел полы в субботу помыть, да пришлось на дачу ехать...

— Дай тебе волю, ты вообще родителей забудешь, — сказала Таня язвительно и пошла к нему на кухню. — За все лето был, только пока забор ставил, а потом раз, и нет тебя. Хоть плачь.

— Не плачь, девчонка! — пропел Андрей. — Пройдут дожди. Солдат вернется, ты только жди!

— Жди тебя! — перебила Таня. — До смерти прождешь. Дай мне нож с черной ручкой.

Клавдия осторожно, как будто боясь, что от ее вторжения разлетятся и спрячутся в темных углах хорошие воспоминания и беззаботные тени той, давней жизни, пошла в комнаты.

В коридоре почти ничего не изменилось. Те же книжные полки по правой стене, от пола до потолка. Те же светильники, доставшиеся Елене Васильевне в приданое от матери и никогда не менявшиеся. Ковер другой, и обои, пожалуй, тоже. Или нет?

В комнатах тоже все было узнаваемо, и это принесло облегчение. Почему-то Клавдия очень боялась, что квартира стала совсем чужой.

В гостиной новый торшер, и мебель расставлена как-то по-другому, в кабинете — книги, компьютер, громадный стол и глухой толстенный ковер от стены до стены.

В спальню она не пошла. Еще не хватало.

Она оглянулась и потрогала рукой светлую стену.

Кругом было как-то слишком просторно, если не сказать — пусто.

— Когда разводились, мебель пришлось делить, — пояснил Андрей сзади. — Старую продали, когда женились, а новую поделили, когда разводились. Тебе вершки, мне корешки.

— Много мебели тоже плохо, — сказала Клавдия и улыбнулась ему. — В моей однокомнатной вещей очень много, а меня мало. И ничего не поделаешь. Тебе повезло, что у тебя целых три комнаты, а не одна.

— Переезжай ко мне, — предложил Андрей, доставая из серванта стаканы. — У тебя будет простор, а у меня компания.

— Ты картошку солил, братик?! — закричала из кухни Таня. Клавдия была уверена, что она подслушивала.

Все-таки он был на редкость тупой.

— А вы чего приехали-то? — вспомнив, спросил он. — И еще трезвонили там два часа, соседей перепугали.

— У нас к тебе дело, — пугаясь, пробормотала Клавдия, — ...было.

— У вас ко мне было дело? — изумился Андрей. — Какое такое дело? Дело пестрых?

Что-то не то с ним творилось этим вечером. В субботу в Отрадном он был куда спокойней.

— Не пестрых, а шустрых, — поправила из кухни Таня. — Мы же с Ковалевой шустрые. Клавка, где наш мешок?

По дороге к Андрею они заехали в магазин, и Таня купила целую гору всевозможной еды. «У Андрюхи небось шаром покати, — сказала Таня озабоченно. — А я пока не поем, на людей бросаюсь...»

Клавдия ловко протиснулась мимо Андрея, радуясь и огорчаясь, что Танька спасла ее от разговора с ним, и бросилась в коридор, где стояли их сумки.

— Вот, Танюш. — Она водрузила пакет на табуретку.

— Разбирай, — велела Таня.

— Ого! — сказал Андрей в дверях. — Вы со своим фуражом? А зачем я картошку чистил?

— Съедим, — пообещала Таня. — Клав, давай я огурцы и помидоры помою.

— Все доставать? — спросила Клавдия.

С детдомовских времен у нее сохранилось трепетное, почти мистическое отношение к еде, особенно когда ее было много. Клавдии хотелось утащить хоть часть и куда-нибудь спрятать на черный день.

— Конечно, все! — ответила Таня. — Андрей, накрывай на стол.

Андрей поставил на стол тарелки, положил вилки, посмотрел задумчиво и добавил хлеб в плетеной корзиночке и стаканы.

— Водку будем пить? — спросила Таня.

— Водки нет, — ответил Андрей с сожалением. — Зато у вас в пакете какая-то бутылка.

— У нас в пакете шампанское, сыщик, — развеселясь, Таня хлопнула его полотенцем пониже спины. — Для дам-с.

— Мне много не надо, — пробормотал Андрей. — Мне только один раз глотнуть, и я готов.

— Оно и видно. — Таня ловко разложила по тарелкам картошку. — Садитесь все. Что вы как на именинах!

Андрей ел молча и быстро. Сто лет Клавдия не видела, *как* он ест, когда голоден. На даче не в счет. Там был праздник, а не еда после целого дня трудной работы.

— Ну что? — спросил он, когда шампанское было разлито. — За приятную неожиданность, а также за то, что бабе Томе не удалось все-таки сдать вас в милицию.

Они чокнулись и выпили сладкое газированное вино.

— Шампанское с жареной картошкой — высший класс! — одобрил Андрей. — До печенок пробирает.

— Не у всех бывшие жены по Парижам разъезжают, — сказала Таня, нисколько не заботясь о высоких чувствах Клавдии, и добавила доверительно: — Жанка, его бывшая, из Парижа привезла шампанское. Я, конечно, уже не помню, что это было за шампанское,

«Дом Периньон», что ли, но это было что-то потрясающее. Сначала картонная коробка, а в ней гофрированная бумажка. В бумажке — деревянный ящичек. В ящичке стружки, в стружках — бутылка, завернутая в тряпочку.

— Ну и как? — затаив дыхание, спросила Клавдия, совершенно завороженная видением бутылки в деревянном ящичке, завернутой в тряпку.

— Никак, — сказал Андрей. — Мы не поняли ничего. Очень сухое, крепкое, я бы даже сказал, острое вино. В горле сразу встает комом, особенно замороженное.

— Его невозможно пить, как мы привыкли, — пояснила Таня и с удовольствием хлебнула из стакана. — Его нужно цедить по капле. Один бокал весь вечер.

— И при этом рассуждать о букете и послевкусии, — добавил Андрей.

Они были очень похожи, брат и сестра. Они даже говорили одинаково, несмотря на разницу лет, образований и образов жизни. Как-то сразу было понятно, что они — брат и сестра, что они хорошо понимают и любят друг друга и, что бы ни случилось дальше, как бы ни развела их жизнь, они будут так же понимать и любить друг друга.

Доев со своей тарелки все до крошечки, Андрей рассеянно похлопал себя по карманам, но сигарет не нашел и вышел в коридор.

— Не смей на него так пялиться! — приказала Таня шепотом. — Он этого не заслуживает. Он идиот.

— Это я идиотка, — ответила Клавдия тоже шепотом. — И я не могу перестать. Я его, может, теперь только через год увижу.

— Вы чего? — спросил Андрей, входя в кухню. — Шушукаетесь?

— Мы не шушукаемся, — сказала Таня. — Пепельницу давай.

Он поставил на стол тяжелую хрустальную пепельницу, которая странно не вязалась с его демократической кухней, сел верхом на скрипнувший под его весом стул и велел:

— Ну выкладывайте, зачем пришли. И не врите, что просто соскучились.

После еды ему полегчало.

Как это они догадались зайти к нему в такой отвратительный день и спасти его от еще более отвратительного вечера? Наверняка Танька придумала. Клавдия последний раз была у него... Когда же? Память быстро отматывалась назад, в поисках нужного места. Андрей Ларионов всегда хорошо запоминал мелочи.

Да. Это было зимой, шесть лет назад. Ему стукнуло тридцать, и он получил повышение. Клавдия пришла тогда раньше всех, даже раньше сестры, обещавшей помочь ему с готовкой, и страшно смутилась, застав его в одиночестве. Интересно, чего она тогда так испугалась? Что пострадает ее безупречная репутация или что он набросится на нее и лишит невинности?

Он усмехнулся. Нужно было сразу спрашивать. Сейчас, наверное, уже поздно. Все-таки шесть лет прошло.

Клавдия Ковалева редко с ним общалась. Конечно, она дружила с его сестрой, а не с ним, но она была приятной, умненькой и... постоянной. Вряд ли он сумел бы точно сформулировать, что именно означает это слово в отношении Клавдии Ковалевой, но она никогда его не пугала. Не красила волосы в чудовищные цвета. Не смеялась низким волнующим смехом, который по замыслу должен был сражать мужчину наповал. Не анализировала его высказываний, хотя, возможно — и даже наверняка, — высказывался он время от времени грубо и неуклюже. С ней просто было разговаривать и легко молчать. Она не любила, когда ее жалели, но детство было, пожалуй, единственным, о чем не стоило ее расспрашивать.

Она вся была очень здравомыслящая, нелегкомысленная и искренняя, как гриб-боровик под елкой. И в то же время забавная, немножко лукавая и смешливая.

Мартышка.

И еще ему очень нравилась ее попка. И шея в завитках темно-рыжих волос.

Нет, ничего такого он вовсе не имел в виду, но смотреть на нее ему всегда было приятно. Просто по-мужски приятно, и все тут.

Совершенно разомлевший от этих мягких и легких мыслей, он пристроил голову на руки и приготовился слушать. Глаза у него закрывались.

— Андрюш, — начала Таня и сбилась.

Ох, и даст он им сейчас за идиотские выдумки!..

— Андрей, — перебила Клавдия, — помнишь, мы когда из Отрадного ехали, я тебе мужика одного показала? Ну, того, который на мосту стоял и в воду плевал?

— Ты еще сказала, что он за тобой следит, — сказал Андрей с ленивой улыбкой. — Как я мог забыть? Помню.

— Ну вот. Он на самом деле за мной следит, — выпалила Клавдия, с ужасом глядя, как меняется у него лицо. Черты подобрались и заострились так, что стало казаться, будто оно состоит из одних только острых углов. — Я засекла его еще раз, у своего дома. Он приехал раньше нас. А назавтра был второй. Его я у булочной заметила. — Она тараторила все быстрей и даже для убедительности умоляюще прижала руки к груди. Непонятно почему, но было очень важно, чтобы Андрей ей поверил. — А сегодня у аптеки снова был тот же, что и в Отрадном. Правда, Андрей! Я ничего не выдумываю, я выросла в детдоме, у меня просто замечательная память на лица.

Пока она тараторила, вся горечь и мерзость этого дня вдруг поднялась из глубины и хлынула на Андрея.

«Я не хочу об этом вспоминать. Пусть это будет просто работой. Пожалуйста!»

Но сознание, словно издеваясь над ним, уже крутило все заново — пустое женское лицо, грязная вода, капающая с мокрого белого свитера, запрокинутая безжизненная голова на спинке кресла прокуренных милицейских «Жигулей», мертвая голая нога, с которой свалилась щегольская кроссовка, детские рисунки на стенах, запах нашатыря и волчий вой.

Человек не мог так выть. Это был *не человек*.

Андрей посмотрел на притихших девиц. В этот момент он их ненавидел.

— Так, — сказал он спокойно. — И что? Того, который был у булочной, ты тоже узнала?

— Да. Да! — заторопилась Клавдия. — Они совсем не прячутся, ходят за мной и ходят. Я думаю, что они приняли меня за кого-то другого...

— А ты? — Андрей холодно посмотрел на Таню. — Ты тоже их видела?

— Только одного, — пробормотала Таня виновато. — Сегодня у аптеки действительно слонялся какой-то тип. То в одном месте постоит, то в другом. Черт его знает, чего ему было нужно.

— Ты видела его впервые? — уточнил Андрей. Ему очень хотелось чего-нибудь разбить, но он пока сдерживался.

Таня кивнула.

— Клавка позвонила мне сегодня на работу, — начала объяснять она, — и попросила приехать к ней. Я в обед поехала, и она мне рассказала, что происходит что-то неладное. За ней таскаются два каких-то мужика.

— Почему ты раньше их не замечала? — спросил Андрей у Клавдии. — Почему только сейчас?

— Не знаю, — пролепетала Клавдия. — Просто он мне попался на глаза тогда на мосту, и я... вспомнила.

«Ты не вспомнила, а сочинила», — подумал Андрей. От его ледяной злобы даже сигарета погасла. Он щелкнул зажигалкой.

— Андрей, — позвала Таня робко. — Что ты так разозлился-то? Нам же страшно. Мы не знаем, что делать, решили у тебя спросить...

— Не надо ничего у меня спрашивать, — отрезал Андрей. — Нужно спросить у твоей подруги.

— Что? — завороженно глядя ему в зрачки, спросила Клавдия.

— Первое. Не носишь ли ты домой каких-нибудь медикаментов? Второе. Не бросала ли ты в последнее время богатых мужиков? Третье. Не поступало ли тебе предложений о продаже твоей потрясающей квартиры или известий о назначении тебя в НАТО, на должность Хавьера Соланы?

Клавдия храбро улыбнулась ему чуть-чуть дрожащей улыбкой.

— Ты спрашиваешь, не торгую ли я аптечными наркотиками и не занимаюсь ли проституцией? Нет. Не торгую и не занимаюсь. Насчет Хавьера Соланы я не очень поняла, но на его место меня не назначали. Это точно.

Он поднялся, отшвырнув ногой стул, очень большой и раздраженный, как медведь-шатун.

— Так я и знал, — сказал он. — Ни одно из моих предположений не подтверждается. Значит, следить за тобой нет никакого резона. Я уже тебе это раз сказал. Могу и еще раз повторить. У тебя нет больной бабушки — аргентинской принцессы?

— Нет, — сказала Клавдия, начиная злиться.

— А дедушки — алмазного короля?

— Андрей, – сказала она и тоже поднялась со стула. — Я согласна, мы не вовремя приперлись. Уже вечер, ты устал... Но я говорю тебе совершенно серьезно: за мной ходят два каких-то мужика. В этом убедиться — раз плюнуть. Приезжай ко мне домой. Один раз вечером и один раз утром. Ты все увидишь своими глазами.

Андрей чуть было не сказал, что ему нет никакого

дела ни до каких ее мужиков, но промолчал, вовремя прикусив язык.

— Ну пойми ты, незачем им за тобой следить! Ты ничего серьезного не совершала в последнее время? Не вывозила капиталы за границу?

— Пошел к черту! — в лицо ему сказала Клавдия и опять села на стул.

Он так изумился, что у него даже открылся рот.

— Так, все ясно, — подала голос Таня, о которой все забыли. — Скажи нам, Ларионов, может так быть, что ее с кем-то путают?

— Что? — переспросил Андрей, с трудом отрываясь от изумленного созерцания Клавдиной физиономии. — А... теоретически, конечно, может. Смотря сколько за ней уже ходят. Если два дня, то может. Если неделю, то не может.

— Почему не может, если неделю? — испугалась Клавдия. Сейчас ей уже казалось, что она встречала этих двоих намного раньше. В начале лета, что ли...

— Потому что за неделю заказчик разобрался бы, что объект выбран ошибочно, — сказал Андрей раздраженно. — Он бы наблюдение давно снял и перебросил на нужный ему объект.

— А если он думает, что я и есть — объект? — спросила Клавдия убитым голосом. — Ну просто так ошибается.

— Не знаю я, кто это может просто так ошибаться, — пробормотал Андрей. — Скорее всего тебе все-таки что-то мерещится, Клава. Ну что за черт возьми...

«Сереже с недавних пор кажется, что за ним кто-то следит... Ты должен разобраться в ситуации. Поговорить с ним, выяснить, кто за ним следит и почему. Сережа ничего не выдумывает, поверь мне...»

Рука ныла так сильно, что до смерти хотелось ее оторвать.

Вчера вечером... нет, еще сегодня утром он обязательно выгнал бы Клавдию Ковалеву, пришедшую к нему жаловаться на слежку. Его крайне просто организованный милицейский ум, как формулировала бывшая жена, отказывался вникать в какие бы то ни было высокие материи, которыми могла объясняться необъяснимая слежка за тридцатилетней, нищей и сирой аптечной провизоршей.

Но Сергею Мерцалову, лежащему нынче в морге с порванным горлом, тоже что-то там такое мерещилось.

Конечно, они были несравнимы — Клавдия Ковалева и Сергей Мерцалов.

Сергей был богатый, знаменитый, процветающий врач.

Богатство Клавдии измерялось аптечной зарплатой и несколькими парами дешевых туфель.

Нет, никак она не подходила под объект слежки. Ни с какой стороны. Если бы она была знакома с бывшей женой Жанной, Андрей грешным делом заподозрил бы, что Клавдия врет из чисто спортивного интереса. Устраивает очередную проверку. Это было очень в духе бывшей жены и ее подруг по психологии.

Но Клавдия Жанну не знала, а сам Андрей слишком плохо знал Клавдию, чтобы заподозрить ее в умышленном вранье.

Черт ее знает, что у нее в башке?.. На истеричку и дуру она никогда не была похожа. Андрей покосился на Клавдию. Мордочка несчастная, кулаки прижаты к груди. В глазах огонь.

Интересно, что у нее в глазах, когда она занимается любовью?

Андрею внезапно стало неловко, как школьнику, впервые зашедшему в баню. От неловкости он чуть не сшиб попавшийся ему под ноги стул.

Года два назад он расследовал убийство известного московского кутюрье. Он тогда много времени проводил в модных ателье и салонах, на дорогих закрытых просмотрах и в модельных агентствах.

Однажды, дожидаясь в чьей-то приемной и поминутно зевая от усталости и скуки, он листал толстый дамский журнал из тех, что продаются на развалах за тридцать рублей. Он листал журнал и злился на него и на того, кто заставляет дожидаться себя так долго, и на приемную, похожую на душистую шкатулку для драгоценностей, обитую изнутри нежным голубым шелком. Журнал повествовал о том, как выбрать белье для первой брачной ночи, что делать, если пристает начальник, как именно следует массировать попу, чтобы избежать чего-то чудовищного, имеющего звучное название «целлюлит», и как направлять сексуальную агрессию мужчин.

Последнее Андрея заинтересовало.

Он начал читать и быстро понял, что статью написала идиотка, не имеющая никакого представления об агрессии вообще и о сексуальной в частности. Только одна фраза запомнилась ему и заставила улыбнуться. Со снисходительным женским превосходством авторша сообщала, что средний мужчина думает о сексе примерно раз в пятнадцать минут.

«Это про меня, — решил тогда Андрей. — Я именно тот средний мужчина, который думает о сексе раз в пятнадцать минут. Ну, если не на работе, конечно».

Вспомнив про среднего мужчину, Андрей внезапно захохотал.

— Ты что? — спросила Клавдия с недоверчивой улыбкой. — Ты мне все-таки не веришь?

Не мог же он рассказать им про среднего мужчину и про четкую периодичность своих мыслей о сексе!

— Я тебе верю, — сказал Андрей, так же внезапно перестав смеяться. — Ну, скажем так, стараюсь верить. У нас сегодня как раз выезд был на убийство, и вроде за мужиком тоже кто-то следил.

— Умеешь ты утешить, Андрей, — пробормотала Клавдия.

— Я тебя не утешаю! — возразил он с досадой. — Я не сыщик из детективного романа, и моя интуиция мне ничего не подсказывает. Я уверен, что есть какое-то объяснение этой твоей слежке, отличное от того, что ты израильский разведчик, которого взяли на мушку ребята из ФСБ.

Он закурил и некоторое время рассматривал сигарету, держа ее у глаз.

— Я разберусь, — сказал он наконец. — Слышь, Клавдия?

— Что значит, ты разберешься? — спросила Таня.

Андрей вздохнул:

— Завтра попрошу Димку, он Клавдию встретит и проводит до дому, до хаты. — Димка должен был целый день заниматься исчезнувшим свидетелем, и нагружать его дополнительно, да еще личной просьбой, Андрею не хотелось, но сам он проверять не мог. — Я ему тебя опишу, может, он в аптеку зайдет, посмотрит на тебя, а потом проводит. И утром на работу проводит. Если ты его вдруг где-нибудь увидишь, на шею не кидайся. Иди своей дорогой.

— Да я его даже в лицо не знаю, зачем мне на шею ему кидаться, — пробормотала Клавдия, стараясь не зареветь. — Спасибо, Андрей.

Разочарование ее было таким громадным и тяжелым, что требовалось немедленно сделать что-нибудь, куда-нибудь отойти с тесной кухни, чтобы брат с сестрой не утонули в этом море скорби.

— Я сейчас... — почти шепотом произнесла она и ринулась в ванную. Открыла воду и прижала к лицу полотенце. Полотенце пахло Андреем, и Клавдия швырнула его на батарею, как будто по нему полз паук.

Итак, он попросит Димку. Замечательно.

Нет, даже не совсем так.

Ладно уж, он попросит Димку, вот как.

Ничего не вышло. Последняя попытка провалилась так же бесславно, как и все предыдущие. Он не хочет ею заниматься. Она ему совсем неинтересна, и ее проблемы ему не нужны. *Ладно уж*, он попросит Димку. Только больше, пожалуйста, не приставайте. Я вас умоляю. Как-нибудь без меня, ладно?

— Ладно, — пообещала себе Клавдия сквозь стиснутые зубы. — Ладно.

Когда они расставались, оба Ларионовых были веселы, как апрельские птички. Таня — потому, что Андрей согласился «разобраться», а это дорогого стоило. Андрей — потому, что принял решение, очень неудобное и ненужное для себя, зато благородное и правильное, и теперь он под это дело с Таньки или Клавдии что-нибудь стрясет. Пироги там или шашлык...

Андрей мыл посуду, и ему приятно было, что завтра Дима Мамаев развеет все страхи Клавдии Ковалевой, а у самого Андрея будет на душе спокойнее.

О Сергее Мерцалове он запретил себе думать до завтра. У Андрея это получалось почти виртуозно — он запрещал, и ему казалось, что он и вправду перестает думать.

Он рано лег спать, и уснул, и проспал почти полночи.

Проснулся он от собственного стона и потом до утра лежал, закинув за голову тяжелые руки. Он курил, смотрел на дым и думал о толстом щенке по имени Тяпа с розовым младенческим пузом.

Фары разрезали темноту, как блестящие металлические ножницы — темную ткань.

Клавдия сидела тихо, значительно поглядывая в окно. В машине она всегда чувствовала себя как-то значительнее и солидней.

Машины вообще завораживали ее. Будь у нее деньги, она первым делом купила бы себе машину. Правда, неизвестно, куда бы она на ней ездила. Ну, придумала бы куда. По Кольцевой. В понедельник с запада на восток, а во вторник с востока на запад и так далее.

Она любила рассматривать их, длинные и гладкие, сверкающие полированными боками.

Некоторые напоминали пляжных красоток с глянцевых страниц дорогих журналов. Другие — загорелых суперменов с рельефными мышцами и блестящей кожей. Третьи — их было мало — английского принца Чарльза с его чопорностью и консервативными костюмами. Еще были машины-лошади, то ухоженные и породистые, то грязные и запаленные, и машины-ишачки, старенькие, но верные и преданные. Были машины-кометы и машины-стеллсы.

И людей в машинах Клавдия тоже любила. На светофоре, дожидаясь зеленого, она всегда всматривалась в тех, кто сидит в этих личных апартаментах на колесах, и зоркость ее превосходила зоркость любого гаишника. Она моментально придумывала истории — любви или ненависти, смотря по выражению лиц. Она радовалась, когда замечала в «Мерседесах» детские кресла, или цветы на заднем стекле, или собаку, или старуху. Ей казалось, что люди в дорогих машинах непременно должны быть уверены в себе, в тех, кто сидит рядом, девушки — красивы, мужчины — великодушны.

Она понимала, конечно, что сказки придумывать приятнее, чем смотреть правде в глаза и читать в «Московском комсомольце» статистику взрывов и расстрелов именно таких машин. Бог с ней, со статистикой. Когда Клавдия рассматривала машины, статистика ее совсем не волновала.

Таня мурлыкала какую-то песенку, круто закладывая вправо с Ленинградско шоссе.

— Правильно мы сделали, что поехали, — сказала она, наконец вытащив машину из рытвин и канав на освещенную улицу. — Не молодец ли я? Завтра тебя кто-то поохраняет, и послезавтра все станет ясно. Не будь мой брат великий сыщик!

— Все это, конечно, хорошо, — отозвалась Клавдия, выныривая из своих «машинных» мыслей, — но сам он заниматься этим не пожелал.

Таня искоса на нее взглянула.

— Что значит сам? — спросила она осторожно. — А кто же будет этим заниматься? Димку просить и так далее...

— Вот именно, что Димку просить, — буркнула Клавдия. — Мы-то ведь не Димку просили, а Ларионова. А он сказал: черт с вами, пусть Димка пойдет и проверит.

— А тебе чего хотелось?

Клавдия промолчала, и Таня длинно вздохнула:

— Поня-а-тно. Никакая слежка тебя не волнует, так? Представление затевалось для Ларионова, а он, как всегда, все неправильно понял. Ты что, наврала нам, Ковалева? Про полосатые рубашки, про мост в Отрадном, про булочную?..

Клавдия покраснела. Она даже представить себе не могла, что ее можно заподозрить в таком коварстве.

— С чего ты взяла? — спросила она Таню вспыльчиво. — Никому я не врала. И не думала даже. Соглядатай есть, и слежка есть. Все есть, как в романе.

— И как обычно, нет только одного Ларионова, — с сочувствием произнесла Таня. — Ясненько.

— Танька, — сказала Клавдия, стараясь быть как можно более убедительной, — то, что ты меня тогда застукала в ванной, не дает тебе никакого права надо мной издеваться. Я его люблю с двадцати лет. И дальше любить буду.

— Ну и дура, — ответила Таня с тем же глубоким сочувствием, и до Клавдиного дома они промолчали.

— Спасибо, — сказала Клавдия, выбираясь на холод из теплого салона «девятки».

— Звони мне завтра, как только что-нибудь узнаешь, — приказала Таня. — А если я раньше узнаю, я тебе сама позвоню. А может, договорюсь с Андрюхой, и мы к нему опять вечерком подъедем.

— А как же Павлов? — развеселилась Клавдия. — Он два вечера подряд без тебя переживет?

— Переживет! — уверенно сказала Таня и потянулась поцеловать Клавдию в щеку, покрасневшую то ли от перспективы завтра снова встретиться с Андреем, то ли от наклонного положения. — Пока!

— Пока, Танюш!

Клавдия проводила глазами «девятку». Выезжая со двора, она приветливо подмигнула красными, как угольки, тормозными фонарями и неспешно свернула за угол. Клавдия зачем-то помахала рукой и вошла в подъезд.

Потом она так и не могла как следует вспомнить, что именно случилось.

Она поднималась по лестнице, думала об Андрее и о своем соглядатае, который сегодня почему-то не болтался у подъезда, и о горячей ванне, и о завтрашней работе.

Ни о чем и обо всем сразу.

И свет в подъезде горел, и из-за тонких «бумажных» дверей слышны были голоса и привычное вечернее кваканье телевизоров — у всех одинаковое...

Она не слышала ни шума шагов, ни хлопанья неугомонной подъездной двери, не чувствовала никакой опасности.

Только вдруг цементная, давно не мытая лестница ушла у нее из-под ног, и, не понимая, что происходит, она почему-то с силой ударилась о стену. Звук был глухой, как от мешка с тряпками.

«Неужели это я так долбанулась?» — смутно подумала Клавдия.

Что-то сильно дернуло ее за руку, вывернуло кисть,

она отлепилась от стены, падая головой вперед, приземлилась на колени и взвыла от боли.

Неловко повернувшись, Клавдия плюхнулась на ступеньку и осознала, что она в подъезде одна, а от ее сумки остался только драный коричневый ремешок, намотанный ради предосторожности на руку.

У нее отняли сумку.

Не помогли никакие предосторожности.

Коленка болела ужасно, и кисть, кажется, была вывихнута.

Она баюкала кисть другой рукой и твердила сама себе:

— Вот гады... Господи, какие гады... Ну какие же гады, господи...

И главное, в сумке-то ничего нет!

А что там у нее в сумке? Вспомнить бы...

Да, кошелек. В кошельке рублей тридцать. Проездной. Ах черт, проездной на месяц. Месяц ведь только начинается! Почему она не забыла этот дурацкий проездной в кармане, после того как предъявила контролерше в метро! Нет, дурацкая аккуратность — все должно быть по своим местам. По полочкам. По кошелечкам. По отделеньицам.

Идиотка.

Очки. Три ручки. Записная книжка и всякая бумажная ветошь, которую она по привычке таскала с собой.

Паспорт дома, это точно.

Ключи...

Похолодев, Клавдия здоровой рукой обшарила карманы. До правого добраться было очень трудно, и она стремительно поднялась со ступеньки, на которой сидела, переживая свое несчастье.

Да где же они, черт их возьми! Тоже украли?!

Это совсем плохо. Это ужасно. Как она попадет в квартиру? Где будет ночевать? Что теперь делать с замком — сию секунду менять или дожидаться вора?!

В этот патетический момент ключи нашлись.

Клавдия с шумом выдохнула, задержав в легких воздух, и поплелась дальше, здоровой рукой придерживая в кармане ключ.

Она открыла дверь, зажгла в квартире свет, заперлась на замок и на цепочку и прислонилась лбом к стене.

Ей было очень обидно и жалко эту древнюю сумку, которую по-хорошему давно надо было бы выбросить в помойку, и хотелось поймать и отколошматить мерзавцев, которые вырывают сумки у усталых женщин, возвращающихся вечером домой.

И еще эта рука проклятая... Ну как она завтра будет работать? Как?!

И еще проездной...

Слеза капнула ей на ботинок. И это крошечное соленое озерцо, растекшееся по ботинку, стало последней каплей. И первой.

Клавдия зарыдала, слезы полились градом, и их пришлось вытирать воротником. Воротник был ворсистый и жесткий, щеки сразу стали гореть и противно чесаться.

— Ну что же это за жизнь, — говорила она сама себе и даже подвывала от горя. — Ну когда же это все кончится... Ну так же совсем невозможно... Вот сволочи, а? Надо же быть таким сволочам...

В дверь позвонили, и это было так неожиданно, что Клавдия поперхнулась слезами и соплями. Кашляя, она не могла произнести ни слова, с ужасом глядя на дверь. К ней никто не мог прийти. Это было абсолютно исключено. Это бандиты, отнявшие у нее сумку, вернулись за ней самой.

— Клава! — закричали на лестнице. — Ты чего не открываешь-то? Это я, тетя Маша!

Тетей Машей звали соседку.

Кашляя, Клавдия сняла цепочку и повернула замок.

Ей не хотелось видеть никаких соседей, но она знала, что ее трубный кашель давно уже оповестил тетю Машу, что она дома, и не открыть было невозможно.

— Что у тебя делается-то? — заговорила тетя Маша в до конца не открытую дверь. — Ты никак заболела?

— Нет, теть Маш, — справляясь с собой, хрипло сказала Клавдия. — Я просто так расстроилась. У меня, знаете...

Дверь наконец открылась, и Клавдия увидела свою сумку, аккуратно стоящую в проеме.

— А-а... а-а... — протянула она неуверенно, во все глаза глядя на сумку. — Где вы ее нашли, тетя Маша?

Соседка острыми глазками шарила по физиономии Клавдии, надеясь высмотреть там что-нибудь особенное. Например, что она пьяна. Или привела к себе мужчину. Все они теперь такие. С виду тихие да порядочные, а на самом деле... И мужчин водят, и пьют, и курят, и нюхают...

— А ты что, потеряла ее, что ли? — спросила соседка, и Клавдия прямо-таки кожей почувствовала ее неутоленное, истовое любопытство.

— Да у меня ее отняли две минуты назад! — выпалила Клавдия и тут же пожалела об этом.

Ну точно, решила тетя Маша. Напилась. Вон даже стоять не может. Качается. И не открывала долго. Кашляла, то ли рвало ее... А с виду, с виду-то такая смиренница, просто господи помилуй!

— Ну да, — сказала соседка недоверчиво, и при этом ее любопытство возросло раз в сорок, как определила Клавдия. — А ты ее, часом, не сама ли на площадке оставила? Может, вот так поставила да и позабыла, а?

Клавдия уставилась на сумку. Это была именно ее сумка, и свежеоторванный ремешок закручивался в спираль. Нитки торчали во все стороны.

— Ну ты забирай, забирай ее, Клава, — посоветовала соседка, не отводя от Клавдии глаз. — Хорошо, что мне она попалась, а не проходимцу какому, который мог чего стянуть.

— Да, — сказала Клавдия. — Спасибо, тетя Маша...

— Из спасибо штанов не сошьешь, — ответствовала тетя Маша. — Пойдем поглядим, может, пропало что...

Но Клавдии, даже в ее теперешнем несколько ошарашенном состоянии пускать в квартиру соседку совсем не хотелось. Будет потом подъездным бабкам излагать свой взгляд на быт Клавдии Ковалевой.

— Спасибо, тетя Маша, вы просто меня спасли! — встряхнувшись, закричала Клавдия с ненатуральным энтузиазмом и подхватила сумку. — Спасибо!

— Пожалуйста, — кисло сказала соседка, с сожалением глядя в глубину квартиры, готовую вот-вот скрыться из глаз. — Я к Верьиванне собралась, в четвертую, а тут смотрю — сумка, и вроде как Клавина. Надо же, думаю, Клава забыла ее, что ли? Надо, думаю, позвонить ей, чего доброго, украдут сумку-то...

— Спасибо! — еще раз поблагодарила Клавдия и окончательно закрыла дверь. Потом кинулась в комнату, зажгла свет и над диваном перевернула сумку. Из нее посыпалось личное Клавдино имущество, как мусор из кузова грузовика на городской свалке.

Кошелек. Проездной. Очечник. Ручки... раз, два... три. Записная книжка. Распечатка телефонного счета, которую она сегодня утром вынула из почтового ящика. Изящный пакетик с «Carefree», который ей всучила у метро бойкая девица — рекламная агентша. Бумажка с номером домашнего телефона Натальи Васильевны, заместительницы заведующей. Когда-то Клавдии зачем-то нужно было ей позвонить.

Кошелек... тридцать рублей на месте. Очки тоже на месте.

Сумку вернули, *ничего из нее не взяв.*

Зачем?! Что это за жулики, которые вырывают сумки, чуть не ломая руку, а потом возвращают ее хозяйке вместе со всем содержимым?!

Да что творится вокруг нее, в конце-то концов?!

Клавдия села на диван рядом с кучкой хлама, вытряхнутого из сумки.

Именно в этот момент она поняла, что сумка каким-то образом связана со слежкой. В сумке не было *чего-то*, что должно было там быть, и поэтому ее вернули. В том, что сумку у нее выхватил один из соглядатаев, она не сомневалась.

Еще полчаса назад Клавдия Ковалева недоумевала, кому могло понадобиться устанавливать за ней слежку. Недоумевала и почти совсем не боялась. Теперь ей стало страшно. Так страшно, что она едва удержала себя на месте — так хотелось бежать и спасаться.

Где спасаться? От кого бежать?

Позвонить в милицию? Андрею? Тане? Что сказать? У меня отняли сумку и через две минуты вернули в целости и сохранности? И поэтому я очень боюсь?

Где-то была водка, приготовленная в прошлом году для компрессов. Компрессы подождут, нужно срочно выпить.

Клавдия отправилась было искать водку, но через секунду забыла о ней.

Зачем ее вернули?

Это же целая история — подниматься обратно к ней на этаж, оставлять сумку на площадке, спускаться, выходить из подъезда... Зачем?!

Зачем?

Ей казалось, что, если она найдет ответ на этот вопрос, все станет ясно. Она поймет, кто за ней следит и зачем. И еще ей стало совершенно ясно, что заказчик делает все правильно и ни с кем ее не путает.

Объектом была именно она — Клавдия Ковалева.

Она проверила дверь — на все ли замки закрыта. Дверь была закрыта на все замки.

Может, позвонить Андрею? Рассказать? Пожаловаться?

Господи, как жалко, что у нее нет мамы! Как легко живется людям, даже взрослым, даже немолодым, когда у них есть мамы!..

Сцепив зубы, Клавдия открыла гардероб, выдвинула самый нижний ящик и решительно запустила руку под стопку белья. Там лежал нож. Хороший самодельный нож. Финка, не раз выручавшая ее в детдоме. Эту финку ей подарила Оля Болдина. Оля была лет на восемь старше и иногда жалела маленькую Клавдию. Один раз даже всерьез спасла.

Клавдия положила финку под цветастую самодельную подушку и, не раздеваясь, легла на диван.

Юрий Петрович Васильков считал себя человеком уравновешенным. Бизнес требовал ясности рассудка, и вообще... Не любил Юрий Петрович тратить время на приведение в порядок своих и чужих нервов. Не в его это было правилах. Но на кретина Женьку он разозлился так, как не злился ни на кого в жизни. Даже на жену, когда она сделала первый аборт. Даже на начальника лаборатории, завалившего его когда-то на защите.

Нужно было быть полным кретином, чтобы уйти от трупа, не дожидаясь ментов! Ладно бы его никто не видел, ладно бы он просто посмотрел и отошел, так нет! Он, считай, сам их и вызвал и первым делом смотался, как нашкодивший пацан от бабушки-соседки.

И еще Борису собрался звонить!

Господи, какие идиоты окружают Юрия Петровича Василькова! Наверное, в Москве нет больше таких отъявленных кретинов, и с ними ему приходится иметь дело каждый день! Каждый!

Он проверил Женькину информацию. Все приходится делать самому.

Это действительно был *тот самый* врач. Еще на прошлой неделе был жив-здоров, бодро-весело бегал по своей больнице, указания раздавал, да еще ерепенился, сволочь...

Женьку, конечно, найдут, это просто. С этого козла еще станется отрицать, что врачишку он знал и даже в больнице у него был. Но мозги Женьке Юрий Петрович успеет прочистить. Вряд ли менты нагрянут ночью. Не тридцать седьмой год.

Под дверью поскреблись нежной лапкой.

— Юра! — позвала жена. — Юрочка, ты чего закрылся?

Судя по звукам, доносившимся до Юрия Петровича в последние полчаса, его жена основательно и интенсивно ссорилась с дочерью. Он не стал прислушиваться и вникать, из-за чего именно, хотя всегда именно так и делал, чтобы потом вершить суд. Никуда же не денутся. К нему прибегут. Но сегодня у него было о чем подумать, кроме привычных дамских дрязг, и суть он как-то упустил.

— Заходи! — разрешил Юрий Петрович. — Что вы там опять буянили?

Жена вошла, принеся с собой запах хороших духов и кофе. Она была одета «для выхода», как это называли в каком-то иностранном фильме, и Юрий Петрович стал торопливо соображать, куда именно они сегодня собирались.

Вскоре выяснилось, что никуда, собиралась одна Юля, без него.

— Дашка сказала, что она с нами в отпуск не едет! — объявила жена преувеличенно громко, очевидно, для того, чтобы дочка знала, что в ход пущена тяжелая артиллерия. — Она желает остаться в Москве и две недели тут гулять напропалую. Без нас.

Только этого не хватало. Они едва-едва вылезли из предыдущей истории, в которую попала дочь. Юрий

Петрович заплатил кучу денег, чтобы дело замяли. Замяли, но едва-едва. На финишной прямой.

— Одна она в Москве не останется! — объявил Юрий Петрович тоже очень громко. — Поедет с нами, и все!

— Интересно, — протянула Дашка, появляясь на пороге.

Хороша она была сверх всякой меры. Просто неприлично хороша. Вот что делают денежки, презренный металл. Несмотря на всю свою любовь, Юрий Петрович отлично понимал, что красота его любимых женщин, феерическая и брызжущая через край, — это просто сложенные воедино усилия многочисленных профессионалов, а вовсе не дар природы. Зубы, волосы, ангельской красоты лики, бюсты, задницы — все было подкорректировано, максимально улучшено, местами видоизменено до неузнаваемости, и результат, надо сказать, был просто потрясающим.

— Интересно, — повторила Дашка. — Значит, одна я не останусь? Кто же мне запретит? Ты, папочка?

— Я, Дашенька, — согласился Юрий Петрович. — Я, кисонька. Так что давай без сцен. С матерью повоевала — и хватит.

На самом деле он не особенно волновался. У него в запасе всегда был один и тот же, совершенно неотразимый аргумент: если ты не будешь меня слушаться, я перестану давать тебе деньги. Это всегда срабатывало с первого раза в отношении их обеих — и дочки, и жены. Как только Юрий Петрович, в далеком прошлом научный сотрудник Института теоретической физики, это понял, его жизнь упростилась в десятки раз. Нет, в сотни. Или в тысячи.

Если ты не бросишь этого кретина Пашу, который не дает тебе заниматься, я перестану давать тебе деньги. Выбирай — новая машина или поездка в Крым с никому не известной подругой. Юленька хочет новую шубу какого-то невиданного меха. Юленька получит свою шубу и перестанет приставать с переездом к нам ее родителей.

Если бы деньги у Юрия Петровича водились всегда, может быть, он и не сумел бы управлять семьей столь... успешно. Но деньги пришли только в последнее время, и его девочки еще не забыли, каково это — сидеть на макаронах с фиолетовыми сосисками и по пять раз носить в починку одни и те же издыхающие на глазах сапоги. Не забыли, и слава богу!

— Папа, мне не десять лет, чтобы я ездила на курорты с родителями! Может человек элементарно побыть один?! — начала Дашка, бросаясь к отцовскому столу. Платиновые волосы разметались по плечам, она нетерпеливо заправила их за уши. Сирена, одно слово сирена, умилился Юрий Петрович. — Может?!

— Может, — покладисто согласился Юрий Петрович. — Вполне. Только если он отдает себе отчет в том, что делает, и не совершает никаких непростительных глупостей. А все мы отлично знаем, какие глупости ты способна совершать....

— Ну, папа-а-а! — завыла Дашка, и на глаза ей навернулись слезы. — Ты до конца жизни будешь меня попрекать, да?! До конца жизни, да?! Ну и уйду я от вас, живите как хотите, только я тоже человек, я тоже хочу жить свободно... — Она уже рыдала и по-детски вытирала щеки. Юрию Петровичу было ее жалко. — Замуж выйду и уйду, это же невозможно!

— Дарья! — прикрикнул Юрий Петрович и взглянул на Юлю. Она молчала, по опыту зная, что в диалоги отец — дочь лучше не встревать, но Юрий Петрович увидел то, что она демонстрировала всем своим видом, хоть и молча: она полностью на его стороне, и это придало ему уверенности.

— В общем, так, — сказал он, поднимаясь из кресла. — Ты едешь с нами, и точка. То кольцо, о котором ты соловьем разливалась, — покупай, денег я дам. И больше никаких ссор сегодня. Я устал, у нас проблемы на работе...

Дашка повсхлипывала еще для порядка и закрепления у отца чувства вины, но ускакала в свою комнату очень веселая — кольцо стоило совершенно неприличных денег, и выманить их у отца просто так ни за что не удалось бы. Бедный папочка, он думает, что вертит ими как хочет, а на самом деле это еще очень большой вопрос, кто кем вертит...

— Что за неприятности? — спросила Юля, когда Дашка хлопнула дверью в свою комнату. Она всегда принимала или делала вид, что принимает живейшее участие в делах мужа.

— Да так, — сказал Юрий Петрович вяло. Он подошел к бару и налил себе виски. Плюхнулся в кресло и стал массировать ноющую коленку. — Нужно Борису звонить...

— Ого, — произнесла Юля с тревогой. — Ничего себе...

Она знала, что это означает. Крайнюю степень важности.

— Все так плохо?

— Не плохо, а непонятно, — поправил Юрий Петрович, задумчиво глядя в бокал с виски. — Мне по крайней мере. Может, Борис все знает. Но тогда странно, что он меня не предупредил. Вот что плохо...

Юля взволновалась не на шутку. Всего, что так или иначе вызывало угрозу ее материальному положению, она боялась просто до исступления. Обратно в макароны, сосиски и отпуск по курсовке у нее дороги не было.

— Что же делать, Юра? — спросила она дрожащим голосом. — А? Ты знаешь, что теперь делать?

— Знаю, — ответил Юрий Петрович довольно раздраженно. — Сейчас ты уедешь на свой концерт, и я позвоню Боре. Думаю, что он мне что-нибудь да скажет...

Успокаивать ее у него не было сил. Кроме того, ее

паника по поводу малейших неурядиц действовала ему на нервы. Он всегда знал, что жена ему не поддержка и не союзник, а предмет роскоши и способ вложения денег. Интересно, хорошо это или плохо? И почему так получилось? Ведь пока они бедствовали, это была вполне нормальная, закаленная в сражениях с бытом жена, не слишком требовательная, не слишком красивая и, кажется, довольно добродушная.

— Ты езжай, езжай, Юленька, — сказал он рассеянно. — Я еще подумаю. И не нервничай. Все будет хорошо, я знаю...

Но она не успокоилась.

Весь концерт она прикидывала, что будет делать в случае серьезных проблем. Иногда такие проблемы в порошок стирали кого-нибудь из знакомых. Причем целыми семьями, как во времена сталинских репрессий. Когда-то Юлия Петровна была учительницей истории и обожала точные формулировки. Да, случалось... Встречались на курортах, в театрах, на дорогих концертах, вроде этого, на благотворительных балах, рассуждали, куда лучше отправить детей — в Йелль или все-таки в старый добрый Кембридж, а потом — как будто кто-то стирал тряпкой со стекла нарисованную там соблазнительную картинку райской жизни — люди исчезали вместе с детьми, машинами и Кембриджами.

Юле это не годилось. Женщина должна подстраховываться. Она слабая, ей одной не пробиться.

Она думала весь концерт и в конце концов надумала кое-что, с ее точки зрения, подходящее.

Игорь Полевой с утра поехал в институт, где директорствовал Сергей Мерцалов и где все, конечно же, уже всё знали.

Настроение у него было плохое. Нужно было еще успеть в прокуратуру к следователю, у которого были то ли вопросы, то ли уточнения, и почему-то он никак не соглашался поговорить по телефону, а в институте дело застопорилось с первых же минут. Все сотрудники Сергея Мерцалова пребывали не просто в шоке, а в каком-то болезненном шоке, и Игорь на обыкновенные вопросы тратил не минуты, как обычно, а часы, маясь и постоянно проверяя время.

С утра пораньше он еще поцапался с женой, которой вздумалось устроить Люську в балетный класс. Бедная Люська. На музыку она ходит, в спецшколу ходит, ее бы на травку выпустить порезвиться, но жена сказала, что это и так последний шанс — ребенок уже в третьем классе. Позже не возьмут, а у девочки явные способности к танцу. Господи, откуда она взяла эти явные способности?! Конечно, Люська забавно дрыгается под магнитофон и телевизор и перед зеркалом любит покрутиться, тоже под какую-нибудь музыку, но при чем здесь, блин, балет?!

— Ты потому так злишься, — сказала жена, плюхнув перед ним манную кашу, которую он ненавидел еще с детства, — что тебе нет до ребенка никакого дела. А мне есть. Поэтому ты злишься и ревнуешь.

— Давай тогда забирай ее из музыкальной школы, — велел Игорь мрачно, понимая, что от его повелений ровным счетом ничего не изменится. — Это невозможно. Ей девять лет всего, а она четыре раза в неделю домой приходит к шести. Как рабочий с ЗИЛа.

— Странно, что ты об этом знаешь, — сказала жена. — Тебя же никогда нет дома. И денег никогда нет.

В этом было все дело.

Конечно, денег нет. Откуда же им взяться?

Игорь печатать их не умел, а жаль. Это, пожалуй, был самый простой способ их добыть. Что он мог заработать в уголовном розыске? Только на картошку с селедкой...

Он всех жалел — жену, которую давили заботы, а он

не мог их не то чтобы с нее снять, а хотя бы разделить, маму, которой до смерти хотелось хоть раз в жизни слетать в Карловы Вары, отца, у которого совсем развалился «жигуленок» первой модели, но он тем не менее все же ездил на нем на дачу. И Люську, у которой не было кроссовок «Рибок», как у большинства ее одноклассников. Он знал, что не оправдал ничьих надежд, что он плохой муж, отец, сын, зять, потому что он не может, ну не может добыть столько, чтобы хватило на всех, пусть даже понемножку.

В такие поганые дни он себя ненавидел. И работу, которая взяла все, ничего не дав взамен, кроме двух пулевых ранений, ненавидел тоже.

— Ну что? — грубо спросил он секретаршу Мерцалова, которая, наверное, в третий раз выбегала, чтобы где-нибудь порыдать. — Успокоились?

— Как я могу успокоиться? — спросила секретарша, и ее фиолетовые кудри мелко задрожали. — Как я могу успокоиться, когда Сергей Леонидович... — Она длинно всхлипнула, глаза ее налились слезами, и Игорь испугался, что она сейчас опять отпросится реветь. — Господи, что же теперь будет с нами? Как же мы-то теперь?..

«Ну просто опера «Смерть вождя», — быстро подумал Игорь. — Может, он и вправду был такой необыкновенный начальник?»

— Марина Викторовна, — начал он, стараясь говорить ласково и напоминая себе волка из сказки про семерых козлят. — Помогите мне. Мы с вами полтора часа разговариваем, а дошли только до того, что утром в день убийства он провел две операции и приехал позднее обыкновенного, потому что провожал в первый класс сына, правильно? Потом провел совещание. Ну а дальше?

При слове «убийство» секретарша опять тяжело засопела в платок, и Игорь, раздражаясь, налил ей воды из графина.

В дверь заглянул кто-то и тут же скрылся. Игорь через толстые белые стены чувствовал, как паника заливает институт так же неизбежно и неотвратимо, как новое водохранилище заливает старую деревню.

— Да, да, — заговорила она так неожиданно, что Игорь даже дернулся на стуле. — Как всегда — блестяще....

— Что блестяще? — уточнил он.

— И операции, и совещание. На совещании я не присутствовала, только чай подавала, как всегда, поэтому, о чем там речь шла, — не знаю, но ведь вы, наверное, будете с Александмитричем разговаривать, он вам лучше расскажет.

Александром Дмитриевичем звали мерцаловского зама, Игорь об этом уже знал.

— А потом он в министерство уехал, — продолжила секретарша. — И вернулся довольно поздно, я точно не помню, около полшестого, наверное...

— Это поздно? — уточнил Игорь. — А во сколько он, как правило, уходил?

— Ой, это по-разному. У нас же, видите, больница, — секретарша улыбнулась доброй жалкой улыбкой, и Игорь в одно мгновение понял, почему Мерцалов держал ее около себя. Она была добрая, преданная и, наверное, самоотверженная. — Сергей Леонидович работал очень много. Но он же не просто директор института, он практикующий врач, и очень хороший врач. Его много приглашали оперировать в другие клиники и даже за границу, — добавила она с гордостью, как будто рассказывала об успехах сына. — Знаете, в последнее время это как-то даже модно стало...

— Что именно? — спросил Игорь.

— Ну, оперироваться у Мерцалова, — пояснила секретарша. — Не у простого врача, а именно у него... Он очень много работал, очень... Очень талантливый парень... — Не выдержав взятого тона, она все-таки заплакала, но быстро справилась с собой. — Так что уезжал он всегда по-разному, то в двенадцать, если куда-то на операцию, то в восемь, а то вообще не приедет... Как когда...

— Что было после его возвращения из министерства?

— Приходил Александмитрич, они поговорили минут сорок...

— Подождите, — попросил Игорь, — Мерцалов зама вызвал, или у него были какие-то свои дела к начальнику?

— К-кажется, вызвал, — не слишком уверенно проговорила секретарша. — Кажется, да... Господи, да если бы я знала, что такое случится, я бы... я бы...

— Да, — терпеливо сказал Игорь, — конечно. Расскажите, что было после ухода зама? Как себя вел Мерцалов? Может быть, что-то показалось вам необычным или странным...

— Никак он себя не вел, — отрезала секретарша. Почему-то именно в этот момент ей пришло в голову заподозрить Игоря в том, что его вопросы чем-то угрожают мертвому Сергею Мерцалову. — Попросил позвонить в туристическую фирму заказать путевки на самое ближайшее время...

— Куда?

— Что — куда? — не поняла секретарша.

— Куда он собирался лететь? — переспросил Игорь, пожелав самому себе терпения и христианского смирения. — И почему так внезапно?

— Он был гений, — презрительно пояснила секретарша, как будто сам Игорь был слабоумный. — Понимаете? Гений. Иногда у него были всякие... импульсивные решения. Вдохновение находило, так он сам говорил. Кроме того, — продолжила она, и губы у нее странно искривились, — он был прекрасный семьянин. О господи... был...

Она не заплакала, но помолчала, шмыгая носом.

— Он очень любил их удивлять... Ирину Николавну и мальчишек. Понимаете? У них была традиционная семья. Именно традиционная. Они отдыхали вместе, в школу их возили по очереди, созванивались по три раза на день. Сергей Леонидович не любил, когда Ирина Николавна долго не звонила. Нервничал. Господи, да они даже рожали вместе! — Она засмеялась сквозь слезы. — Тогда это еще было не принято, мальчикам-то девять и семь, но у него же везде свои, он все устроил так, чтобы присутствовать... Не знаю, она, наверное, не переживет...

— Н-да... — сказал Игорь. На фоне собственной бесконечной домашней войны сусальные сказки о семейном счастье Сергея Мерцалова были ему неприятны. — Куда он попросил вас позвонить?

— Сейчас, сейчас, — пробормотала секретарша. — Да. Вот визитка. Туристическое агентство «Таласса». Сергей Леонидович оперировал отца тамошнего генерального директора. Я все передала — на четверых путевки и билеты в какую-нибудь теплую страну, пятизвездочный отель, двухкомнатный номер, на две недели. Да, он еще просил, чтобы не четырнадцать часов лететь. Ну, я все повторила в точности...

Игорь положил визитку в записную книжку.

— Потом Ирина Николаевна позвонила, — вспоминая, сказала секретарша. — И он уехал.

— Жена один раз звонила? — неизвестно зачем спросил Игорь.

— В приемную — один, — добросовестно сказала секретарша. — Может быть, она звонила в операционную, там у Сергея Леонидовича тоже телефон. И на мобильный, конечно...

— Конечно, — согласился Игорь. — Скажите, Марина Викторовна, ничего странного не происходило в последнее время в институте или у Сергея Леонидовича? Может, его что-нибудь... смущало, пугало? Он ничего такого не говорил?

Секретарша улыбнулась:

— Его никогда и ничего не пугало, Игорь Степанович. Никогда. Именно поэтому он стал тем, кем стал. Скольких я знаю талантливых, необыкновенных, подававших надежды — сплошь пьяницы, неудачники, в лучшем случае статьи за кого-нибудь пишут. В нашем мире пробиться очень сложно. Медицина консервативна даже больше, чем... — она поискала слово, — православная церковь. Он все смог. Всех убедил, взял штурмом, заставил верить в то, что может руководить институтом, преподавать, совмещать... Это в тридцать пять лет! Нет, он никогда не боялся. Злился, орал, и не по делу, бывало, но боялся?.. Нет. И не жаловался никогда. Что поделаешь — герой, супермен, ему нельзя было жаловаться...

Игорь слушал развесив уши.

— Его здесь все любили, — закончила Марина Викторовна и трубно высморкалась. — Теперь ничего не будет, все на нем держалось...

— А замы? — спросил Игорь осторожно.

— Замы — это замы, — непонятно ответила Марина Викторовна. — Что вы хотели, Эля?

В дверь заглядывала хорошенькая девица, очень молодая, как показалось Игорю с первого взгляда. Волосы — до попы, личико сердечком, в глазах — скорбь.

— Приехал Александр Дмитриевич, — сказала она Игорю. — Просил сообщить вам об этом и еще спросить, где вам удобнее с ним разговаривать — в его кабинете или он придет сюда?

— Нет, лучше у него, — сказал Игорь. — Минут через десять. Спасибо.

— Я вас подожду и провожу, — пообещала девица и закрыла дверь.

— Где ж Марья Захаровна? — себе под нос пробормотала секретарша, почему-то сильно рассерженная. — Почему это Эля пришла?

— Марина Викторовна, — сказал Игорь, — в кабинет никого не пускайте. После обеда подъедут наши сотрудники, просмотрят бумаги Мерцалова.

— Это нужно? — подозрительно спросила секретарша. — Я ж вам все рассказала.

— Нужно, — уверил Игорь. — Конечно, нужно. Было бы не нужно, мы бы этим не занимались...

Он спросил еще, во сколько Мерцалов вчера уехал и нет ли у него шофера. Точного времени отъезда шефа секретарша не помнила, и шофера у него не было.

— Спасибо, — сказал Игорь. — Вы очень хорошо со мной поговорили.

Секретарша пристально смотрела ему в лицо, как будто на что-то решаясь. На что-то очень неприятное, но необходимое. Игорь хорошо знал такой взгляд и помешкал, давая ей возможность принять решение.

И она его приняла.

— Игорь Степанович, — сказала она сдержанно, — понимаете, в каждой избе есть сор. И теперь, когда так... случилось с Сергеем Леонидовичем, наверное, вы будете его долго выносить. Я только хочу предупредить вас — даже у нас не всем и не всегда можно верить. И даже если то, что говорят, очень похоже на правду, понимаете?

— Нет, — сказал Игорь и вспомнил Ларионова. Это была его манера, отвечать на вопросы по возможности искренне. — Не понимаю. Объясните.

— Ничего не могу объяснить, — грустно ответила секретарша. — В нашем институте про Сергея Леонидовича ходили просто самые чудовищные слухи. Я не желаю их повторять. Не верьте им, вот и все.

«Ничего себе — все», — подумал Игорь.

— Ладно, — сказал он вслух, поняв, что ничего конкретного от нее не добьется, — мы еще к этому вернемся. К этим вашим слухам. До свидания.

Секретарша не ответила. Она смотрела в сторону, прижав ко рту кулак, из которого торчал носовой платок.

Красотка Эля, по непонятным причинам заменившая Марью Захаровну, ждала его в холле. На ней не было халата, как на большинстве обитающих на этаже людей, на длинных пальчиках — маникюр, из чего Игорь сделал вывод, что она не врач.

— Пойдемте! — позвала она Игоря. — Гольдин этажом ниже. У нас вся иерархия выстроена по этажам. Это удобно.

— Действительно, — согласился Игорь.

Пришел лифт, и Эля шагнула в него первая.

— Нам ехать пять секунд, — зачем-то сказала она, нажимая кнопку. Двери закрылись, лифт плавно пошел вниз, дернулся и остановился.

— Зачем вы это сделали? — спросил Игорь невозмутимо.

— Что? — спросила Эля. Она сильно нервничала и знала, что Игорь это заметил.

— Остановили лифт, — пояснил Игорь безмятежно.

— Вы же не смотрели в мою сторону, — сказала она с некоторым вызовом.

— Это вам так показалось, — пробормотал Игорь. — Ну? О чем пойдет речь?

— Я должна была с вами поговорить, — сказала Эля, и губы у нее затряслись. — Вы ведь все равно узнали бы. А так лучше, чем от других... — Она глубоко вздохнула и закрыла глаза. Игорь на все представление смотрел с интересом. — Я была Сережиной любовницей. У меня растет его сын. Ему три года.

Дима Мамаев с утра рассердился на майора Ларионова, сердился весь день, понимая, что это очень глупо.

Майор ни с того ни с сего изменил ему задание, а Дима весь вечер продумывал свое завтрашнее дело. Он уже предвкушал, как моментально разыщет свидетеля, и этот свидетель, конечно же, окажется убийцей. У Димы были свои представления об этом деле, и с майором он во многом не соглашался. Майор был знаменитый и опытный сыскарь, но и он, Дима Мамаев, тоже не мальчик. Конечно, ему еще только предстоит завоевывать место под солнцем, создавать репутацию и учиться так же многозначительно молчать, как это умеет делать майор, он ко всему этому вполне готов, но не потерпит, если начальство будет поручать ему такую бестолковую работу, как сегодня.

Откуда она взялась, эта аптекарша? Зачем она Ларионову нужна? И Дима-то здесь при чем? Надо майору — ну, пусть он сам и проверяет, следят за ней или нет!

А теперь весь так хорошо продуманный день пошел прахом. По окрестным квартирам пошла Оля Дружинина, и, если она найдет пропавшего Женю, вся слава достанется ей, а не Диме, который с самого начала был уверен, что все дело именно в этом типе, который имел наглость вернуться на место своего преступления, а потом смыться на глазах у второго свидетеля. Дима это давно понял, но не высказывался.

Публично ошибаться ему не хотелось, а вероятность того, что он не прав, все же была.

Майор сказал утром:

— Съезди посмотри, не шатается ли кто-нибудь рядом с аптекой, а потом проводишь ее до дома. У нее рабочий день в четыре заканчивается. И сразу звони мне, а часам к шести приезжай на Петровку, мы все обсудим.

Все приедут с каким-нибудь результатом, и только один Дима весь день неизвестно зачем сторожил какую-то хилую аптекаршу! Ну, майор, ну спасибо тебе...

Откуда он ее взял, эту аптекаршу?

Подруга, что ли? А может, любовница?

На любовницу майора Ларионова аптекарша похожа не была — больно вид у нее... невзрачный. А майор хоть и не тянул на Арнольда Шварценеггера, но все же толк в женщинах понимал. Однажды Дима сам видел, какая умопомрачительная красотка дожидалась его у проходной. Честно говоря, не столько красотку разглядел Дима, сколько ее машину — элегантную, длинную, ухоженную, очень дорогую. Зачем мужику аптекарша, когда у него есть подруга с такой машиной?! Дима Мамаев был твердо уверен, что, будь *у него* подруга с такой машиной, уж он-то ее бы не упустил.

Аптекарша бодро торговала своими лекарствами, как-то странно держа правую руку — как будто рука была недавно сломана, и она по привычке еще боится за нее. Многих покупателей она знала в лицо и по имени-отчеству, наверное, давно работает в этой аптеке и все окрестные бабульки приходят за корвалолом именно к ней.

А тоскливая, должно быть, работа — целый день как на привязи лекарства продавать. Пожалуй, от такой работы и не заметишь, как сам больным станешь.

Дима широко зевнул и лязгнул зубами. По крыше его машины стучал дождь. Ему очень хотелось есть и спать. Всю ночь он обдумывал «дело», рисовал на бумажке имена и линии — прочитал где-то, что это хорошо помогает сосредоточиться. К середине ночи он понял, что сосредоточиться это, может, и помогает, но больше ничему не способствует. Ничего Дима не мог придумать, кроме этого свидетеля Жени. А ему так хотелось придумать, и чтоб с первого раза, и чтоб в десятку, и чтоб вопреки всем законам и правилам науки криминалистики....

Родители, конечно, были против. А какие родители не будут против, если их единственный ребенок вместо финансовой компании устроился на работу в уголовный розыск. Но Дима чувствовал себя очень взрослым и очень независимым. Родители что, родители поупрямятся да и привыкнут, а у него будет самая интересная работа на свете. Еще бы! Сыщик! А он будет классным сыщиком.

Как майор Ларионов, например.

С высокого аптечного крылечка сбежал лысый дядька в кожаной кепке и бросился к стоявшей на другой стороне переулка «четверке». Вышла молодая девица с коляской и стала неловко спускаться, волоча на буксире ребенка и зонт. Две бабушки в зимних платках ждали, когда она управится со своим хозяйством, чтобы зайти.

Дима лениво наблюдал.

Пожалуй, вон те «Жигули» так и стоят тут с утра. Водителя не видно, хотя раньше он сидел в машине и читал газету. Дима из сыщицкого любопытства даже хотел посмотреть, какую именно. И еще старенькая иномарка, «Форд», кажется, тоже давно стоит. В ней водителя нет и не было. «Запорожец» не в счет. Он, бедолага, без колес и, наверное, уже несколько лет торчит на этом месте.

Ну, майор, ну, удружил...

Вздохнув, Дима сунул в рот оранжевый леденец от кашля, который ему пришлось купить, когда он заходил в аптеку, чтобы посмотреть на ту, которую он должен сегодня отследить. Он так увлекся ее разглядыванием, что не заметил, как подошла его очередь, и пришлось что-то ей говорить. Таким образом правила конспирации были нарушены, но Дима решил об этом не думать. В конце концов ничего такого. Она же не исчезнувший свидетель.

Кроме того, когда она спросила у него: «Что вы хотите?» — он не смог сказать — «ничего». У нее была приятная улыбка и красивые волосы. Да и вообще она была молодая и... приветливая, а такие Диме нравились. Ему сразу захотелось сделать что-нибудь такое, чтобы она его запомнила, впрочем, это было мимолетное, секундное чувство. Так с Димой часто бывало. Ему нравились все женщины, или почти все, и через минуту он уже о них забывал.

Майор сказал: «За ней вроде следит кто-то. Проверить бы надо, Димыч». Вот сиди тут теперь и проверяй, когда остальные все «в поле»...

Сергей Мерцалов — известное имя. Как-то весной он выступал в программе «Здоровье». Дима программу «Здоровье», конечно, никогда в жизни не смотрел, но она попалась ему на глаза, когда он неожиданно рано приехал с работы, а есть было еще нечего. Мама в спешке готовила специальный большой «пятничный» ужин, на который всегда приезжали брат с женой и племянницей, а Дима, изнывая от голода, ел морковку, которую ему сунула мама, и смотрел программу «Здоровье».

Сергей Мерцалов говорил что-то об аортокоронарном шунтировании, о сердечном аспирине и о том, как важно вовремя провести операцию. Диме Мамаеву, двадцати пяти лет от роду, отслужившему в армии и имеющему черный пояс по карате, такие откровения были чужды и непонятны, как японский алфавит.

Как это сердце может болеть, подумал он тогда, когда я его даже не чувствую? Только когда... с Инкой, тогда чувствую. Тогда оно становится как будто больше и бухает, как гиря, которую незадачливый тяжеловес бросает и бросает об пол.

Через полгода Дима увидел Сергея Мерцалова в луже холодной дождевой воды, уткнувшегося перекошенным лицом в мертвую собаку...

Дима резко двинулся в кресле, зачем-то поправил зеркало заднего вида и включил радио. Динамики сразу же истошно завопили, что-то о вечеринке лучших друзей, где кто-то танцевал с чьей-то подругой, и почему-то это было плохо, исполнительница по этому поводу страдала.

Дима уменьшил громкость.

Нет, майор Ларионов, бесчувственный и почти бессловесный профессионал. Он вполне может курить и целовать щечку Оли Дружининой, когда рядом труп. И посвистывать, и думать о своем, и шутить с экспертом Семенычем. Дима Мамаев так не может. С тех пор как он увидел тело Сергея Мерцалова, он не может думать ни о чем другом. Он хочет найти и наказать его убийцу, подонка, который сделал вдовой его жену и сиротами его детей. Пусть это звучит как угодно высокопарно, но Дима Мамаев пришел в уголовный розыск по призванию. Понятно вам? И он будет лезть из кожи вон, но найдет убийцу.

Ну, в крайнем случае, майор найдет...

В старенький «Форд», оказавшийся при ближайшем рассмотрении «Опелем», село лицо кавказской национальности. «Опель» заревел диким голосом, не облагороженным никаким глушителем, и стал выбираться из переулка в сторону улицы Чехова. «Жигули» остались на месте. Водитель в них мирно спал.

Неожиданно для себя Дима встревожился.

Чем черт не шутит, может, и впрямь, за аптекаршей-то следят? Например, этот мужик в «Жигулях»? Что он сидит тут уже полдня? Офисов, где бы он мог служить шофером, поблизости нет, и машина у него на офисную никак не похожа.

Дима включил зажигание и сдал назад. Пусть он и недолго работает, и не такой профессионал, как Ларионов, и трупы, увиденные днем, не дают ему заснуть ночью, но все же кое-какие понятия у него есть. Торчать целый день, как бельмо на глазу, в тихом переулке он не станет. Он сейчас объедет кружочек, да и вернется. Вон там, подальше, где только что закончилась какая-то стройка, он давно присмотрел себе местечко. Оттуда и аптека как на ладони, и те подозрительные «Жигули».

Посмотрим, посмотрим...

Дверь Андрею открыла пожилая женщина. Вчера Андрей ее здесь не видел.

Теща или мать, решил он, привычно доставая удостоверение.

— Проходите, — безучастно сказала женщина. В холле замаячил представительный мужчина, и женщина сказал ему равнодушно:

— Милиция. Теперь они долго будут делать вид, что работают. Нам, наверное, придется Иру увозить, они ее в гроб загонят своими вопросами. Займись им сам, я не желаю их видеть, бездельников.

В холле были завешаны все зеркала и остро пахло бедой.

— Мерцалов, Леонид Андреевич, — хмуро сказал мужчина, подходя к Андрею. — Что вам нужно?

— Мне нужно поговорить еще раз с Ириной Николаевной и с... вами, — ровно сказал Андрей. — Я звонил сегодня утром вам домой, но мне сказали, что вы здесь.

— С Ирой разговаривать нельзя, — отрезал Леонид Андреевич. — Она плоха. Со мной — говорите, только быстро. И покажите ваши... разрешающие документы.

Андрей снова вытащил удостоверение.

— Вы бы чем с нами разговаривать, порядок на улицах навели, — неприятно морщась, сказал Мерцалов-старший. — А теперь говори, не говори...

— Придется все-таки поговорить, — твердо сказал Андрей. — Где удобнее? Вчера мы разговаривали в кухне.

— Ну, пойдемте на кухню, — все так же неприязненно проговорил Леонид Андреевич и пошел впереди Андрея в глубину квартиры, сторонясь, чтобы случайно его не коснуться. Как будто Андрей только что вывалился из тифозного барака.

У них горе, сказал себе Андрей. Горькое горе, горше которого быть не может.

В гостиной сидели какие-то люди, как по команде повернувшие головы, когда Андрей проходил мимо. Тяжеловесный мужчина в дорогом костюме что-то негромко и утешающе втолковывал домработнице в черном негнущемся платье.

Как быстро, подумал Андрей. Как все быстро. Вот они уже и траур надели...

Следы вчерашнего разгрома были полностью ликвидированы. Кухня вновь стала веселой и чистой. Андрея это удивило. Почему-то он был уверен, что застанет хаос и разрушения.

Женщина, открывшая ему дверь, пила на кухне воду из толстого стакана. Увидев Андрея, она резко отвернулась.

— Ну как? — спросил Леонид Андреевич.

— Все так же, Леня! — ответила женщина с сердитой досадой. У нее были красные глаза, и руки заметно дрожали. — Она всегда была слаба, а сейчас... что говорить...

— Моя жена, — спохватившись, сказал Леонид Андреевич. — Лидия Петровна Мерцалова. Сергей Мерцалов был нашим сыном. Ваня и Гриша — наши внуки. А в спальне лежит наша невестка, и мы не знаем, сохранит она рассудок или нет.

Женщина выронила стакан и, зажав рот рукой, почти выбежала из кухни. Стакан покатился по ковру, оставляя за собой узкую мокрую дорожку. Андрей нагнулся и тихонько поставил стакан на край барной стойки.

Глаза мужчины тоже налились слезами, и он вытер их, позабыв о том, что должен стесняться.

— Ну спрашивайте! — сказал он грубо. — Спрашивайте, что вам там нужно. И уходите, ради Христа...

Андрей работал на этой проклятой работе много лет. Он знал, что можно говорить и делать, а чего говорить и делать нельзя. Поэтому он не стал выражать сочувствие отцу Сергея Мерцалова. И слов о том, что он просто выполняет свой долг, он тоже говорить не стал. И не стал спрашивать разрешения закурить.

Он сел на то место, где вчера сидела Ирина Мерцалова, и вытащил сигарету. Пепельница стояла там же, где и вчера.

— Скажите, Леонид Андреевич, что вам известно о том, что за вашим сыном в последнее время следили?

Напряженная, худая спина под дорогим кашемиром пиджака стала как будто еще напряженней. Мерцалов-старший медленно повернулся. Чашка вздрагивала у него в руке, изредка постукивая о блюдце.

— Слежка? — переспросил он. — Что еще за слежка? Кто за ним следил? Что вы говорите?

— Я еще не знаю, кто за ним следил, — сказал Андрей, глядя ему в лицо. «Но я — узнаю, — пронеслось в голове, — и очень быстро». — Я хотел бы спросить у вас, не говорил ли Сергей в последнее время о том, что он обнаружил за собой слежку?

— Да нет же! — сердито и как-то беспомощно воскликнул Леонид Андреевич и покосился на дверь. — Какая слежка, что за ерунда? В конце концов, он ведь врач, а не бандит и не депутат...

Вот именно. Он врач, а не депутат, и тем не менее за ним следили.

— Вы когда-нибудь обсуждали с ним проблемы его... работы?

— Видите ли, — начал Леонид Андреевич и наконец догадался поставить чашку на стол, — я ведь тоже врач. Это у нас, как бы это сказать, потомственное, семейное. И Лида врач, терапевт. И Петя...

— Кто такой Петя? — спросил Андрей.

— А... это наш второй сын, Сережин брат... — ответил Мерцалов-старший. Как-то в одну минуту он растерял весь свой боевой задор и стал похож на того, кем был на самом деле, — на усталого старика, только что потерявшего сына. — У нас их двое — Петя и Сережа. Петя на восемь лет младше Сережи, и он тоже кардиолог. Хирург. Мы часто разговаривали о работе, в этом

вся наша жизнь. Даже по праздникам, когда мы собираемся у Сережи или у нас на даче, мы всегда разговариваем о наших больных, о проблемах, о начальстве... о работе, мы не можем без этого, мы этим живем. Но о
слежке... Нет, Сережа ничего не говорил мне ни про
какую слежку. Это совершенно точно. А вы?! — вдруг
вскинулся он. — Если вы знали, то какого черта не приняли мер? Почему не предупредили?! Ведь это катастрофа — смерть такого врача! Это, может быть, медицину
на десять лет назад отбросит...

— Простите, а у вас какая специальность? — перебил Андрей, не давая возможности Мерцалову углу-
биться в мысль о том, что в смерти его сына повинен
именно он, майор Ларионов.

— Я... да, я невропатолог... — Леонид Андреевич сел
и потер руками лицо. — А мой отец был военным хирургом. Дед — педиатром, известнейшим... Основополож-
ник целой школы... Хотя что я вам-то говорю.

— Скажите, вы знали, что Сергей собирался в отпуск? — продолжил Андрей свои вопросы.

— В отпуск? Н-нет, не знал.

— Почему? Он не предупреждал вас, когда уезжал
куда-то?

— Ну, это нас никак не касалось. Конечно, они всегда
ездили за границу, погреться, как Сережа говорит, но
мы никогда их не контролировали, ну собираются и собираются, все как обычно...

— Ваш сын часто совершал какие-нибудь неожи-
данные поступки?

— Какие, к примеру? — отнимая руки от лица, спросил отец.

— Ну, например, уезжал в отпуск, никого не предупредив...

— Да почему не предупредив? — Леонид Андреевич
смотрел на Андрея, как профессор, которому до смерти
надоел неуч-студент. — Он предупредил бы, если бы

уехал! А так... Ему тридцать пять, он почти пятнадцать лет женат, у него свои дела...

— У него были враги? По крайней мере такие, о которых он рассказывал?

— Господи, какие враги?! — Леонид Андреевич вытер лоб и сунул платок мимо кармана. — Ну, у всех врачей есть пациенты, которые ими недовольны. Есть родственники пациентов, которые, бывает, даже проклинают нас, но какие же это враги? Это просто больные люди, которым врач ничем не смог помочь, только и всего.

— У Сергея были такие... — Андрей поискал слово, — активно недовольные пациенты?

— Ну, были, конечно. И у меня они есть, и у Пети. И у Саши Гольдина.

Гольдин — зам Мерцалова в институте, вспомнил Андрей.

— Сергей рассказывал вам что-нибудь о них?

— Бывало — рассказывал. По-разному. — Леонид Андреевич встал и медленно побрел к окну. — Вы хотите, чтобы я назвал вам имена недовольных или погибших пациентов, а вы побежите и арестуете их? Или их родных?

Он повернулся и посмотрел на Андрея.

— Ничего у вас не выйдет. В клинике у своего сына я не работал, о его делах ничего не знаю. Помочь, — он приналег на это слово, — я ничем не смогу.

— Очень жаль, — сказал Андрей. — Где вы были позавчера вечером, первого сентября, с девяти до двадцати четырех?

— В опере, — ответил Мерцалов-старший с яростной любезностью. — В Большом театре. Давали «Евгения Онегина». Билеты сохранились, я могу их вам показать. Показать?

— Потом покажете, — согласился Андрей, стараясь

остаться хладнокровным. — Ирина в тот вечер вам не звонила?

— Мы имеем обыкновение поздно вечером выключать телефон, — сообщил Мерцалов-старший. — Мы не можем разговаривать до глубокой ночи. Слышите, что делается?

За закрытой дверью действительно непрерывно звонил телефон, и на аппаратике, висящем на кухонной стене, то и дело загоралась красная лампочка. Звук, очевидно, был выключен.

— Поэтому, если мы поздно возвращаемся откуда-то, а люди продолжают нам дозваниваться, мы просто выключаем телефон. И все. — Он развел руками. — Ира ночью до нас не дозвонилась, только и всего. И мы узнали обо всем, только когда его... — Леонид Андреевич махнул рукой и отвернулся. Голова у него тряслась.

— А по работе? — осторожно спросил Андрей. — Были у него враги на работе? Кто-нибудь, кого он несправедливо обошел, или уволил, или не повысил, или не замечал заслуг?

— Леня! — закричали издалека, и дверь распахнулась. — Леня, помоги мне!

— Что случилось? — Леонид Андреевич бросился вон из кухни. Андрей вышел следом.

— О господи, вы все еще здесь, — с отвращением пробормотала мать Сергея Мерцалова. — Леня, она плачет, и я никак не могу ее успокоить. Посмотри, пожалуйста, у меня в чемоданчике ампулы и шприцы. Быстрее же, Леня!

Леонид Андреевич метнулся в сторону холла, а Лидия Петровна Мерцалова приказала Андрею:

— Уходите. Вы же видите, что здесь происходит. Вы все равно никого не найдете. Мы не станем жаловаться и писать в вышестоящие организации, мы все понимаем. Считайте, что вы сделали все, что смогли, и убирайтесь.

Это Андрея позабавило.

— Спасибо за заботу, — сказал он вежливо. — С вашего разрешения я поговорю еще с Ириной Николаевной. И с вами.

— Вы что, не слышали ни слова?! — поразилась Лидия Петровна и крикнула: — Леня, ну скорее же! Я не разрешу вам ни с кем разговаривать. И сама не буду.

— Мне не нужно ваше разрешение, — холодно сказал Андрей. — Позвольте, я пройду.

— Слава богу, — не обращая на него никакого внимания, вскрикнула Лидия Петровна и вырвала из рук мужа небольшой щегольской саквояж. — Загляни потом, ладно?

Проводив ее глазами, Андрей вернулся на кухню.

Она странно вела себя, эта женщина. Как будто не она только что потеряла сына. Так хорошо владеет собой? Такой сильный характер?

Ему было неприятно, что она будет колоть чем-то Ирину Мерцалову.

Но это же глупость, сказал он себе. Глупость?

В дверь позвонили, и Леонид Андреевич, возникший было на пороге кухни, вновь исчез в сумрачных глубинах квартиры. Андрей вышел в необъятный коридор.

Сколько книг. И картин. И как все приспособлено для жизни. Как хорошо, как свободно, наверное, здесь было жить. И никто не смел ничем распоряжаться, кроме хозяина. И как в один день все изменилось.

— Ну что? — спросил из коридора быстрый мужской голос. — Как тут у вас? В институте просто конец света.

Леонид Андреевич что-то отвечал, слов Андрей не разобрал.

— А царевна Несмеяна? Рыдает? Ну конечно, рыдает, что же ей еще делать... А вы с маманей утешаете, значит? Понятно...

Дверь из холла широко, по-хозяйски распахнулась, и молодой мужчина в длинном плаще спросил с ходу:

— Вы кто?

— Майор Ларионов, — сказал Андрей. Ему становилось все интереснее и интереснее. — А вы, как я понимаю, Петр Мерцалов?

— Вы верно все понимаете, — сказал мужик и, стягивая плащ, прошагал мимо Андрея в комнату. — Садитесь, — пригласил он, простирая руку на диван, — потолкуем.

— Клава, что с рукой-то у тебя? — спросила заведующая озабоченно. Она пила чай и заедала его сладкой липкой конфеткой под названием «Коровка». На вытертом до зеркального блеска столе перед ней лежали какие-то бумаги. Даже обедая, она работала и, даже работая, умудрялась замечать все, что происходило вокруг нее. Уникальная женщина.

— Ничего особенного, — улыбаясь от нежности к начальнице, сказала Клавдия. — У меня вчера вечером на лестнице вырвали сумку.

— Да что ты?! — ахнула Варвара Алексеевна, не донеся до рта остаток «Коровки».

— Нет-нет, — заторопилась Клавдия. — Это просто удивительно, но все обошлось. Они мне ее вернули.

— Как вернули? — не поняла заведующая.

— Да так, вернули, и все. — Клавдия улыбнулась. — Через две минуты соседка на лестнице ее нашла, ну и позвонила мне в дверь. Я как раз рыдала около двери...

— Пустую вернули? — уточнила заведующая.

— В том-то и дело, что со всем содержимым! Правда, там содержимого было всего ничего — тридцать рублей денег, проездной и очки...

— Клава, ты рассказываешь какие-то сказки, — решительно сказала заведующая. — Точно у тебя из сумки ничего не пропало?

— Точно, — подтвердила Клавдия. — Я сама поначалу не поняла ничего. Все цело. Даже кошелек.

— Господи боже мой, — пробормотала заведующая, — ну и дела! А рука?

— У меня ремень был на руку намотан. Для верности. Ну... и дернули за кисть...

— Болит? — с сочувствием спросила заведующая.

— Болит, — призналась Клавдия.

Всю ночь эта распроклятая рука не давала ей спать. Ныла и ныла. Пришлось в конце концов прибегнуть к решительным мерам и помазать ее «Финалгоном». Кисть сразу стала гореть, и пчелиный яд, составная часть этой дьявольской мази, к утру сжег всю кожу. Теперь рука выглядела так, как будто Клавдия некоторое время варила ее в кипятке. Но внутренняя — мышечная, как определила Клавдия, — боль немного утихла.

— Странная какая-то история, — задумчиво сказала заведующая и доела конфету. — Очень странная. Первый раз о таком слышу. Может, они тебя пожалели, увидев, какие богатства ты в сумке носишь?

— Пожалели? — усомнилась Клавдия. — Воры?

— Варвара Алексеевна, в торговый зал, к телефону! — хрипло возвестил селектор голосом заместительницы Натальи Васильевны.

— Может, домой тебя отпустить? — спросила заведующая, поднимаясь. — Полдня впереди. Как ты с такой рукой до конца доработаешь?

— Доработаю, Варвара Алексеевна, — перепугалась Клавдия. Домой ей совсем не хотелось. Что она станет там делать?! Лежать, изнывая от скуки, страха и боли в руке?! — Конечно, доработаю!

— Ну, смотри сама, — сказала заведующая. — А то я отпущу...

— Спасибо вам большое! — поблагодарила Клавдия. — Спасибо!

Практикантка Настя, сидевшая спиной к ним за соседним столом, негромко, но выразительно фыркнула, демонстрируя свое полное презрение к подхалимажу, которым занималась Клавдия.

Стоя Клавдия допила чай и вернулась на свое рабочее место.

Соглядатай был при ней — она увидела его с утра на собачьей площадке перед своим домом и потом у аптеки, выглянув в залитое дождем окошко. Диму, которого обещал прислать Андрей, она не заметила. Может, не приехал еще, а может, прячется лучше, чем эти двое...

Со вчерашнего дня, после этого нелепого похищения сумки, Клавдия стала чувствовать приближение какой-то беды. Этому своему чувству, как и зрительной памяти, она доверяла беспрекословно. Как будто в позвоночнике у нее, кроме обычного набора костей и нервных узлов, присутствовал еще какой-то специальный индикатор, настроенный на улавливание приближающейся опасности.

Не зря у нее утащили сумку. Им было нужно что-то определенное, чего в этой сумке не было, а остальное их не интересовало. А может быть, пришло время переходить к более решительным действиям, и они перешли.

Да, но зачем?! И кто они?! И при чем здесь она, Клавдия Ковалева?!

Финка была пристегнута к щиколотке специальными кожаными ножнами. С детдомовских времен ремешки ножен стали ей тесны, хотя она и застегнула их на самую последнюю дырку, и противно натирали кожу под джинсами. Придется пока походить в штанах. Вряд ли заведующая Варвара Алексеевна с пониманием отнесется к набранной из цветных колец ручке ножа, торчащей из-под юбки Клавдии Ковалевой.

Клавдия усмехнулась.

Не стоило даже ломать голову, кому она могла понадобиться и зачем, потому что она никому и ни за чем не могла понадобиться.

Надвигалось что-то ужасное, клубящееся испепеляющими чужими эмоциями, ненавистью, страстью. Оно было уже рядом, приближалось и приблизилось настолько, что Клавдия чувствовала, как чужое дыхание шевелит волосы у нее на затылке. Словно перед бурей, когда все живое стремится забиться в укрытие, Клавдия осталась в полном одиночестве на самом открытом месте, уверенная, что бежать уже поздно. Или бесполезно. Оставалось только одно — наблюдать приближение этого чудовищно опасного, не рассуждающего, яростного и, время от времени закрывая от страха глаза, просить кого-то, чтобы он оставил ее в живых...

Под правой рукой зазвонил телефон, и Клавдия моментально взяла трубку, пользуясь тем, что ни один из покупателей еще не решил, что именно нужно купить для спасения своего драгоценного здоровья, и все они пока что с умеренным интересом рассматривали витрины.

— Аптека, — сказала Клавдия в трубку.

— Ковалеву, пожалуйста, — отчетливо произнес в трубке низкий мужской голос. Совсем незнакомый.

— Я слушаю, — пролепетала совершенно сбитая с толку Клавдия. Кто это может быть? Танькин Павлов?

— Майор Ларионов, — представилась трубка официально. — Как дела?

— Кто?! — вытаращив глаза, переспросила Клавдия и залилась чудовищным помидорным румянцем. Шее под толстой шерстяной водолазкой моментально стало жарко. — Алло, кого вам позвать? Я плохо слышу!

Она слышала все совершенно замечательно. У нее был слух, как у камышового кота.

— Все в порядке, — успокоительно сказал голос в трубке. — Звать никого не надо. Я хотел сказать, чтобы ты не волновалась. Мой человек где-то рядом с тобой. Ты уже его засекла своим радаром?

— Андрей, — недоверчиво сказала Клавдия. — Это что, и вправду ты?

Она оттянула от горевшей шеи воротник водолазки и повернулась к торговому залу спиной. Кажется, впервые за все время своей работы.

— Я, — сказала трубка, и это был голос Андрея Ларионова, такой, какой ни с чьим другим уже нельзя было спутать. — Что это ты так... напряглась?

Я тебя люблю, хотелось сказать Клавдии. Я тебя люблю уже лет десять. И ты никогда *мне* не звонил. Бывало, ты искал у меня Таню, чтобы встретить у метро, или подходил к телефону, когда я звонила твоей сестре или матери, но ты *сам никогда мне не звонил.*

— Я не напряглась, — выговорила Клавдия с усилием. — Я удивилась.

Андрей сам удивился, когда решил ей позвонить, и еще больше удивился, когда нашел телефон ее аптеки в своей записной книжке. Откуда он там взялся?

— Ну что? — спросил он. — Засекла гвардейца Диму?

— Нет, — призналась Клавдия честно. — Не засекла. А вчера вечером у меня на лестнице отняли сумку.

Андрей присвистнул.

— Вечно с тобой какие-то истории, Клава, — сказал он недовольно. — Много денег-то было?

— Тридцать рублей, — радостно сказала Клавдия. — Но мне их вернули, представляешь?

— Девушка, вы работаете? — спросил у нее за спиной нетерпеливый голос какого-то созревшего покупателя.

— Да-да, — виновато пробормотала Клавдия, не поворачиваясь. — Одну минуточку, пожалуйста...

— Нет, подожди, — сказал у ее уха безмерно удивленный Ларионов, — что значит вернули?

— То и значит, — счастливая от того, что он внимательно слушает ее, заторопилась Клавдия. — Через две минуты соседка позвонила, я открыла дверь, а сумка моя на лестнице стоит, прямо у моей квартиры. Цела и невредима, только ремешок оторван.

— И все цело? — спросил Андрей недоверчиво.

— И все цело, — подтвердила Клавдия. — Представляешь?

— Не особенно, — сказал Андрей.

— Девушка! — позвали сзади совсем нетерпеливо. — Может, уже нужно начать работать?

Андрей услышал.

— Ладно, Клава, — сказал он решительно. — Давай уже начинай работать. Вечером я тебе позвоню. Черт, лучше ты мне. У меня, по-моему...

— Не по-твоему, а точно, — перебила Клавдия, и даже он расслышал в ее голосе ликование. — У тебя нет моего телефона. Я сама позвоню. И спасибо тебе за заботу.

Он пробормотал что-то невразумительное, и в трубке заныли удручающие короткие гудки.

Клавдия осторожно вернула трубку на аппарат, секундочку постояла, выравнивая дыхание, и повернулась к залу.

— Извините, — сказала она покупателю и улыбнулась. — Извините, пожалуйста. Что вы хотели?

Интересно, думал Игорь, разглядывая хорошенькое, почти детское личико в обрамлении блестящих волос, как в рекламе шампуня «Пантин прови», это именно те слухи, о которых его предупреждала мерцаловская секретарша, или есть еще какие-то, более страшные и ужасные?

— Мы познакомились с Сережей четыре года назад, на Крите. Он там отдыхал. И я отдыхала. С родителями. Он узнал, что я учусь в Финансовой академии и почти сразу же предложил мне работу в своем институте. — Эля кусала губы, но делала это как-то слишком старательно. Или Игорь просто очень давно не общался с такими, молоденькими, хорошенькими, глубоко несчастными, и просто забыл, какие они? — Он говорил, что у него по части бухгалтерии и финансов — полный крах. Они с Гольдиным в этом вопросе не сильны, и поэтому у них бесконечные проблемы то с налоговой, то с бухгалтерией...

— А вы могли помочь ему решить эти проблемы? — спросил Игорь осторожно.

Сергей Мерцалов, насколько успел его узнать за эти полдня Игорь Полевой, был не только великий врач, но и удачливый бизнесмен. Даже если он с ходу влюбился, вряд ли ему пришло бы в голову нанимать институтку для того, чтобы она разбиралась в его финансовых проблемах или придумывала схемы ухода от налогов.

— Отчасти, конечно, да, — сказала Эля смело и взглянула на Игоря. — У меня было маловато опыта, но Сережа очень, очень мне помогал... И Саша Гольдин. Для меня это была неслыханная удача — студентам работу добыть трудно, почти невозможно, а тут работа, да еще такая...

— Какая? — уточнил Игорь.

— Престижная, — сказала Эля, и глаза ее затуманились. — Хорошие деньги. Знаменитая клиника. Сергей и тогда и сейчас очень известен. Очень. Это было такое... счастье. Я работала по четырнадцать часов в день. Мама даже боялась, что я здоровье угроблю. А потом... я в него влюбилась, — закончила она и не заплакала, лишь отвела глаза и стала пристально рассматривать полированную стену лифта.

— А он? — спросил Игорь осторожно.

— Он мне потом рассказывал, что сразу влюбился. Еще тогда, на Крите. Потому и к себе в институт позвал, и работу предложил, и все такое. Целый год я жила как во сне, понимаете? Не было на свете женщины, счастливее меня. Сережа почти все свое свободное время проводил со мной. Мы даже за грибами ездили в лес... — Тонкие наманикюренные пальчики комкали носовой платок, складывали его и вновь комкали. Эти лихорадочные движения отвлекали Игоря, мешали ему думать. — Потом родился Эдик, и для меня все изменилось...

— Что именно изменилось? — спросил Игорь.

— Все. — Она продолжала смотреть в стену все тем же невидящим взглядом. — У Сережи двое своих детей. Они маленькие еще, и мы решили, что поженимся не сейчас, а лет через десять, когда они подрастут.

— Через сколько? — оторопело спросил Игорь.

Это была какая-то явная чушь. Какой любовник может утешать любовницу тем, что женится на ней через десять лет? Почему тогда не через тридцать? Или через пятьдесят?

— Вы зря так удивляетесь, — сказала Эля, и тень бледной улыбки мелькнула у нее на губах. — Вы не знаете Сережу. Он уникальный человек. Очень верный, очень постоянный. Его слово было... незыблемо, понимаете? Он говорил, что всю жизнь искал и ждал только меня. Он же очень рано женился, лет в двадцать, что ли... Жили они трудно, почти нищенствовали. Он никогда не знал никаких женщин, кроме своей жены, и чувствовал, что он ей... как бы это сказать... обязан, что ли.

— В каком смысле? — уточнил Игорь.

— В том, что она столько лет вместе с ним терпела все трудности и так далее. Это, конечно, глупость, но мужчины, особенно такие, как Сергей, думают по-другому... Мы встретились, когда он уже был совершенно сложившимся человеком, и он полюбил меня. А я его.

— И что же изменилось? — спросил Игорь.

— Ничего, — ответила Эля слегка удивленно. — Мы всегда будем друг друга любить...

— Вы сказали, что, когда родился ваш сын, все изменилось, — напомнил Игорь.

— Да, но не в этом смысле! — воскликнула Эля. Легкая досада промелькнула на ее лице, как будто она удивлялась, что этот милиционер может заподозрить, что Сергей ее разлюбил. — Он стал нервничать, разрываться на части между той семьей и мной. Он очень любил нашего сына, ему хотелось проводить с ним как можно больше времени, вот мы и выдумывали какие-то несуществующие операции, совещания в министерстве...

— Позавчера он тоже был у вас?

— Да, — сказала она и наконец заплакала. — Был. Из министерства он приехал ко мне. Но долго оставаться не мог, ему нужно было еще посовещаться с Гольдиным, поэтому он пробыл, наверное, с полчаса. Поиграл с сыном, выпил кофе и уехал.

Лифт припадочно дернулся, и Игорь поддержал ее под локоть.

— Позавчера вы были дома весь день?

— Нет, — она вытерла лицо и мельком взглянула на него. — Я приехала потому, что он мне позвонил и сказал, что сможет вырваться на полчаса между министерством и работой. Я сразу села в машину и через пять минут была дома.

— Ваши родители знали о том, что у вас с Мерцаловым был... — Игорь секунду колебался, прежде чем произнести это слово, — роман?

— У нас не было никакого романа, — сказала она так, как будто он ее чем-то оскорбил. — У нас с ним была любовь. И будет всегда. Понимаете?

Нет, подумал Игорь, вновь уподобляясь майору Ларионову. Не понимаю и, наверное, никогда не пойму. Какая, к черту, любовь может быть с женатым мужиком, имеющим двоих мальцов?! Так, не любовь, а баловство какое-то. Подростковые гормоны ударили в голову великому Сергею Мерцалову, только и всего. Это у тебя любовь, милая девочка Эля. Это слово прямо-таки выведено крупными буквами на твоей розовой детской мордахе.

— Родители, конечно, знали. — Она прислонилась головой к стене. — Это невозможно скрывать. Они познакомились с Сережей на Крите, и мама моментально обо всем догадалась, а отцу мы еще долго не говорили. Но когда родился Эдька, пришлось сказать...

— Как они относились к вашей... любви? — пересилив себя, Игорь назвал это так, как ей хотелось или представлялось верным.

— Плохо, конечно, — Эля усмехнулась горькой взрослой улыбкой. — Особенно папа. Он Сережу терпеть не мог и называл развратником. Я ему говорила, правда, что нынче все так живут, не мы первые, не мы последние...

Лифт снова припадочно дернулся, замер, раздумывая, и пошел вниз.

— Я не хочу обсуждать это в институте, — быстро проговорила она. — Если вы хотите что-то у меня узнать, приезжайте ко мне домой. Здесь говорить я не буду. Хорошо?

— Хорошо, — согласился Игорь со вздохом. — Скажите, Эля, ваши родители живут в Москве?

— Да, конечно. — Вопрос ее удивил. — Папа переехал сюда из Кисловодска очень давно, лет двадцать пять назад. А может, и больше. Его первая жена умерла, и он не захотел там оставаться. А потом женился на маме, она москвичка. Правда, сейчас они оба в Кисловодске, у бабушки. Они каждый год там отдыхают.

— Понятно, — сказал Игорь. Лифт затормозил, двери открылись. — Мы с вами еще поговорим, Эля. Хорошо?

Навстречу им из кресла поднялся невысокий человек в белом халате, наброшенном на могучие плечи, которые не мог облагородить дорогой пиджак. В пальцах у него дымилась сигарета.

— Чертов лифт, — сказал он со странной кривой улыбкой. — Давно Сергею предлагал заменить, а он все экономил... Гольдин Александр, зам генерального. Спасибо, Эля, дальше я сам...

Майор Ларионов сказал, что ему нужно срочно позвонить, и, одним движением пролистав записную книжку, не нашел ничего лучшего, чем позвонить Клавдии Ковалевой.

Ему нужно было пять минут, чтобы сосредоточиться и понять, каким именно образом следует говорить с Петром Мерцаловым, дожидающимся его за закрытой кухонной дверью.

Тихий щелчок трубки параллельного аппарата заставил его улыбнуться. Он был совершенно уверен, что услышит такой щелчок, и он его услышал. Интересно, где взяли трубку — в гостиной или в спальне? Нужно точно узнать, есть ли в спальне аппарат. Должен быть, просто обязан быть, вряд ли Сергей Мерцалов бегал на каждый звонок из спальни в гостиную.

Поговорив с Клавдией, он потер руками лицо. Кожа от усталости, недосыпания и табачного дыма казалась слишком сухой и тонкой.

Он не особенно беспокоился, но все же хорошо, что у Клавы все в порядке. Как-то даже легче стало.

— Петр Леонидович! — позвал Андрей, распахивая дверь на кухню. — Проходите сюда, мне здесь удобнее разговаривать!

Не имело никакого значения, где именно они будут разговаривать, но это было частью выработанной за полминуты стратегии. Лучше пусть Мерцалов-младший сам к нему подойдет. Если гора не идет в Магомету, то Магомет идет... куда?

Мерцалов-младший посидел, изучая Андрея задумчиво-веселым взглядом.

— Ах ты, господи! — сказал он наконец. — Как это я запамятовал, что вы теперь все грамотные, что вам в ваших милицейских колледжах стали психологию преподавать! Ну конечно, конечно, господин майор, я подойду к вам. Если это вам удобнее... Как скажете... Как пожелаете...

— Петр! — негромко предупредил из дверного проема Мерцалов-отец. — Не забывайся!

— Нет, папуля, — пообещал Мерцалов-сын. — Я не забудусь. Или я не должен отвечать на вопросы без своего адвоката?

— Петр Леонидович, — сказал Андрей, — у меня работы полно. Вы свой боевой задор барышням продемонстрируете. Потом, попозже. Им должно понравиться. А пока проходите и садитесь.

— Батюшки! — радостно удивился Петр Мерцалов. — Какое красноречие! Хорошо. Уговорили. Прохожу и сажусь.

Мимо Андрея он шагнул в кухню, уселся за стол и сложил перед собой огромные красные руки. Запах дорогого одеколона моментально смешался с запахом беды и даже как-то потеснил его, так что он стал менее заметным и потому — не страшным.

— Я вас не боюсь, — сказал Петр Мерцалов, глядя, как Андрей усаживается напротив. — Мой отец дружит с вашим министром.

— С каким нашим? — переспросил Андрей.

— МВД, — пояснил Мерцалов-младший охотно. Так что если вы надеетесь немедленно предъявить мне обвинение в убийстве брата, у вас ничего не выйдет, не трудитесь, я вам сразу говорю.

— А что, вы убили своего брата? — спросил Андрей невозмутимо.— И хотите сделать признание?

— Я не убивал Сережку, — сказал Мерцалов, и глаза него потемнели. — Не нужно мне ваших провокаций, понятно? Рассказать вам, где я был в ночь с первого на второе сентября?

— Расскажите, — согласился Андрей и закурил.

Что это такое? Соперничество? Ревность? Зависть? Попытка доказать, что ничем не хуже старшего, знаменитого и удачливого?

— Я уехал с работы около пяти и приехал прямо домой, — нахально улыбаясь, отчеканил Петр Мерцалов. — У меня были две трудные операции..

— Простите, где вы работаете? — перебил Андрей.

— В Медицинском центре администрации президента, — ответил Мерцалов охотно. — У покойного брата работать не мог, у нас с ним был слишком разный подход у медицине.

— Разный? — переспросил Андрей.

— Разный, — подтвердил Петр и улыбнулся. — Я должен уточнить, в чем было различие?

— Уточняйте! — сказал Андрей таким тоном, что Петр посмотрел на него в некотором удивлении.

Что это ты так раздражаешься, Ларионов? Не можешь справиться с собой, валяй переводись на склад. Давно же собираешься!

— Сережа у нас гений, понимаете? — Петр помахал рукой, показывая, каким именно гением был Сергей. — Он был в вечном поиске. Везде ему мерещились необыкновенные решения и потрясающие новые подходы. А в медицине, тем более в хирургии, нельзя так. Мы же не только крыс режем, но и людей. Модничать можно, но только в меру, а он модничал без меры. Напролом шел везде и всюду. Ну ладно в министерстве, ну ладно на кафедре, где он профессорскую должность зубами выгрызал, ну черт с ним, хотелось ему должностей, признаний и славы до небес, но наука-то тут при чем?

— При чем? — спросил Андрей.

— Ни при чем! — почти выкрикнул Мерцалов-младший. Он запустил руку в карман, долго там шарил, ничего не нашел и буркнул: — Дайте сигарету, не жадничайте...

Андрей достал свою пачку. В ней одиноко болтались две или три сигареты.

Нужно не забыть купить у метро еще пачку. На двух сигаретах он до ночи не протянет.

Петр Мерцалов закурил.

— Ни при чем наука, — повторил он задумчиво. — Он был очень удачливый мужик, ему все сходило с рук, но не могло сходить до бесконечности, понимаете? В конце концов он угробил бы кого-нибудь со связями и деньгами, и пришел бы конец всему его процветанию. Я не хотел в этом участвовать.

— Я не понял, — сказал Андрей медленно и посмотрел на дым от своей сигареты.

Один его приятель, телевизионный журналист, как-то рассказывал ему, что существует такой прием, срабатывающий в девяти случаях из десяти: если хочешь, чтобы разговор был совершенно откровенным, притворись идиотом. Собеседник моментально проникнется к тебе презрением и начнет выкладывать такое, чего никогда не сказал бы человеку хоть чуть-чуть соображающему.

— Давайте помедленнее, — попросил Андрей. — Я же не врач. Я в ваших высоких материях ничего не понимаю. Вы хотите сказать, что Сергей Мерцалов применял... недозволенные методы лечения?

— О боже, — пробормотал Петр Мерцалов и возвел к потолку глаза. — О чем он говорит?!

Словно не дождавшись от господа вразумительного ответа, Петр Мерцалов перевел взгляд на Андрея.

— Я не говорю, что он применял недозволенные методы лечения. Да он их и не применял, — проговорил он терпеливо. — У него просто в голове каждый день рождалась новая идея. Он придумывал невиданные схемы операций. Ему некогда и недосуг было их проверять. Он тут же кидался воплощать. Ничто его не могло затормозить — ни ученые советы, ни коллеги, ни начальники, когда они у него еще были. Он просто пер напролом, как танк. И, что самое смешное, у него все получалось...

— Это разве плохо? — спросил Андрей, играя в свою игру.

— Это не плохо! — с досадой ответил Петр Мерцалов. — Это опасно! Это опасно потому, что мы работаем с людьми, а мой брат никогда не боялся ошибиться, понимаете? А в нашем деле это очень плохо, если врач не боится ошибиться. Больной помрет, да и все, и у врача разрешения не спросит.

— И многие у него... помирали? — помедлив, спросил Андрей.

— Нет, — отрезал Мерцалов. — Немногие. У него была репутация очень надежного врача, у него был просто неприлично низкий коэффициент смертности. И при всем при том он был не хирургом, а джигитом, как в каком-то романе сказано.

— Н-да, — протянул Андрей.

— Вот так, — язвительно подхватил Петр. — Мне в его дела мешаться резона не было. Я твердо знаю свое место и считаю, что Сережка не столько великий врач, сколько удачливый махинатор. Это все вокруг ахали и приседали, ах, Мерцалов, ах, чутье от бога, ах, руки гения!.. Нет и не было у него никаких рук гения, одно нахальство плюс везения чуть-чуть...

— Вы никогда с ним не работали?

— Почему? Работали, — ответил Петр и неприятно улыбнулся. — После института я прямо к нему распределился, он тогда еще не генеральным был, а отделением заведовал.

— Когда это было?

— Я закончил Первый медицинский институт четыре года назад. Проработали мы с ним что-то около года, потом поцапались, и я ушел. Папаня меня сразу же пристроил к Льву Васильевичу Тихонову, в Медицинский центр администрации президента, бывшее Четвертое управление. Вот такие мы, все блатные насквозь... — Мерцалов смял в пепельнице сигарету.

— Вернемся к первому сентября, — сказал Андрей казенным голосом.

— Вернемся, — согласился Мерцалов-младший весело. — Не откажите, уделите от щедрот ваших еще сигарету, свои в машине забыл, наверное... Я возмещу, клянусь!

Интересно, почему ему так необыкновенно весело? Радуется нелепой смерти знаменитого брата? Чувствует облегчение? Или нервничает?

— После того как в пять вы ушли с работы и приехали домой, чем вы занимались? — Андрей положил перед ним почти пустую пачку. — Вы вообще-то с родителями живете?

Петр Мерцалов закурил и переместился на стуле. Теперь он сидел боком к столу, вытянув длинные ноги.

— Скажите, сколько вам лет, господин майор? — спросил он неожиданно.

— Тридцать шесть, — сказал Андрей, жалея, что кончились сигареты. — А что?

— Вы с родителями живете?

— Нет, — сказал Андрей. — Один.

— Ну и я один! В нашем с вами сугубо среднем возрасте как-то не пристало жить с родителями, верно?

— Неверно, — сказал Андрей, разглядывая его, очень молодого, очень уверенного в себе и как-то странно, чрезмерно взвинченного. — В *вашем*, — он сделал ударение на этом слове, — сугубо нежном возрасте жить можно как угодно — с родителями, с женой, с родителями жены, с бабушкой, с дедушкой. С любовницей. С любовником. Все зависит от жизненных обстоятельств, от финансовых возможностей, от целей и задач. Разве нет?

— Ну, с финансами у нас все о'кей, — сообщил ему

Петр Мерцалов. — Сережка скупым не был. С семьей делился охотно, хоть он с нами сто лет не жил.

— Он содержал вас и родителей, я правильно понял? — уточнил Андрей.

— Нет, черт побери! — мгновенно раздражаясь, отрезал Петр. — Вы неправильно поняли. Мы все отлично зарабатывали и без него. Мои родители — очень известные врачи, а прадед вообще был знаменитость. Вся современная педиатрия построена на его учении. До сих пор. Но с квартирой Сергей мне помог. Они ее купили вдвоем с отцом и подарили мне к окончанию института. Я поначалу хорохорился и кричал, что все деньги за нее верну...

— Вернули? — спросил Андрей.

— Нет, конечно, — сказал Петр Мерцалов. — Не вернул. Оказалось, что деньги возвращать трудно. Особенно если ты не доктор, не профессор, не директор института...

— Ну, естественно, — пробормотал Андрей. — Так что было после того, как вы вернулись домой в вашу отдельную от родителей квартиру?

— Ничего не было! — сказал Мерцалов-младший с удовольствием. — Я выпил пива, посмотрел какую-то муру по телевизору и лег спать.

— Вы легли спать в одиночестве? — уточнил Андрей.

— В полном! — подтвердил Петр. — В полнейшем. Я не приглашаю девиц на ночь. Иногда я остаюсь у них, но к себе их не приглашаю.

— Очень напрасно, — сказал Андрей сухо. — Это существенно бы облегчило нам работу.

— Да бросьте! — скривился Петр. — Как это говорится в кино про вас? Не шей мне дело, начальник. Я Сергея не убивал. Мы, конечно, не были образцовыми братьями, но убивать его мне бы даже в голову не пришло. Я же не сумасшедший. И про Сергея Анатольевича вы не забывайте.

— Про какого Сергея Анатольевича? — не понял Андрей.

— Про Сергея Анатольевича Банина, министра внутренних дел, — объяснил Мерцалов-младший терпеливо. — Он как раз собирался к нам на дачу в субботу заглянуть, Галина Яковлевна что-то неважно себя чувствует...

— Ох-хо-хо... — протяжно выдохнул Андрей Ларионов и встал, разминая ноющую руку.

Парень не только напуган. Вся его бравада — часть какой-то пока неизвестной Андрею игры. Сам он считает, что играет с блеском, и что это игра в дурака, и дурак в ней, конечно же, майор Ларионов.

Ну, что ж...

Послушаем. Подумаем. Подыграем...

— Дай бог здоровья Галине Яковлевне, жене Сергея Анатольевича, — пробормотал Андрей так, чтобы Мерцалов расслышал. — Значит, вы приехали в пять, посмотрели кино и легли спать. Что было за кино?

— Да так, какая-то космическая стрелялка по НТВ-Плюс, — ответил Мерцалов равнодушно. — Или я видео, что ли, смотрел?.. Точно не ломню. Помню только, что очень долго шло.

— С родителями в этот вечер вы разговаривали?

— Да, по-моему... Мы вообще-то стараемся каждый день созваниваться, а то мама беспокоится, и все такое. Да, созванивались, точно! Они в какой-то театр собирались, и мама позвонила довольно рано.

— Рано, это во сколько? — уточнил Андрей.

— В полседьмого, что ли. Мама позвонила уже одетая, так она по крайней мере сказала. Ну вот... Мы поговорили, я досмотрел свой фильм и лег, наверное, в половине одиннадцатого. И прекрасно проспал до утра. Чтоб вы не придумывали, что бы у меня такое спросить, сразу говорю, что спал до утра совершенно спокойно, никакие кошмары меня не мучили, предчувствия не томили, интуиция тоже молчала.

— Кто-нибудь может подтвердить, что вы из своей квартиры не выходили? — спросил Андрей. — Ну, может, любимая в полдвенадцатого звонила? Друг на рыбалку приглашал? Нет?

— Нет, — отрезал Мерцалов, явно раздраженный, что настырный майор продолжает приставать с расспросами про его, Петра Мерцалова, времяпрепровождение, несмотря на то, что он уже два раза упомянул Сергея Анатольевича и один раз даже Галину Яковлевну. — Никто, кроме матери, мне не звонил. Впрочем, может, и звонил, у меня автоответчик работал, к телефону мне лень было подходить.

— Подъезд охраняемый?

— Отчасти, — улыбнулся Мерцалов и с сожалением скомкал пустую пачку. — Сидит бабулька-вахтерша или ее муж. Ночью они спят, конечно.

— Вчера ночью они тоже спали?

— Я не знаю, — сказал Петр Мерцалов с раздражением, — я уже сказал вам, что из квартиры не выходил. Или это у вас приемы такие? Вы пытаетесь взять меня на мушку?

— Никуда я не пытаюсь вас взять, Петр Леонидович! — Андрей все-таки потер ноющее плечо, хотя не хотел этого делать, но боль его просто замучила. — Не хотите здесь разговаривать, я вас моментально на Петровку повесткой вызову, желаете?

— Я к вам не приду! — Мерцалов посмотрел на руку майора Ларионова. — Что у вас с рукой? Шальная пуля? Или просто царапина?

— Придете, — Андрей опустил руку. — Прибежите. Никуда не денетесь. Так что вы постарайтесь со мной вежливо разговаривать и приятно, чтобы я на вас не обиделся.

— Вы на меня уже обиделись, — сказал Мерцалов с некоторым самодовольством, и Андрей усмехнулся.

Что ты возомнил о себе, мальчик? Разве может майор Ларионов на тебя обижаться? Он работает, только и всего. Твои детские наскоки слегка его развлекают и дают некоторое представление о семье, в которой вырос Сергей, только поэтому он и слушает тебя так терпеливо. Только поэтому, а вовсе не потому, что ему интересны твои соловьиные песни. Из всех твоих песен майор выловит одну-единственную фразу, которая, может быть, будет ему полезна.

Значит, говоришь, автоответчик...

— А вы не выключаете на ночь телефон? — неожиданно спросил Андрей, и Петру Мерцалову пришлось даже секунду подумать, прежде чем он сообразил, о чем именно его спрашивает майор.

— Зачем? — Он был явно удивлен. — Автоответчик все записывает, а я потом сортирую, кому перезвонить, а кто обойдется...

— Ирина Мерцалова звонила вам в ту ночь?

— Зачем? — опять спросил он, глядя на Андрея. — Ах, да!.. Но я же сказал вам, что не подходил к телефону!

— А автоответчик вы тоже не прослушивали?

— Не до этого мне было, уважаемый милицейский майор! — сказал Мерцалов с какой-то чрезмерной досадой, как будто ему было стыдно и он изо всех сил пытался это скрыть. — Утром я уехал на работу, а в середине дня мне позвонила мама и сказала, что с Сережкой... что Сережку...

— Убили, — закончил за него Андрей.

— Да, — сказал Петр Мерцалов. — Убили. Простите, мне нужно...

И он стремительно вышел из кухни.

Глядя в окно, Андрей думал.

— Извините еще раз, — Мерцалов-младший осторожно прикрыл за собой дверь. — Я принес сигареты.

Они не в машине оказались, а в плаще. Курите, если хотите...

— Хочу, — сказал Андрей.

— Он мой брат, — длинные красные пальцы стиснули зажигалку. — Я учился во втором классе, а он в десятом. Он водил меня в буфет и покупал коржики. На каждой перемене. Я их обожал, а мама есть не разрешала, говорила, что там одна сода и еще неизвестно что. У нас была такая игра — он покупал мне коржики, и я их ел. Я наелся их на всю жизнь, теперь меня от них тошнит. Я ненавидел его жену. Она появилась и отобрала его у нас. Мне было двенадцать лет. Я так им пакостил, что в конце концов они переселились в общежитие. Я не мог с ним работать, и он приходил в бешенство от моего «консерватизма», так это называлось. Отец нас мирил, разнимал, чуть не по разным углам рассаживал. А теперь какой-то подонок его убил.

— Да, — произнес Андрей. — Убил. Скажите, Петр Леонидович, у ваших родителей тоже автоответчик?

— Что? — Он потер лицо. — Что вы спрашиваете?

— Я спрашиваю, у ваших родителей тоже автоответчик?

— Господи, дался вам этот автоответчик! — вдруг возмутился Мерцалов. — Да, и у них тоже! Да какая разница-то?! Нам могут звонить больные, мы не можем просто не подходить к телефону, и все!

— Понятно, понятно, — сказал Андрей успокаивающим тоном. — А про то, что за вашим братом следили, вы знали?

— Знал, — сказал Петр. — Это все знали. Он так злился, а мы над ним смеялись. У него иногда фантазии были просто феерические...

— Кто — мы? — спросил Андрей. — Кто над ним смеялся?

— Ну, я, — сказал Петр Мерцалов, — Сашка Гольдин. Митя Давыдов, это его анестезиолог. Все, кому он рассказывал сказки про эту слежку. А что? Это были не сказки?.

— А ваш отец?

— Папаня? — переспросил Мерцалов-младший и как-то даже задумался. — Нет, вроде не смеялся... Мы с ним, по-моему, эту тему ни разу не обсуждали...

— По-вашему, или не обсуждали?

— Я не помню! Откуда я мог знать, что все это будет нужно?!

— Не могли, — подтвердил Андрей. — Не могли, конечно. Скажите, Петр Леонидович, Сергей боялся тех, кто за ним следил?

— Нет, не боялся. Он вообще ничего не боялся. Говорил, что таскаются за ним два каких-то придурка. Он даже сигнализацию на машине сменил. И замки они вроде поменяли, думали сначала, что их ограбить хотят.

— Он высказывал какие-нибудь предположения? Кто может им интересоваться и почему?

— Нет, — Мерцалов опять закурил. От их непрерывного курения посреди кухни висело сизое дымное привидение. — Да мы с ним это почти не обсуждали. Я ему не верил, и все. Гольдин, наверное, больше меня знает.

— Он дружил со своим замом?

— Не разлей вода, — коротко подтвердил Петр. — Они даже на курорты коллективом ездили — Гольдин с женой и выводком и Серега с женой и пацанами. И не уставали они друг от друга на работе... Я вот на тех, с кем работаю, вне работы даже смотреть не могу, так они меня все бесят... — Он перехватил задумчивый взгляд Андрея и встрепенулся: — Кажется, это не противозаконно?

— Нет, — ответил Андрей. — Не противозаконно. Дружите с кем хотите. У вашего брата были враги, Петр Леонидович?

— По работе — сплошные враги, — сказал Мерцалов радостно. — Он злил и раздражал, наверное, процентов девяносто тех, с кем общался. Кроме того, конечно, многим очень хотелось его съесть. Креслице-то не низкое. Прооперировал бы через годок-другой очередного болезного президента, и привет. Тогда точно никто бы не достал. А это никому не нравилось, всех раздражало. А как же?

— Всех — это слишком неопределенно, — заметил Андрей.

— Точней не знаю, пофамильно перечислить не могу. Извиняйте. — Мерцалов развел руками. — Ищите сами. При мне ему никто и никогда не угрожал, так что вам не повезло.

— А пациенты? Или их родственники?

— Что — пациенты? Что — родственники?! — раздражаясь, Мерцалов заговорил громче. — Да не придет в голову никому убивать врача из-за того, что он не смог помочь! При чем тут пациенты?! И не знаю я никаких его пациентов, я с ним уже три года не работаю! Вот министр иностранных дел у него лежал, недели две назад выписался, Серега им хвастался ужасно. Пойдите проверьте, не он ли, часом...

— Проверим, — пообещал Андрей. — Кроме министра иностранных дел, никто не вспоминается?

— Нет, — отрезал Мерцалов. — Не вспоминается. Еще какие-то бандиты просили его положить кого-то, чтобы потом за границу переправить. Он рассказывал, смеялся. Деньги они ему сулили несметные.

— Положил? — спросил Андрей.

— Не знаю, — пожал плечами Петр. — Меня его дела не слишком интересовали, я же вам говорю. Гольдин знает, наверное...

Дверь в кухню распахнулась, на пороге возникла Лидия Петровна Мерцалова.

— Петя, — сказала она, не замечая Андрея, — пожалуйста, посиди с Ирой. Я боюсь отлучаться, но мне срочно нужно в институт. Только что позвонили.

— А папа? — спросил Мерцалов-сын. — Он-то что?

— Он разговаривает с Николаем Васильевичем. Тот тоже едва на ногах держится. Пойдем, я покажу тебе где что...

— Адрес ваш запишите, — попросил Андрей Мерцалова. — Боюсь, вы еще мне понадобитесь.

Мерцалов с нетерпеливой досадой написал на бумажке адрес, и они вышли, даже не взглянув на Андрея.

К пяти часам Дима Мамаев совершенно точно знал, что человек в неприметных «Жигулях» делает то же самое, что и сам Дима, — наблюдает за аптекой. Правда, он не переезжал с места на место, как это делал Дима в соответствии с требованиями конспирации и сыщицким азартом, который начал обуревать его примерно в половине третьего.

Выходит, прав был майор Ларионов, черт бы его взял.

Правда, неясно было, за кем именно наблюдают. Может, вовсе и не за рыженькой, а просто за аптекой. Аптека на вид неплохая — чистенькая, ухоженная, народ то и дело входит и выходит. Не бедная, судя по всему, аптека. Может, на аптеку нацелились, а вовсе не на рыженькую?

Впрочем, все это станет ясно, когда Дима поведет ее вечером домой.

Дождь кончился, и водитель «Жигулей» вышел из машины, чтобы размяться. Диму удивляло, что он и не думал прятаться. Конспирацией он явно обременен не был. Что же это за соглядатай, который торчит перед глазами у объекта и даже думать не думает, что его могут засечь?

Непрофессионал, наверное.

Себя Дима считал профессионалом.

Как там дела у мужиков... и дам, подумал Дима,

вспомнив Олю Дружинину. Наверняка уже что-нибудь нашли. Какие-нибудь нитки, зацепки. Следы. Улики. Доказательства. Как там его, Димин, свидетель, который вполне мог оказаться убийцей? Небось майор Ларионов уже давно на Петровке, пьет свой кофе, загадочно молчит и точно знает, кто убил Сергея Мерцалова.

От этой мысли Дима опять рассердился и расстроился.

Ну какого черта все работают, а он караулит аптеку?! Пусть бы Полевой караулил, чем он лучше Димы? Так нет, Полевого майор отправил на дело, а Диму — в машине сидеть, будь оно все проклято!

Водитель «Жигулей» дошел до угла, где тихий Воротниковский переулок вливался в бушующее Садовое кольцо, и купил в киоске газету или журнал. Диме со своего места не было видно, что именно.

Должно быть, они подкованные ребята, эти соглядатаи. Целый день читают.

Диме тоже захотелось выйти из машины. Хоть подышать, что ли. Того и гляди снова дождь пойдет. Вздыхая, Дима выбрался из кресла, захлопнул дверь и подождал, когда свистнет сигнализация, запирающая все двери. Не выпуская из виду соглядатая и аптечную дверь — вдруг рыженькой придет в голову уйти пораньше, — он втиснулся в стеклянную коробку, где висел телефон. Приседая, потому что телефон был приделан слишком низко, он набрал номер. Никто не отвечал, и он понял, что оправдались все его худшие подозрения. Сослуживцы еще не возвращались, следовательно, работа шла полным ходом. У Димы было своеобразное представление о работе. Он был твердо уверен, что работать в кабинете так же глупо, как, например, писать романы. Настоящая работа — это поиск, охотничий азарт, быстрота перемещения и добыча фактов, которые в кабинете никак не добудешь.

Ну вот. Все добывают, а Дима с утра в Воротниковском переулке сидит, и неизвестно, сколько еще просидит.

Как следует разозлившись, он подумал и набрал еще один номер.

Трубку сняли сразу же, но Инки дома не было. Ее мать очень холодным голосом сообщила Диме, что Инка еще в университете и будет очень поздно, у них там какой-то праздник букваря. Если вообще будет.

— Она может... не приехать совсем? — не удержавшись, спросил Дима, и собственный голос показался ему отвратительным — просительный, тонкий. Дурацкий какой-то голос.

— Вполне, — сказала Инкина мать со спокойным злорадством. — Она меня даже предупредила, чтобы мы ее не ждали. Впрочем, она будет звонить.

Дима с силой вдвинул трубку в аппарат и выбрался из стеклянного саркофага.

Зря он позвонил. Придурок.

Сидел бы в машине и мечтал о том, как вечером они встретятся. Знал же, что ее мамаша с папашей терпеть его не могут. Хотя, собственно, почему они должны его терпеть? У них с Инкой свои дела, своя жизнь, они оба взрослые умные люди и будут делать то, что считают нужным...

Он убеждал себя и не слишком себе верил.

Инкин отец руководил какой-то строительной фирмой, процветал и собирался процветать дальше. Инка недавно хвасталась, что он получил подряд — или как там это называется — на ремонт целой кучи административных зданий, принадлежащих мэрии или еще кому-то, столь же всесильному. Он был шумный, краснолицый, громогласный. Когда он говорил, необходимо было молчать и смотреть ему в рот. Диме это было противно. В его семье все было по-другому. Впрочем, в его семье и подрядов от мэрии никто не получал. Инкина мать относилась к Диме с высокомерием генеральши, которая не желает выдавать дочь замуж за лейтенанта.

Дима не подходил им ни по каким критериям. Зарабатывал мало, жил с родителями, перспектив — никаких. Всего богатства — новенькая черная «девяточка», которую Дима обожал и которую ему подарил брат, отъездив на ней месяца три. Потом она ему надоела, и он купил «Тойоту», а «девятку» отдал Диме, за что Дима был ему несказанно благодарен. Брат был компьютерный гений, зарабатывал несметные, по Диминым понятиям, деньги и всю жизнь делал что хотел.

«Мне повезло, — говорил он. — Я как Фрэнк Синатра. Делаю то, что мне нравится, и мне еще за это платят».

Дима тоже был как Фрэнк Синатра, но к нему относилась только первая часть бессмертного изречения.

Зачем он позвонил?!

Весь остаток дня, вместо того чтоб худо-бедно работать, он будет думать, у кого Инка собралась ночевать. Или наврала мамаша?

Черт, зачем он позвонил?!

Впрочем, он же не страус. Голову в песок он прятать не станет. Лучше уж все знать, чем пребывать в идиотской уверенности, что ты нужен и любим.

Или не лучше?

Дима сел в машину и сунул в рот осточертевший леденец от кашля. На этот раз оранжевый. Леденец захрустел на зубах, превращаясь в мелкие, как будто стеклянные, осколки.

Он не будет думать об Инке. И вечером не будет звонить и проверять, где она. Он будет думать о Сергее Мерцалове и о том, кто его убил, а вечером на Петровке он поразит их всех своими потрясающими логическими выводами.

Данных маловато, но чтобы занять голову — хватит.

Где же она собралась ночевать?..

Информация, которую он получил от Бориса, оказалась неутешительной.

— Да ты что? — спросил шеф с другого конца света, а впечатление было такое, как будто он сидит за стенкой и разговаривает по мобильному потому, что ему лень встать и открыть дверь. — Неужели убили?

— Убили, — подтвердил Юрий Петрович. — Женька своими глазами труп видел.

— Во дела! — хохотнул в трубку шеф. — Что бы это значило, не знаешь?

В данный момент Юрию Петровичу больше всего на свете хотелось знать, что бы это значило, и он подозревал, что шеф-то как раз в курсе событий.

— Женька как его узнал, так драпанул оттуда, как немец из-под Москвы, — сказал Юрий Петрович осторожно. — Его, конечно, менты моментально найдут, если еще не нашли. Ну, я его проинструктировал.

— Молодец, — похвалил шеф таким тоном, что у Юрия Петровича встали дыбом волосы на затылке. Он был бы неприятно удивлен, если бы в этот момент вспомнил, что точно таким же тоном он сам еще вчера разговаривал с тупоумным Женькой. — Это ты все придумал?

— Что? — переспросил Юрий Петрович.

— Ну... убрать его? — спросил шеф. — Или Женька?

— Ты что, Борис? — забормотал Юрий Петрович. По спине у него пробежала струйка пота, рубашка прилипла к лопаткам, стягивая их, как будто его, Юрия Петровича Василькова, уже начали вязать веревкой. — Мы-то тут при чем?

— А кто при чем? — спросил шеф вежливо. — А, Юрок?

Юрий Петрович лихорадочно соображал.

Если врача убрали ребята Бориса, их никто и никогда не найдет. Они профессионалы, ментам не чета. Если Борис по каким-то своим причинам решил сдать Юрия Петровича, то необходимо срочно что-то придумать. В конце концов, до Бориса далеко, а Юрий Петрович здесь, под боком.

Врач уже никому ничего не расскажет. А Юрий Петрович? Он ведь доверенное лицо, а следовательно, Борису опасен.

Что на уме у шефа? Что он задумал?

Как понять?

— Ты уснул там, Юра? — спросил шеф ласково. — Не спи, дорогой, всю жизнь проспишь. Так чего там делается-то у вас?

— Я пока не понял, Борис, — сказал Юрий Петрович жалобно. — Я просто звоню сообщить, что Женька...

— А мне плевать, что там Женька, — перебил шеф холодно. — Выясни все и позвони. На мой мобильный не звони, позвони Мише. Он меня соединит. Кто вас знает, кретинов, что вы там накрутили...

Это было совсем плохо. Выходит, теперь Юрий Петрович даже позвонить напрямую не может?!

Он положил трубку и закрыл глаза.

Кто убил врача?

Свои или чужие?

Как это проверить?

Борис темнит, и непонятно, почему он темнит. Собирается подставить? Он, Юрий Петрович Васильков, ему больше не нужен? Мавр сделал свое дело, мавр может смело отправляться на тот свет? Если врача убрали по приказу Бориса...

Нет, не так.

Зачем Борису нужно было убивать врача? Чтобы тот в случае чего ментам не стукнул? Почему Женька оказался на месте преступления? Случайно? Хороша случайность... Или Женька знает больше, чем говорит? Это совсем плохо. Это означает, что он, Юрий Петрович Васильков, уже выведен из игры.

Он был в бизнесе довольно давно, и до сих пор дела шли просто отлично. Алмазы благополучно уходили за рубеж, денежки собирались на счетах, а Женька их довольно талантливо обналичивал. Скорее всего он даже не знал толком, на кого работает. Юрий Петрович посвящал его в дела ровно настолько, насколько было необходимо, да и сам Евгений Васильевич, тертый калач, ни в какие подробности не вдавался. На девочек, сауну и иностранную машину ему вполне хватало, а его представление о богатстве вполне укладывалось в три эти составляющие.

Неужели Борис решил сделать рокировку и поменять Юрия Петровича?

Зачем?! Почему?!

Где он так проштрафился?

Конечно, Институт кардиологии — это была идея Юрия Петровича. Идея и ошибка. Но в конечном итоге все обошлось, и вряд ли эта ошибка могла стоить жизни тому ничтожному врачу и тем более Юрию Петровичу!

Или могла?

Юрий Петрович потянулся, чтобы взять трубку, и вдруг заметил, как сильно дрожат руки. Вот какой ценой достаются денежки. Всем приходится рисковать.

Иной раз кажется, что научный институт, где Юрий Петрович провел большую часть своей жизни, и есть земля обетованная. Ни проблем, ни угроз, ни денег. Ни страха, от которого желудок горит огнем и скручивается в тугую острую спираль, угрожающую проткнуть насквозь все внутренности.

Подожди, сказал он сам себе, стараясь успокоиться. Еще ничего не произошло. Подумаешь, шеф холодно поговорил. Такое сто раз бывало и, наверное, еще не один раз будет. Шеф небось тоже... озадачен. Особенно если это не он отдал приказ убрать врача.

Нужно думать, долго и старательно.

И тогда обязательно что-нибудь придумается. Не может не придуматься.

Из кабинета Александра Дмитриевича Гольдина Игорь Полевой позвонил на работу.

— Але, Андрей, — сказал он и покосился на Гольдина, наливавшего себе кофе. — Ты уже в штабе?

— А как ты думаешь, где я? — спросил Ларионов довольно холодно. Он не любил глупых вопросов.

Игорь усмехнулся.

— Я еду, — сказал он. — Буду минут через сорок.

— Я могу машину отправить, — неожиданно сказал Гольдин у него из-за спины. — Вон дождь какой...

— Спасибо, — поблагодарил Игорь. — Может, на машине приеду...

— Борзые щенки? — спросил в трубке Ларионов. — Подарочки от потенциальных подозреваемых принимаете?

— Принимаем, — буркнул Игорь. — У тебя что-нибудь есть?

— Есть, — сказал Андрей, подумав.

И не спросил, есть ли что-нибудь у Полевого. Полевой все равно не ответил бы, потому что разговаривал из чужого кабинета, и Андрей об этом знал.

— Ольга приехала только что, — сообщил Андрей. — А я сейчас к Бакунину.

— Не дожидаясь нас? — спросил Игорь.

Полковник Бакунин был начальником отдела, и идти в нему имело смысл, только собрав воедино все, что они «нарыли» за день.

— Приказано немедленно, — сказал Андрей. — Давай приезжай.

— Спасибо, Александр Дмитриевич, — сказал Игорь, положив трубку. — В кабинете у Мерцалова наши пока работают, и завтра, наверное, туда уже можно будет зайти.

— Я туда, наверное, еще долго не пойду, — сказал Гольдин, не глядя на Игоря. — Если вообще пойду когда-нибудь...

Игорь посмотрел на него задумчиво.

Он выглядел спокойным, хотя видно было, что этот молодой широкоплечий мужик прилагает огромные усилия к тому, чтобы держать себя в руках. Игорю представлялось, что, как только за ним закроется дверь, Гольдин начнет крушить мебель, или бить посуду, или стучать головой в стену.

— Да, так я вызову машину, — встрепенувшись, проговорил Гольдин, все так же не глядя на Игоря. — Вам на Петровку не сорок минут, а все полтора часа пилить.

Он нажал кнопку на селекторе и тут же отпустил, словно спохватившись.

— Моя секретарша сегодня в отгуле, — сказал он, как бы извиняясь. — У нее внук в первый класс пошел, как и Сережин Ваня. Она взяла три дня, чтобы невестке помочь немножко... Сейчас я сам тогда...

Игорь не стал уверять Гольдина, что беспокоиться не стоит.

Он знал, что в его приемной на секретарском месте сидит заплаканная Эля Коврова, но Гольдин к ней почему-то не стал обращаться.

Суетливо и бестолково порывшись в столе, он нашел какой-то засаленный справочник, отпечатанный, как показалось Игорю, на машинке и скрепленный степлером, долго ковырялся, перелистывая ветхие страницы, и, найдя наконец нужный телефон, позвонил в гараж.

— Сейчас будет машина, — сказал он. — Можно спускаться. Черная «Волга», 115 ВВ, или что-то в этом роде. Впрочем, я вас провожу.

Гольдин сказал это с такой глубокой тоской, что Игорь прямо-таки почувствовал, как не хочется ему тащиться вниз с этим чужим приставучим милиционером и еще несколько лишних минут держать себя в руках, вежливо отвечать на вопросы, смотреть в лица врачей, которые непременно попадутся им по дороге.

— Да я сам, Александр Дмитриевич, — сказал Игорь, сочувствуя осиротевшему заму генерального.

Он вполне понимал его.

Лет шесть назад погиб на задержании Леха Сотников. Друг. Напарник. Начальник. Игорь Полевой тогда тоже осиротел.

— Я сам найду машину, — повторил Игорь, глядя в больные глаза Гольдина. — Только еще один вопрос, Александр Дмитриевич...

Он помолчал, раздумывая, как спросить, чтобы Гольдин ответил.

— Скажите, почему вы не стали обращаться к девушке, которая сидит у вас за дверью? И секретарша Мерцалова как-то странно...

В глазах Гольдина что-то изменилось так внезапно и так устрашающе, что Игорь невольно подобрался. Такой бурной реакции он не ожидал, хотя и предвидел нечто такое.

С лица Гольдина как будто сдернули какую-то пелену, как паранджу с мусульманки. Игорь увидел на этом лице сразу все — смятение, боль, страх, злость...

— Я не хочу говорить об Элеоноре Ковровой, — отчеканил Гольдин. — Простите. Я готов обсуждать все, что угодно, но только не *это*.

Он так и сказал «это», а не «ее».

Вот так история, подумал Игорь. Ну, Сергей Мерцалов, супермен и плейбой, заварил ты кашу...

— Почему? — спросил Игорь. — Почему, Александр Дмитриевич?

Гольдин вдруг с силой дернул себя за волосы и прикрыл глаза.

— Я так и знал, — тихо сказал он. — Я так и знал, что все будет ужасно. Но я не знал, что настолько...

— Что будет ужасно? — Игорь пристально смотрел в бледное веснушчатое лицо с запавшими глазами.

Гольдин открыл глаза, снова затянутые непроницаемым темным покрывалом.

— Я не стану обсуждать это, — спокойно сказал он, — потому что я ненавижу расчетливых, лукавых и лживых сук. Пожалуйста, увольте меня, Игорь Степанович. В нашем институте есть множество особей, готовых обсуждать все, что угодно, особенно если от этого воняет. А я — не могу. И не буду. Извините, Игорь Степанович...

Клавдия вынула из сумки зонт, отстегнула хлястик, придерживавший выцветший нейлон, и хорошенько потрясла все сооружение, по опыту зная, что залежавшийся в сумке зонт на улице ни за что не раскроется. Ему нужно было для начала показать, что именно от него требуется Клавдии. Зонт некоторое время упрямился, но потом все же раскрылся, выгнув стальные прутья совсем в другую сторону.

— Чтоб тебя... — пробормотала Клавдия и еще несколько раз подергала его туда-сюда, призывая раскрываться правильно.

— Ты уходишь? — спросила рядом Лида, снимавшая халат.

— Собираюсь, — пропыхтела Клавдия, сражаясь с зонтом. — А что?

— Да ничего, — равнодушно сказала Лида. — Пока. До завтра.

— Пока, — ответила Клавдия, складывая зонт. — Давно пора новый купить. Что-то он совсем не работает...

— Купи, — согласилась Лида.

Они устали и разговаривали просто так, что ы не собираться в полном молчании.

На улице было совсем темно — осень и дождь. На небе ни одного просвета. Машины как будто плыли по тихому Воротниковскому переулку и вливались в бурный поток Садового кольца. Где-то там под дождем мыкался и соглядатай, и тот человек, которого майор Ларионов отправил наблюдать за Клавдией.

Господи, как это вышло, что он ей сегодня позвонил?!

Может, и впрямь беспокоился? Или просто у него было пять минут, и он решил выяснить, как там его подопечная? Андрюха же никогда и ничего не делает наполовину...

— Девушки, до свидания, — проговорила Клавдия в приоткрытую дверь материальной комнаты, где заместительница Наталья Васильевна что-то горячо обсуждала с бухгалтершей и двумя провизоршами.

— До завтра, Клава, — откликнулась Наталья Васильевна.

На высоком крылечке под крышей Клавдия вновь вступила в сражение с зонтом и вышла из него победительницей. Зонт открылся сразу же и в нужном направлении.

Тяжело в ученье, легко в бою, подумала Клавдия про зонт и стала спускаться, стараясь не зацепить спицами за стену.

— Клава! — закричали из аптеки, и в жидком свете, падавшем из окна на тротуар, Клавдия увидела Наталью Васильевну. — Клава, подожди минутку!

Дима Мамаев в своей «девятке» наклонился к рулю, пытаясь сквозь мутную пленку дождя рассмотреть, что происходит на аптечном крыльце. Потом быстро опустил стекло и краем глаза отметил, что соглядатай на своих «Жигулях» стоит гораздо ближе и видит все значительно лучше его, Димы.

— Что такое, Наталья Васильевна? — спросила Клавдия, страшась, что сейчас ее оставят доделывать за кого-нибудь срочную работу.

— Клава, ты же мимо «Сокола» едешь, правильно?

— Да, — подтвердила Клавдия.

— Завтра с утра зайдешь в налоговую, оставишь там наши бумаги, ладно? Варвару Алексеевну я предупрежу, что ты попозже приедешь. Только паспорт захвати, там паспорт спрашивают... Пойдем, я тебе все отдам. Надо же, весь день помнила, что тебя нужно в налоговую отправить, а вот чуть не забыла... Хорошо, что ты далеко не ушла.

Лучше бы ушла, мрачно решила Клавдия.

«Зайти в налоговую» — это удовольствие на полдня. Там очередь, как в былые времена перед американским посольством. А налоговые барышни еле шевелятся. Им-то спешить некуда, от них несчастные страдальцы, вынужденные платить налоги, никуда не денутся. Как будто не денежки им подносят на блюдечке с голубой каемочкой, а дохлых лягушек.

Но не спорить же с заместительницей!

Конечно, Клавдия возьмет бумаги, и много часов промается в очереди, и вынесет все налоговое хамство, и будет униженно благодарить, если барышня, принимающая бумажки, не швырнет их ей в физиономию по причине отсутствия запятой, которую необходимо поставить той же ручкой. Если ручка другая — расстрел и конфискация имущества, десять лет без права переписки, каторжные работы и электрический стул.

Улыбаясь, как побитая собака, пытающаяся сохранить остатки своей собачьей гордости — мне, мол, все нипочем, можете побить еще раз, — Клавдия поплелась за Натальей Васильевной обратно в аптеку и долго выслушивала инструкции, что именно и в какое именно окошко следует совать и как именно следует ублажать налоговую барышню, занимавшуюся делами их аптеки.

Ну и ладно. Ничего. Подумаешь, заеду в налоговую, первый раз, что ли...

В конце концов, у нее сегодня необыкновенный вечер. Сегодня с полным правом она будет звонить Андрею Ларионову и разговаривать с ним. И он будет ее слушать не потому, что она подруга его сестры, а потому, что он сам просил ее позвонить. Потому что он за нее беспокоится.

Неизвестный Дима, которому Андрей поручил наблюдать за ней, где-то совсем близко, и можно не волноваться, что у нее опять отнимут сумку или убьют на страшном безлюдном пустыре около дома.

Сегодня — не убьют. Сегодня она всесильна, потому что днем Андрей позвонил ей, и кто-то свой сейчас где-то близко, хоть Клавдия его и не видит.

Дима Мамаев увидел, как она свернула в сторону метро «Маяковская», и проводил глазами «Жигули», выехавшие на улицу Чехова.

Странно. Почему соглядатай не поехал за ней на метро?

Уверен, что по дороге она никуда не зайдет, не заедет, не отправится ночевать к родителям или к подруге? Сколько же времени за ней ходят, если успели так хорошо изучить ее привычки? И почему так уверены, что эти привычки неизменны?

Дима включил зажигание.

Адрес рыженькой аптекарши майор Ларионов написал ему на липкой бумажке еще утром, и Дима прилепил эту бумажку себе в блокнот. Он был уверен, что доберется до ее дома раньше, чем она сама.

Дима работал в уголовном розыске совсем недавно и многого еще не знал, но, когда у замызганного подъезда неказистой «хрущевки» припарковались знакомые «Жигули», которые Дима за день рассмотрел во всех подробностях, холодок пробежал у него по спине.

Соглядатай прибыл минуты на четыре позже Димы и привычно втиснул машину в длинный унылый ряд таких же машин, теснившихся за неопрятной помойкой.

Выходит, майор Ларионов и в этом был прав. За аптекаршей кто-то следил, причем почти открыто.

Во дела...

Дима дождался ее — она появилась со стороны автобусной остановки,— выбрался из машины и с деловым видом зашел в ее подъезд. Поднялся на пятый — последний — этаж и стал неторопливо спускаться. На площадке четвертого этажа он замедлил шаг, прислушиваясь.

Она поднималась на свой этаж. Звякнули ключи, щелкнул замок. Дверь громыхнула, закрываясь.

Дима сбежал вниз и выскочил из подъезда под проливной дождь. На случай, если соглядатай его засек, он еще сунулся в ветхую телефонную будку, приткнувшуюся к одноэтажному зданьицу не то прачечной, не то химчистки. Как будто он, Дима Мамаев, приехал к приятелю, не застал его дома и очень удивлен этим обстоятельством. Телефон, конечно, не работал, и Дима вернулся в машину.

Все правила конспирации были соблюдены. Дима был очень горд собой.

Он посмотрел на окна третьего этажа, где за оранжевыми шторами горел свет. Она дома и вряд ли сегодня куда-то отправится.

Дима включил зажигание и поехал на Петровку.

— Все люди по домам сидят, чай пьют, — пробормотала Оля Дружинина, — а мы к восьми только на работу подтягиваемся.

— Не ной, Ольгунь, — велел Андрей. — Я тебя подвезу.

— В Бирюлево? — спросила Ольга язвительно. — Или, как водится, до метро? Если до метро, то покорно благодарим, нам пешком быстрее.

— Я подвезу, и прямо до Бирюлева, — вызвался забредший на огонек капитан Сорокин Алексей Васильевич. — Мне как раз в ту сторону.

Несмотря на то, что капитан Сорокин Алексей Васильевич был ненамного старше всех остальных, в отделе его называли исключительно по имени-отчеству.

Почему так получается, что один до пятидесяти годов все Леха или Гоша, а другой в тридцать уже Алексей Васильевич? Вот вопрос...

— Оль, давай! — сказал Андрей, вытягивая ноги и пристраивая на живот кружку с кофе. — Раньше сядем, раньше выйдем. Начинай.

— Нашла я твоего свидетеля, Андрюшенька, — сказала Ольга с легким торжеством в хрипатом от постоянного курения голосе. — Называется он Евгений Васильевич Бойко и посещает в Хохловском переулке кралю по имени Лилия Борисовна Моисеева. Означенная Лилия Борисовна работает менеджером в туристической фирме «Атолл», хотя мне кажется, что туризм вовсе не самое главное в ее жизни.

— А что самое главное?

Андрей любил своих коллег и был уверен, что других таких ребят во всем управлении не сыщешь.

Оля Дружинина, которая вечно ныла, сердилась и всячески демонстрировала окружающим свою лень и никчемность, была хваткой и наблюдательной, как бультерьер. О ее интуиции можно было слагать баллады, а разговаривать она умела, как мать Тереза на воскресной проповеди. Люди, как правило, выкладывали ей все, что знали.

Ольга сделала выразительный жест.

— Что? — спросил Андрей. — Содержанка?

— И, по-моему, профессиональная, — подтвердила Ольга. — Евгением Васильевичем Бойко довольна не слишком — прижимист, скуповат и вообще... так себе.

Она закатила глаза, и капитан Сорокин засмеялся.

— Тебе на язычок только попадись, Ольга, — сказал он. — Моментально комплекс неполноценности поимеешь.

— Это точно, — подтвердила Ольга с удовольстви ем. — Поимеешь.

— Как ты ее нашла? — спросил Андрей. Кофе приятно грел живот сквозь толстый свитер, и рука ныла уже не так сильно.

— Мне просто повезло на этот раз, — отмахнулась Ольга.— Во втором же доме, где я показала фоторобот, мне бабулька-вахтерша сразу сказала, что такой ходит в восемнадцатую квартиру. Попутно я узнала еще, что в пятнадцатой живут фальшивомонетчики, в восьмой тайно продают наркотики, а в шестнадцатой — склад оружия для чеченских боевиков.

— Понятно, — сказал Андрей. — Про Евгения Васильевича Бойко сведения такие же достоверные?

— Почти, — ответила Ольга, слегка обидевшись. — К Моисеевой он приехал первого сентября довольно поздно... Точно она не помнит, но что-то около половины первого.

— Как раз в искомый час икс, — пробормотал Андрей, закрывая глаза.

— Как раз, — согласилась Ольга. — Они поели-попили, как полагается влюбленным после долгой разлуки...

— Почему долгой? — спросил Андрей. — Он давно к ней не наведывался?

— Давно, — подтвердила Ольга. — В последний раз был третьего августа или четвертого, краля Лилечка точно не помнит. Потом он в отпуск улетел, а через две недели она. В общем, Ванька дома, Маньки нет, и так далее. Ночью ни он, ни она из подъезда не выходили. У подъездной бабульки бессонница, она до трех телевизор смотрит у себя в каморке, а после трех носки вяжет. Пройти мимо нее незаметно невозможно — каморка стеклянная, дверь с лестничной площадки прямо у нее перед носом, а лифт шумит, как немецкая канонада под Москвой. Рано утром, часов около шести, Бойко из квартиры Моисеевой вышел. Он всегда уходит очень рано потому, что боится супругу, по слухам, даму строгую, но справедливую. Официальная версия его ночного отсутствия была такая — он уехал в однодневную командировку в Питер и должен был вернуться домой рано утром. Ну, чтобы побриться перед работой, душ принять и так далее...

— Он был побритый, — сказал Андрей, не открывая глаз.

— Что? — переспросила Ольга с изумлением.

— Пенсионер Белов, который первым обнаружил труп, сказал, что тот тип был свежевыбритый. У него щеки синие были, как у каждого только что побрившегося брюнета. Помнишь?

— Да, Ларионов, — сказала Ольга вместо ответа, — наверное, если бы ты был женой Евгения Васильевича Бойко, обмануть тебя было бы невозможно.

— Это точно, — согласился Андрей, и в этот момент в кабинет ввалился Игорь Полевой.

— Совещаетесь? — спросил он, сдирая с плеч мокрую куртку. — Ну-ну...

— Присоединяйся! — пригласил Андрей, делая хлебосольный жест здоровенной ручищей. — Тебя-то нам и не хватало...

Почему не звонит Дима Мамаев?

По идее, Клавдия давно должна быть дома, а Дима, соответственно, в ларионовском кабинете на Петровке. А он даже не звонит.

Что-то случилось?

— Я нашла Женю с татуировкой, — сообщила Ольга, пока Игорь, отряхиваясь, как собака, попавшая под дождь, ставил чайник и шарил на подоконнике в поисках своей кружки.

— Да ну? — спросил Игорь. — Никто не видел моей кружки, братва? Или опять из нее кто-нибудь пил и забыл в сортире?

194

— Не в сортире, — сказала Ольга. — Из нее Потапов пил и, наверное, к себе унес. По забывчивости.

— Чтоб вы сдохли, — сказал Игорь и ушел за кружкой.

— Лилия Борисовна утверждает, что после того, как он от нее ушел, она улеглась досыпать. Работать она начинает в десять и, по-моему, не особенно озабочена тем, чтобы приходить вовремя. Через пятнадцать, или что-то около того, минут он вернулся. Бледный и трясущийся. Сказал, что в сквере труп и он его видел. Моисеева выразила желание немедленно побежать и посмотреть своими глазами, но Бойко остановил ее. Она утверждает, что он был очень испуган, метался по квартире, потом надолго заперся в туалете, потом стал куда-то звонить, но все не мог дозвониться. В конце концов ей это надоело, и она его выставила, сказав, что должна собираться на работу. Кому именно он звонил, она не знает. Несколько раз звонил своей секретарше, имен никаких не назвал, просил срочно соединить его с шефом. Но время было слишком раннее, и секретарша ни с кем его соединить не могла. Он выходил из себя. Лилечка сказала, что «просто бесился»

— Какой нежный, — сказал Игорь Полевой. Он стоял, привалившись к косяку, и прихлебывал из вновь обретенной кружки жидкий чаек. Кофе кончился, а идти клянчить было уже просто неприлично.

Ольга искоса на него взглянула.

— Нежный Евгений Васильевич Бойко — генеральный директор конторы «Интер трейдинг», которая занимается, насколько я успела разобраться, мелкими биржевыми спекуляциями. Вчера вечером он укатил в командировку в Калининград, а оттуда в Литву. Вернется не скоро.

— Сбежал?! — ахнул Полевой.

— Йес, — на иностранный манер подтвердила Ольга. — У меня все. Ваша очередь, соколики.

— Пойду я, пожалуй, — сказал капитан Сорокин. — А то еще и меня пахать заставите.

— Как, а меня везти? — жалобно вскрикнула Ольга. — Аж до самого Бирюлева?..

— Да я не домой, — успокаивающе сказал Сорокин. — Я в свою кабинету. Освободишься, свистни.

— У меня какая-то каша, — сказал Андрей, проводив Сорокина глазами. Кружка на животе совсем остыла, и руки стали потихоньку подмерзать. Живем, как в блокаду. Ни тепла, ни света. Кофе и тот кончился.

— Какая каша? — спросил Игорь.

— Овсяная. Ирина Мерцалова с сильнейшим нервным припадком лежит в своей спальне, и разговаривать с ней нельзя. По крайней мере пока. — Андрей поморщился, вновь ощущая запах лекарств, беды и ненависть, которой его обдавали старшие Мерцаловы. — Во время убийства родители потерпевшего были в театре. Брат, Петр Мерцалов, дома. Это пока никак не подтверждается.

— Ты проверял?

— А как же! У него тоже в подъезде домофон и вахтерша. Во сколько он приехал, она не помнит, но было еще светло. Был ли он дома весь вечер, точно она сказать не может, потому что несколько раз отлучалась к своей подруге дворничихе, а потом приехал ее муж, который дежурит ночью, и она ушла домой. Муж, конечно, всю ночь мирно прохрапел, и кто там входил и выходил, не знает. Отношения с Сергеем у Петра были не слишком братские. Петр утверждает, что Сергей не врач, а джигит, и что в один прекрасный момент все его успехи обернулись бы против него — он рвался вперед, не разбирая дороги и не утруждаясь тщательными проверками своих методов. По-моему, он ревнует и завидует, но есть там и еще что-то, я пока толком не понял, что именно... — Андрей машинально потер руку. — По словам отца и брата, Ирина в ту ночь им не звонила, хотя с моей точки зрения, это совершенно естественная

вещь. Кому должна звонить женщина, у которой муж
ушел среди ночи с собакой и не вернулся? Родным в
первую очередь... С ее матерью я не разговаривал, она к
Ирине так и не приехала, у нее в данный момент дети.
Разговаривал с ее отцом. У них нет телефона, поэтому
они узнали все утром, когда мать позвонила Ирине,
чтобы уточнить, кто заберет на вечер детей — она или
свекровь, они давно условились, потому что Сергей с
Ириной собирались в ресторан. Раз в неделю они обязательно куда-нибудь выходили. С матерью Ирины разговаривала домработница Дьякова. Матери стало плохо,
пришлось даже «Скорую» вызывать. Мать и отец Ирины Мерцаловой первого сентября ночевали у старшей
дочери, в Сокольниках. Дочь разведена, у нее восьми-
летний сын, и бабушка с дедушкой у них иногда ночуют. Вернулись домой утром, позвонили Ирине, и домработница им все сообщила... С матерью Мерцалова я
так и не поговорил, она уехала к себе на работу, и мне,
наверное, придется завтра с ней встречаться. И еще там
какая-то путаница с телефоном....

— Какая путаница? — спросила Ольга.

Она слушала очень внимательно. Андрею казалось,
что он видит, как заострились и напряженно вздрагива-
ют ее маленькие хорошенькие ушки.

— Такая, что они почему-то врут про телефон, и я
так и не понял — зачем. — Андрей поднял себя из кресла и подошел к окну. — Смотрите, ребята: Мерцалов-
отец сказал мне, что Ирина, возможно, им и звонила,
но у них был выключен телефон. Они его выключают на
ночь — пациенты, родственники и все такое. Они тоже
узнали обо всем только днем второго сентября и тоже от
домработницы. Петр Мерцалов мне сказал, что и у него,
и у родителей — автоответчики, и как раз по этой же
причине — пациенты, родственники и все такое. Ни
они, ни он телефон никогда не выключают, потому что
им могут звонить срочные больные. Выходит, Мерца-

лов-отец с ходу мне наврал. Зачем? Зачем врать про то, что телефон был выключен? Звонила Ирина или нет? Имеет это значение или нет? Да и в конце концов все это прояснить не так уж сложно, спросить ее, и она ответит...

— Она вполне может не вспомнить, если, как ты говоришь, у нее нервное расстройство, — произнесла Ольга задумчиво. — Да. Неясно. Глупость какая-то.

— Мать настроена очень враждебно, — продолжал Андрей. — Я бы сказал, ненатурально враждебно. Я не понял — или она очень сильный и гордый человек, или она почему-то совершенно равнодушна к покойному сыну. Младший брат, наоборот, взвинчен до такой степени, что из глаз у него искры летели, а из попы дым валил. Все-то мне рассказывал, какой бесславный конец ожидал карьеру Сергея, как не прав он был во всех профессиональных вопросах, а живет он, между прочим, в квартире, который ему Сергей купил.

— Как купил? — поразился Игорь. — Просто так?

— Подарил, — усмехнулся Андрей. — Взял и подарил младшему брательнику квартирку, когда брательник окончил институт. Вы слыхали что-нибудь подобное, сыщики?

— Сыщики ничего подобного не слыхали, — сказала Ольга. — Ну? И дальше что?

— Петр рассказал, что ближе всех Сергей общался со своим замом, Гольдиным Александром Дмитриевичем. Никаких пациентов, которые остались бы недовольны Сергеем, или родственников пациентов, которые умерли у него на столе, они не знают. И отец, и брат утверждают, что в дела Сергея не вмешивались. Такое впечатление, что они их не одобряли. Отец сказал, что про слежку он ничего не знал, а Петр сказал, что про это все знали, но никто не верил, потому что Мерцалова часто посещали самые разнообразные фантазии. Над ним все очень смеялись. По-моему, они все дружно за что-то крепко не любят его жену. Петр изрек что-то в том смысле, что она очень рано увела его из семьи. Сергей с Ириной вынуждены были даже переехать в общежитие потому, что младший брат изводил их до невозможности. Врагов, по словам и отца, и брата, у него была тьма, но никаких имен и фамилий они не знают. Зато Петр мне три раза сказал, что его отец дружен с министром внутренних дел, так что я смело могу отваливать со всеми своими вопросами...

Игорь присвистнул.

— Повезло нам.

— Это точно, — согласился Андрей. — И последнее. Тоже из разговора с Петром. Какие-то бандиты просили Сергея положить кого-то в институт. Типа спрятать. Сергей рассказывал об этом брату примерно с месяц назад. Что было дальше — неизвестно. Петр утверждает, что не знает, зато, наверное, знает Гольдин. Гольдин знает, Игорек?

— Знает, — кивнул Игорь.

Он перестал подпирать стену, выдвинул из-за желтого канцелярского стола хлипкий фанерный стул и уселся на него верхом. Все знали, что означают такие перемещения — Игорь Полевой готовится поразить коллег до глубины души.

Где же все-таки Димка?

— В Институте кардиологии траур. — Игорь любил начать издалека. — Женщины рыдают, мужчины держатся из последних сил. Секретарша Мерцалова Марина Викторовна Воробьева рассказала мне, что ее начальник был гений, каких поискать, что он далеко пошел, и пошел бы еще дальше, если бы не эта нелепая смерть. По словам секретарши, он был идеальный начальник, идеальный хирург, идеальный муж и идеальный отец. Жене звонил по три раза на день и очень не любил, когда она почему-то не могла с ним переговорить. Точно так же контролировал детей. Воробьева сказала, что он даже присутствовал при родах, хотя девять лет назад, когда родился его первый сын, это было еще не принято. В тот день он сделал две операции, съездил в Министерство здравоохранения, провел совещание, побеседовал с Гольдиным наедине и уехал домой.

Черт возьми, думал Андрей, слушая Игоря, ну почему это перестало быть работой? Чего бы он только не дал сейчас, чтобы относиться к этому делу так же, как к сотне предыдущих — отстраненно, холодно и очень внимательно?

Почему он слушает Игоря и представляет себе, как Сергей Мерцалов звонил домой, как его сыновья наперегонки бросались к телефону, как он смешно и необидно ревновал жену, как рассеянно трепал за ушами свою собачищу, думая о другом...

— Секретарше он поручил позвонить в туристическое агентство и подыскать ему на две недели какое-нибудь теплое море. Гольдин подтвердил, что Мерцалов внезапно собрался в отпуск, но, по его словам, это никак не было связано с тем, что он нервничал из-за слежки, а скорее с тем, что начались дожди, а осень Сергей не выносил. Вообще он часто делал что-нибудь такое, чего от него никто не ждал. Секретарша сказала, что, вернувшись из министерства, он вызвал к себе зама, и они проговорили минут сорок. Как только я вышел из мерцаловской приемной, — Игорь изменил тон, и стало ясно, что начинается самое главное, — как меня атаковало неземное создание. Девица Элеонора Коврова. Двадцать четыре года, старший бухгалтер. Утверждает, что у нее с Мерцаловым уже три года любовная связь и имеется мерцаловский же сын под названием Эдик.

— Что? — переспросил Андрей.

— Из Министерства здравоохранения Мерцалов позвонил ей и поехал прямиком к ней, девице Элеоноре

Ковровой, провел у нее полчаса, поиграл с ребеночком и вернулся в институт.

— Ты ничего, часом, не перепутал? — спросил Андрей осторожно. — Или девица Элеонора Коврова?

— Вот тут начинается самое интересное, — сказал Игорь медленно, чтобы ребята в полной мере осознали важность момента. — Едва увидав в дверях Элеонору, секретарша Мерцалова затряслась мелкой дрожью и сказала мне, чтобы я не верил гнусным слухам. Я тогда еще никаких подробностей не знал и не понял, к чему относится ее предупреждение. Гольдин, когда я спросил у него о Ковровой, чуть не дал мне в ухо. Честное слово. Еле удержался. Сказал, что ненавидит лживых и подлых сук. Водитель, который меня вез, рассказал, что о связи генерального с бухгалтершей все в институте знали, что он к ней то и дело таскался и именно поэтому не брал водителя, а ездил за рулем сам, что у бухгалтерши подрастает от него ребеночек, и диспетчерши даже ходили на бульвар, где он гуляет с бабушкой, на него смотреть и установили, что это вылитый Мерцалов. Конец истории.

— Ничего себе, — сказал Андрей, и вправду совершенно потрясенный. — Ничего себе...

Все это настолько не вписывалось в уже сложившийся у него в мозгу образ Сергея Мерцалова, что даже под ложечкой засосало.

Пора, пора на склад переводиться, майор.

Или это все оттого, что в тот трижды проклятый миг *это* перестало быть работой?

Почему его схема оказалась никуда не годной? Он знал не так уж мало. Андрей почти целый день провел в его доме, среди его родственников, вещей, стен, которые окружали его последние несколько лет.

Элеоноре Ковровой, какой бы она ни была, не было места в этой схеме. Не было и не могло быть.

Твою мать...

— А с виду — просто идеальная пара... — пробормотала Ольга, расстроенная скорее по-женски, чем по-сыщицки. Она очень сочувствовала Ирине Мерцаловой. Оказывается, она должна была пережить не только смерть мужа, но и целые годы унижения и притворства. Хотя, говорят, у многих это получается неплохо... — Надо же... Какие вы все мужики... однообразные...

— Познакомились они четыре года назад на Крите, — покосившись на Андрея, продолжал Игорь. — Элеонора там отдыхала с родителями. Она еще в институте училась, и он сразу предложил ей работу. Сказал, что они с Гольдиным совершенно не владеют бухгалтерией. Это он как бы предлог такой придумал. По ее словам, год она прожила, как в раю. Потом родился ребенок, и все усложнилось. Мерцалов обещал ей, что женится на ней, когда вырастут другие его дети, то есть лет через десять.

— Через сколько-о? — протянул Андрей.

— Через десять лет. — Игорь усмехнулся. — Он, видите ли, был человеком слова, и она готова была ждать сколько угодно. Жене, по словам любовницы, он был просто несказанно благодарен за то, что она разделила с ним самые сложные годы жизни, а любить не любил.

— Именно из чувства благодарности он ей по три раза на день и звонил, — сказал Андрей. — Очень похоже.

— Родители Элеоноры роман с женатым начальником никак не одобряли, особенно отец, который утверждал, что Мерцалов развратник. В данный момент родители, по словам Ковровой, отдыхают у бабушки в Кисловодске, откуда родом отец. Он приехал оттуда в Москву около тридцати лет назад, первая жена у него умерла. Но все это нужно проверять...

— О чем Мерцалов разговаривал с Гольдиным, когда вернулся как бы из министерства, а на самом деле от Ковровой? — спросил Андрей.

— О работе. О том, что Гольдин останется на хозяйстве, когда Мерцалов уедет в отпуск. О завтрашней операции. Гольдин должен был делать в ЦКБ аортокоронарное шунтирование Евгению Говорову. — Так звали знаменитого артиста, игравшего у Никиты Михалкова аристократов или, на худой конец, героев-любовников.

«Надо же, — удивился про себя Андрей, — ему шунтирование должны были делать, а он все туда же — красавиц соблазнять. Фабрика грез».

— Сразу после разговора с Мерцаловым Гольдин уехал, — продолжал Игорь. — Уехал в ЦКБ, что-то там ему нужно было выяснить относительно Говорова. И вообще у них была такая практика — перед операцией они непременно навещали больного, разговаривали за жизнь и так далее... Домой он приехал к восьми часам и больше никуда не отлучался.

— Кто теперь будет руководить институтом? — спросил Андрей.

— Пока что Гольдин и. о., — ответил Игорь. — Потом из министерства придет приказ — или начальником останется Гольдин, или кого-нибудь пришлют со стороны. Гольдин тоже доктор наук, но не профессор. Секретарша Мерцалова считает, что замы мерцаловскую должность не потянут и теперь все рухнет.

— Интересно, — пробормотал Андрей, — ужасно интересно... Когда он узнал о смерти шефа?

— Часов в пять утра ему позвонила Ирина Мерцалова. Она была в ужасном состоянии, он даже не сразу узнал ее голос. Сказала, что Сережа ушел с собакой и не вернулся. Гольдин перепугался и сказал, что он сейчас же приедет. Она попросила его к ней не приезжать, потому что толку от его приезда все равно никакого не было бы, а объехать больницы, которые есть в том районе, что Гольдин и сделал. Ездил он вместе с женой, результата это никакого не принесло. Гольдин в медицинских кругах тоже человек не маленький, поэтому во все морги его пускали, и пока он их обошел, Мерцалова уже нашли. Они приехали к Мерцаловым около девяти, и он сразу же уехал домой — ни бабушки, ни домработницы у них нет, и они оба очень волновались за детей, которые сидели одни в квартире, а его жена осталась с Ириной и делала какие-то успокоительные уколы домработнице, которая была в истерике.

— Я ее видела, эту женщину, — подала голос Ольга, — когда первый раз зашла. Но когда Ларионов прибыл, она уже уехала.

— Да, — сказал Андрей. — Я ее не видел.

— Она поехала сменить мужа, ему срочно нужно было в ЦКБ, а потом тоже к Ирине. Операцию Говорова он отменил. В институте обо всем узнали от Гольдина.

— А что с теми бандитами, которые просили кого-то там положить?

— Гольдин утверждает, что человека, который приходил к Мерцалову, он не видел, но Мерцалов, после того как он ушел, прибежал к Гольдину в кабинет, стал кричать, что он не потерпит, чтобы его подставляли, и рассказал, что ему предложили десять тысяч долларов за то, что он положит к себе одного человека, кого именно, в разговоре не упоминалось, и состряпает ему подходящую историю болезни, чтобы этот человек с такой историей болезни мог выехать за границу, якобы на операцию. Еще ему предложили, чтобы он написал письмо какой-то голландской кардиологической знаменитости, — Игорь заглянул в блокнот. — Маркусу ван Вейдену, чтобы тот его принял. С этим ван Вейденом Мерцалов был хорошо знаком. Это было... третьего августа. Точно Гольдин вспомнить не может, но вроде бы слежку Мерцалов заметил за собой тоже приблизительно в это время. Может, чуть позже...

— А чуть раньше может? — спросил Андрей.

— Вроде позже, — сказал Игорь и добавил, подумав: — Они даже вдвоем с Гольдиным собирались соглядатаям морду набить. Чтоб не маячили перед глазами. Но так и не собрались.

— А почему он отказался,? — спросил Андрей. — Гольдину он это как объяснил?

— Гольдин сказал, что Сергей был человеком, предельно осторожным в бизнесе. Конечно, он пер напролом и все брал штурмом, но в ежедневных делах осторожничал. То ли боялся все потерять в одночасье, то ли еще что-то... Кроме того, как сказал Гольдин, он очень уважительно относился к медицине и был твердо уверен, что репутацию свою нужно беречь. Потеряешь репутацию, потеряешь денежных пациентов, будешь всю жизнь бандитов обслуживать...

— Я так думаю, что это наш Евгений Васильевич Бойко к нему приходил, — подала голос Ольга. — А, Андрюш? Похоже?

— Очень, — согласился Андрей со вздохом. — Скорее всего так.

— Выясни, Ольгунь, чем был третьего августа занят наш Евгений Васильевич. И лицо его в институте нужно предъявить. Той же секретарше. И кроме секретарши, наверняка его кто-то видел. Кто пропуск выписывал, например... — Андрей потер уставшую шею. — Петр Мерцалов сказал мне, что медицину Сергей в грош не ставил, просто делал на ней деньги, и все. А лучший друг Гольдин сказал, что Сергей медицину очень уважал и за репутацию свою боялся...

Они помолчали, каждый по-своему переваривая и усваивая информацию.

— Игорь, выясни все про семью этой Элеоноры. И самое главное, где был папаша, считавший, что Мерцалов развратил его маленькую невинную девочку. И что там стряслось с его первой женой. И с кем был Мерцалов на Крите четыре года назад. С женой и детьми? И был ли вообще...

— Конечно, — согласился Игорь. — Конечно.

— А я что-нибудь попробую прояснить с этими телефонами. Почему Мерцалов-отец мне наврал, что у него телефон не работал? И почему мать не стала со мной разговаривать? На убитую горем она похожа совсем не была... Ну, и с Ириной попробую поговорить. Оля, а ты еще поговори с женой Гольдина, может, она что-нибудь скажет про Элеонору. И еще я думаю...

О чем именно думал в этот момент майор Ларионов, Игорю и Ольге так и не удалось узнать.

Дверь распахнулась, и в нее влетел Димка, тараща черные квадратные глазищи.

— Вы что? Уже посовещались, да? — спросил он быстро. — Там пробка ужасная, на Тверской. Мэр, что ли, едет...

— Куда едет? — спросила Ольга ласково. Ей нравилось подкалывать Димку. — Он тебе не сообщил?

Дима посмотрел на нее и попытался принять более респектабельный и равнодушный вид.

Он спешил, метался из ряда в ряд, даже на встречную полосу выезжал, он очень боялся, что они его... обойдут. Он приехал, и выяснилось, что они на самом деле обошли. Он им совсем не нужен.

Да что же за жизнь такая?!

— Димыч, не переживай! — сказал вдруг майор Ларионов. — Мы тебе сейчас все изложим.

— Можно я? — попросила Ольга и, как в школе, подняла руку. — Димочка, отвези меня домой вместо противного Сорокина. Я тебе по дороге все-все расскажу. И может быть, даже что-нибудь покажу...

— Ольга, отстань от него, — приказал Андрей. — Ну что там, Дима?

— Все, как вы сказали, — четко отрапортовал Димка. — И у аптеки весь день караулили, и у дома. Номер машины я записал, приметы соглядатая тоже.

Андрей Ларионов посмотрел на Диму долгим и непонятным взглядом, потом повернулся спиной, прошагал к окну и выругался столь замысловато и длинно, что никто даже не посмел улыбнуться.

МИФ ОБ ИДЕАЛЬНОМ МУЖЧИНЕ

На ужин все-таки пришлось есть капусту. В последнее время Клавдия экономила изо всех сил.

Во-первых, надвигался день рождения Елены Васильевны Ларионовой, а к этому дню Клавдия непременно покупала какой-нибудь *настоящий* подарок, а не просто тортик или шампунь. Во-вторых, ей угрожала покупка зимней куртки. Клавдия надеялась, что еще сезон протянет и старая, но, вытащив ее из гардероба в середине лета, чтобы просушить на солнышке, Клавдия пришла в полное уныние. Пока внутри ее помещалась сама Клавдия, куртка выглядела как некое подобие человеческой одежды, а на вешалке смотрелась просто кучей старого выцветшего тряпья.

Господи, где взять денег, чтобы хватало на все, хотя бы понемножку?! Но когда ты одна на свете, и помощи ждать неоткуда, и никто никогда, даже при самых крайних обстоятельствах, не заплатит вместо тебя за квартиру, телефон, свет, проездной на метро и мешок картошки на зиму — поневоле придется налегать на капусту.

Конечно, Клавдия шила, и очень даже неплохо. В детдоме всех девочек учили шить. Но ведь ботинки, джинсы, колготки и лифчики не очень-то и пошьешь.

Куртку тоже, конечно, можно сшить, но тут надо хорошенько прикинуть, что дешевле выйдет — готовая куртка на рынке или ткань, подкладка, «молния», ватин или чем еще их утепляют, купленные по отдельности...

Ну и ладно, пусть будет капуста, зато фигура у нее, как у шестнадцатилетней девочки. Ничего лишнего.

Интересно, хорошо это или плохо?

Нет, стройность и изящество — это прекрасно, а острые углы, например? У Клавдии полно острых углов. Ей даже в бане однажды сказали: «Девушка, что это у вас с позвоночником?! Кости-то как торчат!» Что делать с костями, которые торчат? Куда их спрятать и как?

Клавдия уныло жевала капусту и косилась на телефон.

Конечно, она уже позвонила. Она сразу же позвонила, как только вошла в квартиру. Андрея дома не было.

— Он так рано никогда не приезжает! — сообщила ей Танька, которая перезвонила ровно через пять минут после того, как она положила трубку, и первым делом спросила, пообщалась ли уже Клавдия с Ларионовым. — Ты ему после девяти звони. Ну, и я со своей стороны, как водится, тоже сделаю все, чтобы оказать помощь и поддержку братским народам, оказавшимся перед лицом...

— Танька, прекрати! — Клавдия хохотала и не могла остановиться. — Что ты разоряешься?

— Я не разоряюсь, а выражаю готовность помочь, — пояснила Таня. — Ну что, сумку сегодня не выхватывали?

— Сегодня нет, — похвалилась Клавдия. — Сегодня не выхватывали.

— Странно, — сказала Танька. — На самом деле я думаю, что центр всех криминальных разборок переместился на третий этаж твоей «хрущевки». Ты смотрела фильм с Аленом Делоном «Троих надо убрать»?

— Танька, отстань от меня! — возмутилась Клавдия. — Что ты пристала?! Я и так весь день в окно выглядывала вместо того, чтобы работать, а завтра мне еще в налоговую пилить. Представляешь, радость какая?

— Представляю, — сказала Таня. — Уж это всем радостям радость. Скажи мне, Ковалева, как на духу, страх тебя обуревает?

Несмотря на то, что Танька кривлялась и разговаривала в обычной для себя манере, Клавдия расслышала в ее голосе беспокойство.

— Почему ты решила, что я боюсь? Вчера ты меня сама убеждала, что это какая-то глупая ошибка...

— А сумка? — спросила Таня. — Я тут подумала на досуге и решила, что сумку они у тебя неспроста утащили.

— Почему ты думаешь, что это они? — не сдавалась Клавдия. — Может, просто мальчишки баловались?

— Ну да, а потом благородный **Робин Гуд** подбросил ее на площадку вместе со всем содержимым. Нет, Клавка, тут что-то сложнее.

Договорившись созвониться после разговора с Ларионовым, они попрощались на время, и Клавдия принялась за свою капусту.

Как раз сегодня вечером она ничего не боялась. Она и о соглядатаях-то не думала. Она думала только о том, как через полчаса позвонит Андрею и будет с ним разговаривать. Может, даже не одну минуту, а целых... две. Или три. И он даже не скажет ей, что очень хочет спать, поэтому, если тебе нужна Таня, позвони завтра, часа в четыре. Так он всегда ей говорил.

Она доела капусту и улеглась на диван, прикрывшись пледом, переделанным из старой пальтушки. Этот так называемый плед был коротковат и ворсист, зато получился изумительной красоты. Клавдия им очень гордилась.

Сеня показывал новости, и они были ужасны.

На юге стреляли, на севере замерзали, на западе сидели без горючего, а на востоке еще и без электричества. В Думе препирались, в Кремле меняли фаворитов, в правительстве ждали очередной отставки, и — что самое печальное — это не имело ровным счетом никакого отношения к жизни.

Ни в Думе — господи, какой идиот придумал назвать так эту стаю пробивных, нахальных, зубастых, вечно голодных волков? — ни в правительстве, ни в Кремле никто и не подозревал о том, что где-то там далеко-далеко копошится какое-то месиво, называемое народом. Все они привычно спекулировали этим словом, но что оно означает, похоже, так никто и не смог определить, да им это было и не нужно. Зачем? Им и так хорошо. Вот грянут какие-нибудь выборы, тогда они все дружно начнут заливаться слезами умиления и любви к этому самому народу, и народ послушно посадит их на свой тощий костистый хребет и повезет дальше. А они оттуда будут время от времени трясти у него перед носом толстой кормовой морковью и нахлестывать по заднице кожаным арапником, сплетенным из худосочных пенсий, цен на бензин, налогов на убогие зарплаты...

И самое интересное, что совершенно неважно, кто именно будет сидеть на хребте, и дергать вожжи, и хлестать арапником. Вот это Клавдию особенно удивляло. Они могли называться как угодно — коммунисты, демократы, либералы, но по-настоящему их интересовали только собственные дела. Собственные карманы, дачи, кормушки, счета, дома и возможность вовремя смыться.

Наверное, свинство — это основа человеческой природы.

Нет, все-таки не человеческой, а начальничьей. Погонщицкой.

Зато после новостей, после того, как сытые, лоснящиеся косметикой барышни вдоволь нарассуждались о беженцах, бомбардировках и повышении цен, должен был начаться старый фильм. Клавдия обожала старые фильмы. Даже самые убогие. Даже очень глупые. Все равно они были жизнерадостными, веселыми и заканчивались непременно хорошо, а больше Клавдии с ее неразвитым художественным вкусом было ничего и не надо.

Она выбралась из-под своего пледа и налила себе большущую кружку кофе с молоком. В комнате сразу хорошо и уютно запахло, и кажется, даже потеплело.

Пора звонить Андрею или еще не пора? А может, он про нее давно забыл? Или очень устал, а она будет к нему приставать? А если его Дима не заметил никакой слежки и он будет смеяться над ней?

Зазвонил телефон, и Клавдия подпрыгнула на диване, плеснув горячим кофе себе на рубаху.

— Вот дура! — в сердцах обозвала она настырную Таньку и схватила трубку.

— Танька! — заорала она. — Я ему еще не звонила! Я же тебе сказала, что сама позвоню, как только поговорю! Что ты ко мне пристаешь?! Он еще, может, и разговаривать со мной не станет, откуда я знаю?!

— Станет, — сказал Ларионов. — Не ори.

Нет. Не может быть. Он не должен ей звонить, он не знает ее телефона. И вообще...

— Я только что приехал, — продолжал он в трубке как ни в чем не бывало. — Ты уже звонила, да?

— Звонила, — созналась Клавдия. — Я думала, это Танька. Мы с ней договорились, что я ей сразу же перезвоню, как только с тобой пообщаюсь.

— Я знаю, — сказал он. — Я только что с ней разговаривал. Она дала мне твой телефон.

— А-а, — протянула Клавдия, совершенно не зная, что нужно говорить дальше.

— Бэ-э, — сказал он необидно. — Ну что? Может, сознаешься сразу? Чистосердечное признание и добровольная помощь следствию облегчают вину.

— Ты о чем, Андрюш? — перепугалась Клавдия. — А?

— Может, все-таки у тебя есть бабушка — аргентинская принцесса? Или дедушка — алмазный король?

Сердце у Клавдии по-совиному ухнуло и провалилось в живот.

Вот оно. Все-таки он ей поверил. Значит, все правда и ей ничего не мерещится. Слежка есть.

Но она и без него знала, что за ней следят. Почему же сейчас это так ее перепугало? Просто ужасно перепугало. Так, что пришлось даже кружку с кофе поставить на шаткий столик, последний оплот красивой жизни в ее квартирке.

— Твой Дима видел их, да? — спросила она немного дрожащим голосом. — Видел?

— Его, — поправил Андрей. — Мой Дима видел его. Завтра с утра он подъедет к твоему дому, проводит тебя на работу и посмотрит на второго. Но весь день он водить тебя не сможет, так что ты вечером... того... будь поаккуратней.

Она даже не поняла, о чем он говорит. Поаккуратней? Зачем?

Самое главное, что он позвонил ей, позвонил сам, даже нашел ее телефон у Таньки.

Потом она заставит себя успокоиться. Скажет себе, что для него это не имеет никакого значения, просто она на время стала *его работой*. То есть тем, чему он всю жизнь уделял процентов девяносто пять своего времени и внимания. Конечно, он не стал бы ей звонить, если бы она неожиданно не стала *его работой*.

Но ведь сейчас, в эту самую секунду, она разговаривает с ним. Он ей позвонил.

— Клава, ты что, не слушаешь меня? — спросил он недовольно.

Не могла же она сказать ему, что она чуть не плачет от восторга только потому, что его низкий голос щекочет ей ухо.

Дура.

— Слушаю, — спохватилась она и покраснела. Хорошо, что он ее не видит.

Он вздохнул в трубке, длинно и шумно, как замученная работой лошадь.

— Я не могу сейчас к тебе приехать, — сказал он, и Клавдия чуть не упала с дивана. — Я приехал бы, но пока мы не выяснили подробностей — не могу. Я уверен, что они тебя пасут, и меня, следовательно, тоже засекут. Так что давай пока говорить по телефону, а завтра я что-нибудь придумаю.

Нужно было представить дело так, как будто за ней следят по ошибке. Скоро все выяснится, не нужно бояться.

Но майор Ларионов был уверен, что никакая это не ошибка.

Каким-то тайным, непостижимым образом они связаны между собой, Сергей Мерцалов и Клавдия Ковалева. Нужно очень быстро и не пугая ее выяснить, каким именно. От этого зависит очень многое.

Скорее всего — ее жизнь.

— Расскажи мне все сначала, — заторопился он, не разрешая мыслям сворачивать в глухую и опасную тьму. — Когда и как ты их засекла, где и сколько раз ты их видела, двое их или больше, в общем, все. Подробненько, не торопясь, времени на разговоры у нас с тобой уйма.

Клавдия послушно начала рассказывать, как он велел, и он слушал, и ухом Клавдия чувствовала его напряженное внимание, перетекавшее по проводам и трубке прямо к ней.

Он никогда ее *так* не слушал.

— Хорошо, — дослушав, сказал он. — Теперь давай про сумку. Точно так же подробно. Как шла, как упала, как соседка тебе в дверь позвонила....

— Подожди, — перебила Клавдия глупым голосом. — Откуда ты знаешь, что я упала?

— Димка сказал, — ответил он быстро. — Димка сказал, что ты как-то странно держала руку, как будто она была сломана и до конца не зажила. Я понял, что ты на нее упала. Разве нет?

— Да! — радостно сообщила Клавдия. — Я на нее упала в подъезде, а сначала меня за нее дернули...

— За руку? — спросил он недоверчиво.

— За сумку! — все так же радостно сообщила Клавдия. — Она была у меня привязана к руке!

— Зачем?! — поразился он.

— Чтобы не украли! — гордо сказала она, и он захохотал как полоумный.

— Помогло? — спросил он, похохотав немного, подумал и опять захохотал. — Тебе надо было ее наручниками пристегнуть, тогда бы точно вместе с рукой оторвали.

— Тебе смешно, — сказала она с недоумением, — а

мне жалко, если всякий подонок будет мою сумку хватать. Хорошо, там тридцать рублей было, а не вся зарплата.

— Мартышка, — сказал он. — Точно мартышка. Давай излагай все сначала.

И она рассказала ему про сумку.

— Н-да... — протянул он задумчиво. — Не густо. Клава, а ты не знала такого врача — Сергея Мерцалова?

— Слышала где-то. По-моему, по телевизору. А что?

— Ничего, — сказал Ларионов. — А в аптеку вашу он не заходил? К заведующей или просто так, купить чего-нибудь?

— Не знаю, — сказала Клавдия удивленно, — не знаю, Андрей. Фамилия вроде знакомая, а так... Если бы ты мне его показал, я бы вспомнила, у меня вообще-то хорошая память на лица...

— Это я уже понял, — перебил Андрей.

— А что? — спросила Клавдия. — При чем здесь Сергей Мерцалов?

«При том, что вчера ночью его убили. А перед этим за ним кто-то следил. И меня даже заранее предупредили, а я послал их в... сыскное агентство».

— Ни при чем, — буркнул Андрей. — Просто спрашиваю, может, ты его знала?

— Ты знаешь, — ни с того ни с сего сообщила ему Клавдия, — я что-то так перепугалась, когда мне эту сумку вернули, что хотела к Таньке ночевать бежать. Или... к тебе. — Тут она поняла, какую ужасную, непристойную глупость сказала, и чуть не заскулила от неловкости и стыда. — Ты не подумай ничего такого, Андрей, — понесла она в панике, — я вовсе не про это хотела....

— Я уже подумал, — сказал он, ничуть не смущенный. — Не пугайся ты так, Христа ради. Я вовсе не планирую немедленно воспользоваться твоей неопытностью и наивностью и скомпрометировать тебя в глазах света.

— Какого света? — пробормотала красная, как первомайский флаг, Клавдия.

— Высшего, — пояснил он. — Вот что, Клава. Значит, жить мы будем так. Завтра днем я позвоню тебе на работу. Во сколько ты будешь?

— Ой, я завтра с утра в налоговой, — голосом девицы-ломаки, которой назначили первое в жизни свидание, сказала Клавдия. — Это довольно долгая песня. Я приеду к часу, наверное.

— Хорошо, — сказал он терпеливо. — После часа я тебе позвоню. Дима к тому времени уже, наверное, будет заниматься другими делами. Ты мне доложишь обстановку. Вечером поедешь домой и выходить никуда не будешь.

— Я и так никуда не выхожу по вечерам.

То-то они такие расслабленные, ребятки, которые ее водят, подумал Андрей. Водить ее — раз плюнуть. Работа — дом. Дом — работа...

— Ну и отлично. Значит, вечером ты мне позвонишь. Или я тебе сам позвоню. — Он помолчал и добавил очень серьезно: — Я прошу тебя, будь внимательна, Клава. Очень внимательна. Судя по всему, ты это умеешь. Если хоть что-нибудь по дороге домой покажется тебе не то чтобы даже подозрительным, а просто не таким, как обычно, сейчас же езжай к Тане. Или ко мне. И не раздумывай ни о чем. Понимаешь?

— П-понимаю, — запнувшись, сказала ничего не понимающая Клавдия. Как всякая не в меру влюбленная особь женского пола, в его словах она услышала только приглашение.

«Если что, приезжай ко мне...»

— На выходные я отвезу тебя в Отрадное, — сказал он таким тоном, как будто это было самое обычное дело. — Караулить тебя в Москве я вряд ли смогу, у меня дел... по горло. Так что побудешь с моими. Все поняла?

— Вроде да, — сказала она неуверенно. — А почему такие сложности? Это что, очень серьезно, да?

— Не думаю, — соврал он легко. Врал он всегда виртуозно. — Просто не хочу никаких неожиданностей. А то еще будет у тебя этот самый....

— Который? — спросила Клавдия.

— Нервный стресс! — сказал он. — Давай звони Таньке. Она там небось с телефона не слезает. Пока. До завтра.

— Пока, — сказала Клавдия и, улыбаясь глупой улыбкой щенка, которого хозяин рассеянно и нежно потрепал по голове, положила трубку.

Ну вот, все почти готово.

Завтра у него будет недостающая информация, и послезавтра он точно установит срок, в который избавится от женщины. Она была глупа и неосмотрительна, как все женщины, поэтому вряд ли он получит такое оглушительное удовольствие, какое он получил, когда убил мужчину.

При воспоминании о том, как молодой, полный сил мужик хрипел и дергался в его руках, пытаясь освободиться и с каждой секундой теряя силы, его охватило такое возбуждение, что он даже поднялся из-за своего громадного, старинного, как и большинство вещей в его доме, письменного стола и стал ходить по комнате.

Нет, даже не ходить — летать.

Женщина — это не так интересно.

Одну женщину он уже убил, но *ту* он ненавидел так сильно, что ее смерть принесла ему не просто сиюминутное счастье, а несколько лет счастливой, радостной, свободной жизни.

Эта ему совсем не так интересна. Эта просто стоит у него на пути, и он отшвырнет ее с этого пути легко, как ненужную старую тряпку.

А впереди его ждет целая огромная, счастливая, интересная и радостная жизнь. Без этих сволочей, явившихся, чтобы втоптать в грязь все, что ему дорого. Все, чем он живет. Все, чем только должен жить нормальный полноценный человек.

Двоих уже нет. За третьей дело не станет.

Доклады наблюдателей лежали у него на столе в строгом соответствии с датами.

Господи, и из-за такой мелкой, поганой твари он вынужден беспокоить себя! Придумывать планы. Обмозговывать и сопоставлять детали! Да она не стоит того, чтобы, проходя мимо, он плюнул в ее сторону! Но другого выхода нет. Он выполнит свой долг и получит от этого удовольствие, как от любого хорошо сделанного дела.

Он привык выполнять свой долг. Всю жизнь он выполнял его безукоризненно. Блестяще.

Он многого достиг именно потому, что всегда делал то, что должен был делать.

Насколько же он умнее, сильнее, выше всех этих окружающих его и его семью скотов, с которыми приходится работать, здороваться и выслушивать их идиотские, скотские разговоры и делать вид, что их дела представляют хоть какой-то интерес! Они так тупы, что им даже в голову не приходит попробовать оценить, *кто* он и кто они, мелкие, ленивые, тупые свиньи.

Троица, от которой ему необходимо было избавиться, была из этой же свинской породы.

Двоих уже нет. Ему приятно было повторять это снова и снова. А послезавтра не будет и третьей.

Очень хорошо.

Время у него пока есть, хоть и не слишком много. Он всегда все планировал с запасом.

Спешить он не станет. Чем дольше, чем тщательнее он будет готовиться, тем выше, лучше, чище будет потом сознание своей правоты. Очищения. Освобождения.

Для женщины у него тоже приготовлена веревка.

Все-таки пистолет — это так пошло, как в дешевом детективе. Или в кино, которое обожают смотреть скоты. Ему не нужно простоты и пошлости.

Он вернулся в кресло, вытянул ноги и закрыл глаза.

Он еще маленький.

Сколько же ему? Лет пять? Или даже меньше? Он собирается с родителями на Красную площадь. Он ходит туда каждый год, сколько себя помнит, а помнит он себя очень давно, почти что с самого рождения.

«У вас уникальный ребенок» — так часто говорят знакомые матери и отцу.

Он толком не понимает этого слова, хотя делает вид, что понимает. Он знает, что это слово — приятное. Что его так хвалят. Отец смеется, а мать улыбается со сдержанной королевской гордостью.

Он знает, что сегодня — праздник, что на Красной площади будет что-то необыкновенное, интересное, огромное.

С трибуны отлично видно бесконечное, волнующееся, радостно-возбужденное море людей внизу, вливающихся сюда с широченной улицы — он еще не знает, как она называется, — и пропадающих с другой стороны нарядной площади.

Долгое время он был уверен, что они пропадают в реке, что они собираются здесь каждый год, чтобы пройти перед глазами у тех, кто стоит на трибунах, и потом тонут.

Играет музыка, хлопают на ветру флаги, на голых ветках накручены белые бумажные цветы.

Какая красота!

Неимоверно усиленный, неземной, огромной голос что-то все повторяет и повторяет, и он пытается рассмотреть, где именно спрятан этот голос, и ему кажется, что голос висит над площадью, как всевидящее око на одной из отцовских картин, которую он, маленький, боялся.

К отцу постоянно подходят люди, такие же красивые

и огромные, как он, они здороваются, смеются, жмут руки отцу и ему, иногда зачем-то кидают его вверх, а потом ловят и ставят на место.

Ему это не нравится. Ему не нравится, когда кто-то, кроме отца и матери, прикасается к нему.

«Ура-а-а!!!» — кричит распластанный над площадью голос, и весь людской океан, текущий в гранитных берегах трибун, подхватывает его, увеличивает до каких-то невероятных размеров и как будто вышвыривает к реке.

Он прижимается к отцу.

«Ты что? — отец наклоняется к нему — Испугался, заяц? Не пугайся. Они просто радуются и от этого кричат. Что ты?»

Они кричат, когда радуются, так он понимает его слова. Мы не кричим. Мы стоим на трибуне, и они кричат, когда идут мимо нас. Они радуются, а мы на них смотрим.

Вечером будут гости, и мать в необыкновенной красоты платье будет играть на рояле и петь, а все будут восхищенно аплодировать, а потом отец будет танцевать с ней, а гости вокруг будут шептаться о том, что они — очень красивая пара...

Он открыл глаза и вытер мокрые щеки.

Он давно уже вырос, но воспоминания волнуют его, как сентиментального мальчишку.

Ну и пусть. Даже у самых великих могут быть слабости. Они есть и у него, это только подтверждает, что он — человек.

Женька его не послушался.

Он понял это в тот же вечер, позвонив на мобильный. Мобильный не отвечал, и Юрий Петрович слегка встревожился. Он перезвонил его секретарше и скучным начальственным тоном приказал соединить. По-быстрому.

— А его нет! — как-то даже злорадно ответила секретарша.

— Когда будет? — спросил Юрий Петрович, чувствуя, как внезапно и необратимо похолодело сердце.

— Неизвестно! — ответила секретарша все тем же злорадно-почтительным тоном. — Он уехал в командировку.

— В какую командировку? — понимая, что случилось самое плохое, выдавил Юрий Петрович.

— В Калининград, а потом еще в Литву, — сообщила секретарша. — Он обещал звонить, и, когда он позвонит, я обязательно передам, что вы его искали. Он сразу же с вами свяжется.

— Да-да, — пробормотал Юрий Петрович, чувствуя, что его голос становится не скучным и не начальственным. — Конечно... Передайте, пожалуйста, что я бы хотел с ним переговорить.

Он долго слушал короткие гудки, хотя раньше всегда клал трубку первым, и потом еще посидел, прижав ее ко лбу.

Все ясно. Они решили его кинуть. Сдать уголовке, как говорил какой-то немытый бандит в фильме «Место встречи изменить нельзя». Юрий Петрович очень любил этот фильм.

Что за ерунда лезет ему в голову? При чем здесь какой-то замшелый фильм?

Ему нужно срочно придумать, как обезопасить себя, как отвести от себя беду. Ведь если его подозрения правильны, значит, они подсунули ментам... как это называется?.. улики, что ли?.. или доказательства, что врача прикончил он сам или прикончили по его приказу.

Но зачем, зачем?

В какой момент Борис принял решение, что пора избавляться от Юрия Петровича Василькова?! В чем он согрешил так сильно, что Борис захотел сдать его?! И что ему теперь угрожает? Тюрьма? Высшая мера?

А если тупой, безобидный и трусливый Женька все же ни при чем? Тогда почему он смылся? И куда на самом деле он смылся?

А может... Да нет. Нет. Не может.

А может, он тоже убит, как и этот врач?

Может, его *заставили* «уехать в командировку», а сам он уже давно на дне Москвы-реки?

Юрий Петрович знал, что легко поддается панике. Что не умеет держать удар. Знал и поэтому старательно избегал ударов. До сегодняшнего дня ему это удавалось.

В конце концов, он просто посредник. Ничем *таким* он не занимался. Бриллианты в желудке за границу не вывозил. Марихуаной не приторговывал. Все дела с «Якутдрагметом» были в руках у Бориса. Юрий Петрович просто делал их более... удобными, что ли. Более легальными.

Благотворительный фонд «Русский меценат», коего Юрий Петрович Васильков был председатель, конечно, никакой благотворительной деятельностью не занимался, но доказать это было бы довольно сложно. Все в фонде было вполне законно, легально и солидно. Начиная от старого особняка, купленного и отреставрированного года четыре назад, и кончая бухгалтерией.

Время от времени для проформы они устраивали какие-то мероприятия и участвовали в каких-то тендерах, а однажды, расщедрившись, провели акцию в помощь состарившимся актерам. Хотели даже открыть интернат для одаренных детей-сирот, но воздержались. Возни много, а толку — чуть. Через интернат большие суммы не проведешь, а требовалось проводить *очень* большие суммы. На престарелых актерах они хорошо сыграли. Талантливо.

И Борис вроде был всегда и всем доволен.

Когда он перестал ему доверять? И почему?!

Прошлой весной у них начались кое-какие проблемы, так что Борису пришлось даже на время уехать. Из страны не хотели выпускать, сволочи, а оставаться было никак нельзя. Вот тогда и возникла эта идея с больницей и каким-нибудь сложным заболеванием. Лучше всего сердечным.

Сердечные болезни чем удобны, рассуждал тогда Юрий Петрович, вроде болит — и ничего не видно. И не болит — все равно ничего не видно.

С врачом вышел прокол. Они долго его подыскивали, подходящего врача. Такого, чтобы был — знаменитость. Такого, чтобы слово на вес золота. Чтобы в его диагнозе никто не посмел усомниться.

Мерцалов Сергей Леонидович подходил больше всех. Молод, успешен, жаден до денег. Знаменит. Бесстрашен. Иногда позволяет себе всякие штучки — например, оперирует платных пациентов как бесплатных, и денежки к себе в карман кладет, и никакие налоги с них не платит. Не часто, да. Но все же позволяет себе.

Когда он отказался, да еще разорался в своем кабинете, да еще чуть не спустил с лестницы Женьку, Юрий Петрович понял, что всей информации, собранной о Мерцалове, оказалось недостаточно, чтобы предсказать такую реакцию. Конечно, вряд ли врач пошел бы на Петровку, но просчет дорогого стоил Юрию Петровичу Василькову.

Может, тогда Борис принял решение разом убить двух зайцев — избавиться от врача, хотя он был и не слишком опасен, и вывести из дела Василькова?

Господи, что же делать?

С тяжелой головой и отвратительной болью с левой стороны груди он приехал домой и очень удивился, поняв, что в квартире никого нет.

— Девочки! — позвал он. — Где вы?

Никто не отозвался, и Юрий Петрович, все еще удивляясь и нисколько не тревожась, пошел в глубину апартаментов, открывая на ходу все двери.

— Вас дома нет, что ли? — спросил он, и вопрос заглох где-то в недрах квартиры. — Или вы прячетесь?

На столе в кухне лежала записка.

— Ага, — сказал сам себе Юрий Петрович с облегчением. — Ну слава богу. Догадались предупредить.

Он взял записку и прочел то, что там было нацарапано рукой жены:

«Милый, прости! Мы с Дашей решили уехать. Не ищи нас — мы расстаемся навсегда. Позже сообщим тебе о месте нашего пребывания».

Именно так там было написано. Именно такими словами.

«О месте нашего пребывания».

Уютный кухонный свет медленно погас. Записка из белой превратилась в черную. Он вяло удивился, как смог разобрать что-то на такой черной бумаге.

Толстая иголка, засевшая в сердце, вдруг стала накаляться и разбухать, и через секунду она была уже размером с чугунный лом, которым отец маленького Юры сбивал лед с высокого крылечка их дома.

Этот лом бил его прямо в открытую грудную клетку. От сердца отваливались огромные куски и летели в разные стороны, как лед с высокого крылечка.

И скоро от сердца совсем ничего не осталось.

Полночи Андрей проспал, а оставшиеся полночи, по обыкновению, продумал и прокурил.

— Да что же это, черт возьми, такое? — с тихим бешенством спросил он себя, рассматривая в зеркале желтую непроспавшуюся рожу. — Стар стал, уходи с работы. Нечего всякие фортеля выкидывать.

В это утро он отчаянно не любил себя.

У него было очень много работы, а он не занимался ничем, кроме дела Сергея Мерцалова, и никак не мог с него съехать. Он даже справок не писал. Бакунин пока терпел, но майор Ларионов отлично знал, что полковничьему терпению вот-вот придет конец.

Да еще с Клавдией какая-то, прямо скажем, засада.

С ней бы поговорить повнимательнее, порасспросить о жизни, о том, чем она в последнее время занималась, не приставал ли к ней кто, не обращалась ли в милицию, не проходила ли мимо чего-нибудь эдакого...

Но ему же некогда.

Ему всегда некогда. Ему некогда с тех самых пор, как лет в восемь мама отдала его на карате. Тогда карате было в моде, и родители решили, что этот спорт ничуть не хуже любого другого, а мальчик научится драться и сможет за себя постоять.

Потом ему было очень некогда в школе, потом в университете. Теперь ему некогда на работе.

Особенно когда это *не просто работа*.

За полночи он так и не сообразил, куда именно приткнуть Элеонору Коврову. Он долго пытался приткнуть ее к Сергею и Ирине Мерцаловым хоть с какой-нибудь стороны и не мог. В конце концов он оставил ее в покое, решив, что разберется с этим позже.

Может быть, пока он возился в дерьме, мир изменился настолько, что майор Ларионов вместе со всеми своими знаниями психологии и человеческой природы может удалиться в пустыню и потратить остаток жизни на обретение какой-то другой истины?

Может быть, конечно, но Андрею это казалось маловероятным. И все же, все же пока примем ситуацию такой, какая она есть.

Элеонора Коврова — посмотреть бы на нее, что ли, — не столько тайная, сколько явная возлюбленная Сергея Мерцалова и мать его третьего сына. А может, и не третьего. Может, у него их десяток?

Таким образом мы получаем классический любовный треугольник. Доведенная до отчаяния жена нанимает киллера, и он расправляется с изменщиком. Потом у нее, конечно, начинается истерика и депрессия, но дело уже сделано.

В треугольник никак не укладывается слежка.

Кому и зачем понадобилось следить за Сергеем? Жена знала его привычки, как свои собственные, и в любой момент могла сообщить исполнителю все, что его интересует. Кроме того, если бы соглядатаев нанимала она, вряд ли она стала бы просить Жанку, чтобы та позвонила своему мужу из уголовного розыска.

Следующий любовный треугольник. Доведенная до отчаяния любовница нанимает киллера, и он расправляется с незадачливым любовником. Здесь мотивы не так очевидны. Возможно, жена опасалась, что он уйдет вместе со всеми своими деньгами. А любовница? Ревновала? Злилась? Преступление в состоянии аффекта?

Зато слежка здесь более уместна. О его привычках любовница скорее всего знала очень мало. Как правило, муж и любовник — это два совершенно разных человека, благополучно сосуществующих в одном мужике.

Версия третья. Сергея Мерцалова убили какие-то неизвестные бандиты, предложившие ему деньги за фиктивный диагноз и госпитализацию.

Самый большой вопрос — зачем?

Мерцалов отказался, и плевать на него. Найдут следующего, более сговорчивого. Вряд ли они с ходу посвятили его в свои страшные бандитские тайны. Испугались, что он на них стукнет? Это чушь. Доказать он бы все равно ничего не смог. Ну, приходил человек по имени Евгений Васильевич Бойко. Просил Сергея Леонидовича проконсультировать его больную мамочку. Сергей Леонидович может утверждать все, что угодно, он просто неправильно меня понял. Только и всего.

Все это нужно проверять, блин.

Напроверяешься до звона в ушах.

Версия... какая там по счету?

Петр Мерцалов. Он ненавидит брата. Возможно,

что-то такое из детства. Из семьи. Ненавидит люто и остро. Они ссорятся, и Петр Сергея убивает. Откуда берется слежка? Все правильно, ниоткуда. Если только умный-преумный Петр не решает таким образом сразу же отвести от себя подозрения и настроить ментов на поиск каких-то совершенно других мотивов.

Почему отец Мерцалова наврал про телефон? Или и вправду у него телефон не работал?

Приезжал Сергей в тот вечер к Элеоноре Ковровой или не приезжал? И если приезжал, кто его мог там увидеть?

О чем он сорок минут говорил с Гольдиным, вернувшись от Элеоноры? С утра он провел совещание, все обсудил, все высказал, а сорок минут — это очень долго. Зачем ему снова понадобился Гольдин?

Почему Гольдины уехали из квартиры Мерцаловых еще до того, как там появилась милиция? Действительно беспокоились за детей или больше беспокоились за себя?

Что за история знакомства Сергея Мерцалова и Элео норы Ковровой? Ирина в разговоре со мной и секретар-ша Мерцалова в разговоре с Полевым упомянули, что в отпуск они всегда, *всегда* ездили вместе. Как может мужик, пребывая на курорте с женой и двумя детьми, снять там девицу?

Что за человек отец Элеоноры? Что случилось с его первой женой? Как она умерла?

Так. А теперь скажите, майор Ларионов, какое отношение все это имеет к Клавдии Ковалевой, за которой тоже установлена слежка?

Не знаете?

Вот то-то же...

Горячая ванна должна была помочь. Ему всегда хорошо помогала горячая ванна. Очень горячая, почти кипяток.

В очередном дамском журнале, который он с терпеливым ослиным упрямством изучал, когда расследовал убийство все того же кутюрье, было написано, что в кипятке любят мыться исключительно женщины.

Наврала литературная барышня, сочинившая эту статью.

Майор Ларионов тоже очень любил помокнуть в кипятке.

Ванна помогла. По крайней мере он стал меньше себя ненавидеть, и хорошо, потому что у него не было возможности тратить драгоценное время на нелюбовь к себе.

И социум, в котором он так и не научился жить, непременно заметил бы его агрессию и отреагировал бы на нее плохой работой. Ребята решили бы, что злится он на них, и драгоценное место в их гениальных головах было бы занято не расследованием, а исключительно мыслями о недовольстве майора.

Он пил кофе, когда позвонил телефон.

Поднимая трубку, он посмотрел на часы. Очень рано, седьмой час. Кто бы это мог быть?

— Андрей? — пророкотал в трубке сытый бас. — Приветствую. Полковник Крылов. Не узнал?

— Нет, Толя, — сказал Андрей. — Не узнал. Ты чего так рано? Дежуришь?

— Дежурю, — подтвердил Крылов со вздохом. — Почти отдежурил. Андрей, тебе только что звонила... — он зашуршал бумажками, очевидно, отыскивая нужную, — ...звонила Ирина Николаевна Мерцалова. Вдова твоего потерпевшего.

— И что? — спросил Андрей и поставил кружку на стол.

— Она сообщила, что уезжает на дачу. В Москве больше оставаться не может, и все такое. Адрес: поселок Ильинское, улица Геологическая, дом три. Сказала, что ты оставил телефон и просил предупреждать тебя обо всех перемещениях.

— Да, — сказал Андрей. — Все правильно, Толя, спасибо тебе.

— Да не за что, — пророкотал полковник. — Ну что? Теперь в Ильинку попилишь?

— Попилю, — согласился Андрей. — Куда ж деваться?

— Некуда нам деваться, брат Андрюха! — горестно сказал полковник. Для всех день только начинался, а для него почти заканчивался. То-то он и веселился. — Ну, бывай!

— Бывай, Анатолий Петрович!

Андрей положил трубку и по привычке поставил на живот кружку.

Что это значит?

Она такая дисциплинированная, что даже в омуте своего чудовищного горя не забыла предупредить милицейского майора о том, что собирается на дачу?

Или я зачем-то срочно ей понадобился?

Понадобился, решил Андрей. Или меня нужно переводить на склад.

Она что-то хочет мне сказать, чего не может сказать дома.

Нужно ехать.

С утра пораньше Оля Дружинина позвонила в три места и везде договорилась о встречах. Даже договориться и то было не слишком просто.

Не любят нас, грешных. Не хотят с нами разговаривать. У них беда, а мы лезем с вопросами, кто где был, кто с кем спал, кому что померещилось.

С утра у Ольги всегда было плохое настроение. От одной мысли о том, что ей предстоит сделать за день, она начинала сердиться. Иногда она сердила себя специально. Сердитая, она лучше работала.

Первой в ее списке была Мила Гольдина.

Ольга приехала к ней довольно рано, она только-только проводила в школу детей.

В квартире был беспорядок, но не стойкий, как поняла Ольга, зыркнув по сторонам наметанным женским глазом, а такой... новообретенный. Как будто у хозяйки в последние несколько дней все валилось из рук. Впрочем, скорее всего так оно и было.

— Я сейчас сварю кофе, — не глядя на Ольгу, сказала Мила. — Хотите?

— Хочу, — согласилась Ольга.

Морщась, Мила сдвинула в сторону грязную посуду и стала сыпать кофе в медную армянскую турку.

— У вас курят? — спросила Ольга, без приглашения пристраиваясь к столу. — Вообще говоря, я могу потерпеть...

— Не надо терпеть! — возразила Мила с досадой и сунула ей пепельницу в виде бело-розового кролика. На пузе у кролика была пристроена корзина, в которой нужно было тушить окурки. Это была замечательная, вполне мещанская пепельница, не похожая ни на одну вещь, которую Ольга видела до этого в квартире Мерцаловых.

Очевидно, при всем родстве душ и необыкновенной дружбе они были очень разными людьми — Гольдины и Мерцаловы.

В молчании они подождали, пока вскипит кофе.

— Что вы хотели у меня спросить? — Мила разлила кофе в чашки. — Мне в двенадцать уже за ребятами ехать, так что...

— До двенадцати я управлюсь, — сказала Ольга, стараясь быть как можно более приветливой. Собственно, ее интересовал только один вопрос, но в лоб задать его она не могла.

— Расскажите мне о Сергее Мерцалове, — попросила Ольга, глядя в бледное лицо. — Просто расскажите, что помните.

— Господи, зачем вам это? — Милу даже передернуло. Как будто в сильном ознобе она потянула рукава свитера, чтобы спрятать в них руки, и так, рукавами, взяла чашку. — Он был близким человеком, понимаете? Для нас это... катастрофа... то, что случилось. Мы с Сашей...

— Вы работаете? — перебила Ольга.

— Нет. Я работала до тех пор, пока не появились дети. Я медсестра. Мы с Сашкой поженились после того, как он два месяца отработал на практике в нашей больнице. А потом мы решили, что мне лучше не работать. Бабушек нет. Сашина мама давно умерла, а моя далеко, под Рязанью. У нее там дом, сад... Бросить все это она не может, ну а мы что ж... заставлять ее мы не стали... Да мне и не хочется на работу на самом деле. Сашкиных денег нам хватает, а я здесь, — она обвела взглядом кухню, — вполне на месте.

Мила Гольдина была красивой женщиной. Высокая, наверное, вровень с мужем, статная — не слишком худая и не слишком полная, очень уютная. Розово-белая, как кролик с корзиной на пузе.

Она говорила и говорила и, кажется, увлеклась, несмотря на весь холод, которым обдавала Ольгу еще двадцать минут назад.

Направляемая Ольгиными сочувственными вопросами, она добралась до *того* дня и до *того* вечера и в конце концов заплакала, вытирая слезы рукавом свитера.

— Дело не в том, что мы каждый день созванивались или поверяли друг другу все свои секреты. Просто мы всегда знали, что они у нас есть. Ира с Сережей. А мы у них. Они ведь очень давно женаты, как и мы, хоть мы и постарше немного... Сережка всегда говорил, что таких жен, как мы с Иркой, больше в природе не осталось, они с Гольдиным разобрали последних. А нам, дурам, это приятно было... И в отпуске, знаете, мы никогда друг другу не мешали. Пили мужики у нас не шибко, больше любили на солнце лежать и ничего не делать. — Она внезапно засмеялась сквозь слезы. — Это просто даже удивительно. Они на пляже могли день пролежать, не шевелясь и не разговаривая. Мы с Иркой и на экскурсии сбегаем, и на базар сбегаем, и с детьми в какое-то там непонятное водное поло поиграем, а эти два... лежат и лежат. Как моржи. Потом вдруг Сережке приспичит на яхте в море идти, ну они идут, а мы остаемся. Гольдина даже на эскалаторе в метро укачивает, что уж там про яхту... Потом Гольдину приспичит в ресторан, а до ресторана два часа ехать в горы. Ну, мы едем, а Мерцаловы остаются — Ирка горы не любит... Вы понимаете, да? Мы были как родные. Они нас не стесняли, мы их не стесняли... А теперь... Я даже думать боюсь, что там с Иркой. Я ехать к ней боюсь, понимаете?

— Понимаю, — тихо сказала Ольга. — Понимаю. Расскажите мне про тот вечер.

Мила вскинулась, но опытная Ольга моментально положила руку на ее стиснутый кулачок. Это было легко. Ольга Дружинина на самом деле сочувствовала Миле Гольдиной:

— Мне нужно еще раз услышать именно про вечер. Сопоставить все детали. Я не буду вас мучить расспросами про... ночь. Это мы уже знаем. Во сколько приехал ваш муж?

— Вы что? — спросила Мила, и лицо у нее изменилось. — Подозреваете его в чем-то?

— Нет, — искренне сказала Ольга. — Нет, успокойтесь. Я пытаюсь понять, кто мог убить Сергея Мерцалова. Мы все пытаемся это сделать.

Гольдину и впрямь не было никакого резона убивать Мерцалова. За ним он прожил бы всю жизнь как за каменной стеной. Он всегда был бы вторым лицом, что вовсе не так уж плохо, как кажется многим. Ответственности меньше, простора больше, а деньгами его Сергей не обижал и вряд ли стал бы обижать в будущем.

Сиамские близнецы, связанные общим кровообращением. Они удачно дополняли друг друга. Дополняли, почти не затеняя. Редкое сочетание.

Теперь, оставшись в одиночестве, Гольдин вряд ли сохранит положение не то чтобы первого, но даже и второго лица. Он хороший, талантливый врач, но и только...

— Он приехал довольно поздно, часов около... девяти, наверное. Ездил в ЦКБ, у него там операция была намечена. Потом еще в магазин заезжал, у нас еды было мало, я помню, что звонила ему на мобильный, просила привести чего-нибудь. Ну, там йогуртов, сыра. Курицу... Господи, про это тоже нужно рассказывать?

— Про все, — подтвердила Ольга.

— Ну вот, он приехал, привез очень много пакетов, я сразу же стала их разбирать, а потом мы решили чай пить. Мы всегда чай пьем, когда папа нам что-нибудь вкусненькое привозит. Он привез огромный торт-мороженое. Мы из-за него чуть не поругались. Во-первых, это дорого очень, такие штуки в «Седьмом континенте» покупать, а во-вторых, вредно. Там миллион калорий, а мы все такие... упитанные, сами видите.

— Помирились? — спросила Ольга с улыбкой.

— Да что вы, мы даже и не поругались. Так, чуть-чуть. Мы редко ругаемся. У нас полный консенсус, как и у Мерцаловых. — Мила улыбнулась доброй близорукой улыбкой. — Папа у нас генерал, а мы все строимся. Между прочим, у многих хирургов в семьях так... Они не могут не командовать, им можно только подчиняться... Или разводиться с ними...

Она оглушительно высморкалась и спросила очень по-домашнему:

— Может, еще кофейку?

Ольга согласилась.

Ольге нравилась Мила Гольдина. Конечно, она сама, Ольга Дружинина, скорее бы убила мужа сковородкой, чем стала бы его слушаться. Если бы у нее был муж, конечно...

232

— Ну вот. Мы все уселись вокруг этого торта, чай я разлила, и тут Сережа позвонил. Это было, наверное, около половины десятого. Трубку Мишка взял в холле и оттуда ее Саше принес. Ну, мы пили чай, а они поговорили минут пять, наверное, и Саша тоже стал чай пить.

— О чем они говорили?

— Об отпуске! — не раздумывая ответила Мила. — Мы собирались в отпуск в ноябре. Как обычно, всем колхозом. А он что-то перерешил неожиданно. Сашка думал, что на него так перемена погоды подействовала. Ну, он Сашке сказал, что решил сейчас съездить, а в ноябре еще раз, если получится, или тогда Ира с мальчишками с нами бы поехали, а он бы в Москве остался...

— Точно об отпуске говорили? — осторожно спросила Ольга.

— Конечно, — подтвердила Мила. — Гольдин еще ему сказал: ну ты даешь! Мы же с тобой только что расстались, ты ни про какой отпуск мне ни слова не сказал.

— Понятно, — сказала Ольга задумчиво. — Понятно.

— Потом мы детей вымыли, уложили и сами легли. Ну а ночью... Ира...

Она запнулась, вид у нее стал несчастный.

— Мила, — сказала Ольга проникновенно, — у меня к вам еще один вопрос. Только вы, пожалуйста, отвечайте так, как сейчас со мной разговаривали — искренне и честно, ладно?

— Ладно, — согласилась Мила, снова сморкаясь в платок. — Так о чем?

— Нам очень важно знать, что связывало Сергея и Элеонору. Вы ведь знаете Элеонору?

Бац! Ольге показалось, что она даже слышала хлопающий резкий звук. Раковина захлопнулась, створки сошлись так плотно, что за ними стало невозможно ничего рассмотреть.

— Вы простите меня, пожалуйста... Ольга, — проговорила Мила Гольдина с холодной принужденной улыбкой. — Я, конечно, знаю Элеонору. Но я не могу это обсуждать. Ни с кем. Это никого не касалось, кроме Сергея и его... семьи. Я уверена, что к... его смерти это не имеет никакого отношения.

— Нет, — сказала Ольга и даже поднялась из-за стола. — Вы не правы и сами знаете, что не правы! Чем дольше мы будем ковыряться, выискивая какие-то косвенные детали, слухи, подтверждения, опровержения, тем меньше шансов, что мы найдем убийцу. Конечно, благородство, слово чести и все такое — это очень важно. Но не тогда, когда убивают лучшего друга.

«Я бы за Полевого глаза выцарапала, — пронеслось у нее в голове. — Я бы шантажировала, угрожала, дралась, кусалась, врала, изворачивалась, притворялась, я день и ночь вспоминала бы детали, которые могли бы помочь, но я поймала бы кого угодно. Блоху, если бы только она угрожала жизни Игоря Полевого».

— Я не могу, — сказала Мила, глядя на Ольгу замученными виноватыми глазами. — Я не могу вам ничего рассказать, хотя, наверное, вы правы. Поговорите с Сашей. Пожалуйста.

Толстая, глупая корова. Поговорите с Сашей! А то я без тебя не знаю, с кем я должна поговорить!

— Спасибо, Мила, — сказала она вслух и залпом допила свой кофе. — Вы очень мне помогли.

Из телефонной будки у метро она позвонила на работу. С зонта капало прямо ей в ботинок, и она приплясывала от нетерпения.

— Ларионов, — сказали в трубке задумчиво.

— Размышляешь о сути вещей? — спросила Ольга. — Шел бы на улицу. Так хорошо, дождь, ветер, под ногами грязь, холод собачий...

— Чего тебе, Дружинина? — спросил он нежно. — Какого рожна?

— Гольдин узнал о том, что Мерцалов собирается в отпуск, из его телефонного звонка. Мерцалов позвонил заму домой около половины десятого вечера. Ни о каком отпуске он с ним сорок минут в кабинете не разговаривал. Гольдин про отпуск до его звонка ничего не знал и очень удивился, — доложила Ольга. — Усвоил?

— Усвоил, — сказал Ларионов, и голос у него стал менее задумчивый. — Спасибо.

По дороге Андрей остановился на Садовом кольце у бывшего магазина «Мелодия» и купил две крошечные кассетки «Сони». Это довольно заметно подорвало его бюджет, кроме того, до конца он еще не придумал, как именно будет их использовать.

Может, из-за дождя, а может, оттого, что ему жалко было денег, нелюбовь к себе опять вернулась и стала грызть и царапать его изнутри.

Или просто мне так не хочется встречаться с женщиной, к которой я еду?

Мне не может *хотеться* или *не хотеться*. Это моя работа.

Работа, ты понял или нет?

Он был еще на Петровке, когда позвонил Дима Мамаев и сказал, что он проводил Клавдию до «Сокола», до самого здания налоговой инспекции. Ее вел другой человек, очевидно, сменивший вчерашнего. Дима засек его у дома и потом у метро. Он был на машине. В метро за ней он не пошел, следовательно, пока она в налоговой, ей ничего не угрожает.

А потом?

Суп с котом, как любит говорить мама.

Утром Андрей сказал Полевому, что, по его мнению, следует искать нечто, что связывало бы Сергея Мерцалова и подругу его сестры Клавдию Ковалеву. И еще он сказал Полевому, что даже теоретически не может себе представить, *что* это может быть.

Андрей затормозил и свернул направо, знутрь Садового кольца. Машины здесь еле ползли. Дождь прибивал к земле автомобильный выхлоп, поэтому дышать было неприятно, и уже через пять минут сладко и тяжело закружилась голова. Хорошо, что ехать было недалеко. Родители Мерцалова жили, что называется, в «тихом центре», то есть в старом городе, полном людей, магазинов, офисов и автомобильной вони.

Очень престижно.

Дверь ему открыла сама Лидия Петровна Мерцалова.

— У вас ровно семь минут, — сказала она, не здороваясь. — Вероника, проводите.

Андрей ошалело взглянул на Лидию Петровну. Никакой Вероники поблизости не наблюдалось, но она моментально и неслышно материализовалась в дальнем углу холла.

Прислуга.

— Проходите, пожалуйста, — прошелестела Вероника. — Сюда.

Это был, скорее всего, кабинет, а ему бы нужно было попасть в гостиную или спальню. Телефона здесь не было, или он был так хорошо замаскирован, что Андрей его не видел.

Н-да... Еще и Вероника. Этого он не предусмотрел.

Чувствуя себя убийцей, который собрался на мокрое дело, Андрей плюхнулся в кожаное низкое кресло и с удовольствием вытянул ноги.

Хорошо. Тихо, даже как-то глухо, спокойно, просторно, красиво, элегантно, изысканно, располагающе, уютно, но не слащаво. Приятный кабинет. Интересно, невропатолог Леонид Андреевич Мерцалов здесь принимает своих пациентов?

Открылась дверь, Андрей сел в кресле прямо.

— Я слушаю вас, — сказала Лидия Петровна Мерцалова и осталась стоять. Андрей ожидал чего-то в этом духе, но все-таки начал раздражаться.

— Лидия Петровна, — сказал он и поднялся, — не

нужно демонстраций. Я не слесарь и не собираюсь чинить ваш унитаз. Садитесь, и поговорим спокойно, иначе я решу, что вы что-то старательно от меня скрываете, и тогда мы начнем копать по-настоящему. — Она быстро на н го взглянула. — А вам это вряд ли понравится, — закончил он неуклюже.

Раздумывая, она обошла кресло и медленно в него опустилась. Это была небольшая, но все-таки победа.

— Должна ли я понимать это так, что сейчас вы работаете спустя рукава? — спросила она холодно.

— Мы не работаем спустя рукава, — возразил Андрей с досадой. — Мы щадим вас и вашу семью. Если вы не будете с нами разговаривать, мы щадить перестанем. Только и всего.

— Понятно, — сказала она. — Петр предупреждал меня, что с вами нужно разговаривать осторожно, но я не знала, что речь идет о столь беспредельной наглости.

Наглости?! Андрей вытаращил глаза. Он ведет себя нагло?! Да он только что на цырлах не ходит вокруг этой семейки, которая больше похожа на банку с пауками, в которую кто-то бросил тлеющую деревяшку, вынудив пауков спасаться.

А впрочем... Может, это его шанс?

Со всей величественностью, которую он только смог придать голосу и девяностокилограммовому телу, он поклонился и сказал:

— До свидания, Лидия Петровна. В следующий раз мы с вами поговорим в моем кабинете на Петровке. — Он сделал ударение на слове «моем» и проворно вышел.

При желании Андрей Ларионов мог двигаться очень проворно. Так проворно, что это вызывало зависть коллег и некоторое неудовольствие преступников.

Дверь за ним закрылась, и он еще с некоторой долей злорадства успел увидеть изумленное лицо мерцаловской мамаши.

В запасе у него было секунд семь, пока она придет в себя, поднимется и дойдет до выхода из кабинета.

Короткий взгляд по сторонам. Домработница в кухне — Андрей слышал, как негромко и сдержанно позвякивала там посуда.

Телефон. Где он?

«Панасоник» оказался на самом видном месте в гостиной. Зеленая лампочка мигала, автоответчик работал. Двигаясь очень быстро и бесшумно, он вынул крохотную кассетку и заменил ее другой. Крышка хрустнула, закрываясь, и ему показалось, что грянул гром.

Когда Лидия Петровна Мерцалова вышла из кабинета, майор Ларионов у внутренней двери из темного дуба уже натягивал короткую кожаную куртку.

— До свидания, — сказал он вежливо, не давая ей произнести ни слова. — Вас вызовут повесткой.

Она явно была растеряна. Может, дожать ее, пока она в таком... не боевом состоянии? Но Андрею не хотелось с ней возиться.

— Возможно, что я не слишком любезна, — проговорила Мерцалова издалека. — Но я только что потеряла сына, и у меня... много срочной работы.

Вот так. Сына убили, и работы много.

— Вы мне откроете? — спросил Андрей сквозь зубы. Ему было остро жаль Сергея Мерцалова. — Мне не хочется ломиться. Охрану перепугаю...

Она подошла и открыла ему дверь. Он коротко кивнул и побежал вниз по лестнице. Стоять на площадке и ждать лифта рядом с дверью в *ее* квартиру он не мог.

В машине он сразу закурил и для того, чтобы успокоиться, погладил машину по ворсистой дверной обивке.

— Хорошая девочка, — сказал он ей. — Молодец.

В конце концов самое главное он сделал, кассету добыл. Интересно, они уже успели ее затереть или нет? Вчера Мерцаловы весь день пробыли у Ирины, так что вполне могли и забыть. Вдруг ему повезло и записи на ней остались целы? Бывает же так, что иногда просто везет...

Андрей выбросил недокуренную сигарету в окно и включил зажигание.

Путь ему предстоял неблизкий. Хорошо, что второй его адресат живет в направлении загородной дороги, по которой он поедет в Ильинское.

Что же было такого в отношениях Сергея Мерцалова и его матери, что она даже не может заставить себя сделать вид, что ей не безразлично расследование его смерти? Принципиально не верит, что такое расследование возможно? Или кого-то покрывает? Боится, что уголовка раскопает нечто, что подставит под удар кого-нибудь из близких? Кого же? Сына? Мужа?

Какое изумленное лицо у нее было, когда он поднялся и вышел! Ничего подобного от грубого и недалекого мента она явно не ожидала, да еще в собственных покоях. Хорошо, что не на глазах у прислуги...

Черт возьми, как сцена из романа об английских аристократах! В университете Андрей перечел просто уйму романов об английских аристократах, и эти ребята почему-то были ему несимпатичны.

Странная семья у Сергея. Может, именно поэтому он и ушел из этой шикарной и громадной квартиры в общежитие, а вовсе не потому, что младший брат довел их с молодой женой до белого каления?

А какой была собственная семья Сергея? Что за непонятные отношения связывали его с Элеонорой? Знала ли о ней Ирина? Скорее всего знала, не могла не знать...

Вот, например, он, Андрей Ларионов, моментально понял, что жена стала ему изменять. Расстались они, конечно, не только по этой причине, но это было последней каплей. Такого унижения он вынести не мог. Еще не хватало, возвращаясь с ночной работы, выискивать по собственной квартире следы чужого мужского присутствия!

А если Ирина знала, то почему мирилась? Из-за денег? Деньги, конечно, вещь великая и всесильная, но не до такой же степени.

Или до такой?

До дома Петра Мерцалова он добрался очень быстро. В этом направлении почему-то совсем не было пробок. Наверное, все сегодня рванули в другую сторону. В физике это называется... а, да. Флуктуация. Андрей любил сложные, полнозвучные слова. Особенно такие, которые обозначали совершенно неведомые для него понятия.

Экзистенциализм, к примеру.

— Поговорили с Лидией Петровной? — с порога спросил Петр Мерцалов. Очевидно, это у них была такая семейная манера — не здороваться. И правильно, чего здороваться с ментом? Мозоли набьешь.

— Поговорили, — сказал Андрей. — Разрешите, я войду, Петр Леонидович?

— Так и быть, — сказал Мерцалов-младший, — входите. Я не так крут, как моя родительница. Я вас выставлять не буду. В конце концов, вы ко мне издалека припилили.

— Какое благородство, — пробормотал Андрей, снимая куртку.

Эта квартира была не так велика и великолепна, как та, и телефон он увидел сразу. Тот же самый «Панасоник». Наверное, они у всех в Москве одинаковые.

Здесь все будет проще, решил Андрей. Справлюсь.

— У меня к вам всего несколько вопросов. — Он запихал себя в узкое пространство между гобеленовым диваном и шикарным светлым столом. — Вопрос первый. Какую роль в жизни вашего брата играла Элеонора Коврова?

Андрей смотрел очень внимательно и поэтому успел засечь ту секунду, когда у Петра изменилось лицо. Глаза как будто остекленели, и губы искривились. Только на одну секунду.

— А что на улице? — спросил Петр Мерцалов. — Дождь?

— Дождь, — ответил Андрей. — И ветер.

— Как в ноябре. — Петр задумчиво щелкал зажигалкой. Язычок пламени дрожал и переливался у него в зрачках. — Вот сентябрь так сентябрь...

— Впереди бабье лето, — сказал Андрей светским тоном. Время у него есть. Он может пока что его тянуть. Хорошо, что мамаша выставила его так быстро. — Еще потеплеет. Не огорчайтесь, Петр Леонидович.

Андрей хотел добавить, что, кажется, это единственное, что его в данный момент огорчает, но не стал.

— Да, — сказал Петр. — Так о чем вы спрашивали? Готово. Он придумал, что сказать, и сейчас скажет.

— Я спрашивал об отношениях вашего брата и Элеоноры Ковровой, — напомнил Андрей. Ему стало смешно.

— Она была Сережкиной любовницей, только и всего, — сказал Петр и пожал плечами презрительно. Весь его вид говорил о том, что Элеонора Коврова не стоит ни секунды внимания.

— Правда, что у них ребенок?

— Так говорят, — Петр вновь пожал плечами. — Я не знаю. Я, видите ли, с ней не встречаюсь и дома у нее не бываю.

— Где вы с ней познакомились?

Петр неожиданно пришел в смятение. У него было слишком мало времени, чтобы придумать, как именно он должен соврать. Заранее он, очевидно, не приготовился.

Насмотрелся фильмов, где все менты — идиоты, и был уверен, что это на самом деле так.

Нахальный самоуверенный мальчишка.

— Ви. те ли, — сказал Андрей, неторопливо вытаскивая сиг реты, — я буду проверять все, что вы мне с кажете. Это очень просто. Гораздо проще, чем вы можете себе представить. Если я поймаю вас на вранье, я совсем перестану вам верить, а это... нехорошо. Даже если у вас дядя — президент Ельцин.

— Нет у меня дяди — Ельцина, — огрызнулся Мерцалов. — И не надо меня запугивать. Вы меня на вранье не поймали.

Как сказать, пронеслось в голове у Андрея, и тоном Глеба Жеглова он изрек внушительно:

— Когда поймаю, поздно будет, Петр Леонидович...

— Господи, да это совсем пустяковый вопрос! — вдруг вскипел Петр. Очевидно, решение было принято. — Какое это имеет значение! Я познакомился с Элеонорой тогда же, когда и Сережка. Четыре года назад. На Крите.

Этого Андрей не ожидал.

Значит, кроме жены и детей, на этом чертовом Крите с Мерцаловым был еще брат?!

— Как вы с ней познакомились?

— На танцах, — буркнул Петр. — Ну, мы все пошли на танцы. Серега, я и его пацаны. Ирка попозже подошла. Ну, и познакомились. Она сразу на Серегу запала...

— Что значит «запала»?

— Вы что? — прищурился Мерцалов-младший. — Не знаете, что такое «запала»?

— Нет, — честно сказал майор Ларионов. — Не знаю.

— Понравился он ей, — простонал Петр. — Она прямо слюной исходила. Пока Ирка не пришла...

— Он часто изменял жене?

— Я не знаю! — взорвался Петр. — Я не знаю ничего про его личную жизнь! Он взял ее к себе в институт, эту Элю, она стала у него работать, а потом я от него ушел. Знаю, что сын у нее родился. Но это все знают...

— Когда вы видели ее в последний раз?

— А что? — вдруг спросил Петр. — Ее тоже прикончили?

Может, Андрею показалось, а может, и в самом деле в голосе Петра Мерцалова прозвучала смутная надежда.

— Пока жива, слава богу, — сказал Андрей сухо. — Так когда, Петр Леонидович?

— Никогда, — сказал Мерцалов. — Господи, почему я должен отвечать на какие-то совершенно идиотские вопросы?! Я не помню, когда я ее видел. Давно. В институт я не заезжал, а кроме института, мне видеть ее негде.

— Понятно, — сказал Андрей. — Ваши родители знали о том, что у Сергея есть еще внебрачный ребенок?

— Спросите родителей, а? Я не могу за них отвечать!

— Значит, вы этот вопрос в семье не обсуждали?

— Нет! Не обсуждали! — Петр нервно закурил. Вновь он нервничал как-то ненатурально. Сверх всякой меры, как тогда хорохорился. — Понимаете, мама очень обиделась на него, когда он женился на Ирке. Он все сделал очень в своем духе. Пришел и сказал: «Я женился». Только и всего. Ира маме не очень нравилась.

— Почему?

— Ну, она из очень простой семьи, и так далее... И потом Сергею было всего двадцать лет, он только учиться начал. Что это за семейная жизнь?

Ира не нравилась маме, и мама моментально выставила и ее, и сына. Сильная, должно быть, женщина. Андрей вдруг подумал, что именно он должен был бы сделать, чтобы мать выставила его из дома. И не мог придумать.

— Хорошо, — сказал Андрей, хотя ничего хорошего в этом не было. — Чем Сергей объяснял тот факт, что за ним следят?

— Ничем, — ответил Петр, подумав. — Он сам не знал, кто за ним следит. Да ему никто и не верил, кроме Гольдина. Гольдин, сами понимаете, не мог не верить, потому что он — Сережкина тень. Верный оруженосец

Санчо Панса. Он бы не поверил, а Серега бы того... зарплату ему не дал.

— Он часто не давал ему зарплату?

— Да не знаю я! Я просто так сказал. Меня их дела совершенно не касались, я вам уже об этом докладывал. Что вы все топчетесь на одном месте?!

— Мы топчемся потому, что нам необходимо прояснить ситуацию во всех деталях, — терпеливо объяснил Андрей. — Кто вам сообщил о гибели Сергея?

— Отец, — ответил Петр и как-то сник. — Он позвонил утром и сказал...

— Во сколько это было?

— Я не помню, — признался Петр. — Честное слово, начальник. Все так закрутилось после этого, что даже приблизительно сказать не могу. Утром.

— Какая у вас машина?

— И это вам надо? — почти зарычал Петр. — Я уже вам говорил, что брата я не убивал. Или вы хотите искать там отпечатки моих шин?

— Не хочу, — сказал Андрей. — Так какая?

— «Шкода Фелиция». — Петр криво усмехнулся. — До «Фольксвагена» последней модели, как у братишки, я еще не дорос.

— Понятно, — сказал Андрей. — Ладно, Петр Леонидович. Большое вам спасибо. Но все же сказать вам: «прощайте» я не могу. Наверное, нам придется еще встретиться...

— Я вам тоже не скажу — «с удовольствием», — буркнул Петр, провожая Андрея к выходу.

— Я забыл сигареты, — внезапно спохватился Андрей. — И зажигалку. Я без них пропаду.

Петр ринулся за сигаретами и зажигалкой так, как будто его гнали палкой. Ему очень хотелось избавиться наконец от майора.

В два шага очутившись рядом с телефоном, Андрей вынул из него кассету, сунул в карман и снова включил.

Кассета негромко пластмассово звякнула в кармане. Там лежала еще одна, точно такая же, вынутая из автоответчика в квартире Мерцаловых-старших.

Вернулся Петр Мерцалов, неся его сигареты в вытянутой руке.

— Спасибо, — сказал Андрей душевно. — До свидания.

— Пока, — буркнул Петр.

На улице Андрей огляделся, но «Шкоды» не обнаружил. Он обошел вокруг дома и увидел ее, одну-единственную, на асфальтовом пятачке, пока еще не заставленном «ракушками». «Шкода» была новенькая, синенькая, очень чистая, несмотря на дождь и грязь последних дней. Очевидно, Петр Мерцалов, как и Андрей Ларионов, любил свою машину.

Размышляя, Андрей вернулся к своей машине, уселся за руль и включил зажигание. Нужно будет остановиться где-нибудь возле телефона и позвонить Игорьку Полевому. Может, конечно, все это глупости и чушь, то, что он придумал, а может, и нет.

В то, что Сергея Мерцалова прикончили какие-то неизвестные бандиты, Андрей Ларионов совсем не верил.

Конечно, все нужно еще десять раз проверить. Особенно того убогого, который взял да и смотался в Литву. Кретин... Все равно ведь найдем. Найдем, за рога приведем и на все вопросы заставим подро-обненько ответить. Хотя вряд ли это тот, кто нам нужен. Он при виде трупа за живот схватился и в кусты побежал, где его наизнанку вывернуло. Где уж такому убить...

Тогда кто?

Брат? Все-таки брат?

Дима Мамаев, чувствуя себя полным идиотом в костюме за тысячу долларов и с чемоданом из мягкой черной лайки в руках, втиснулся в телефонную будку. Сунуть чемодан в машину он не решился, боясь, что его тотчас же сопрут.

И чемодан, и костюм принадлежали брату Павлику, который, когда Дима попросил его подкинуть на время каких-нибудь вещей поприличней, привез целый узел барахла, вывалил его на Димин диван и сказал — пользуйся. Брат Павлик к вещам был патологически равнодушен, покупал их только для того, чтобы, как он выражался, «поддерживать статус-кво» на всяких-разных бизнес-мероприятиях.

Костюм и чемодан понадобились Диме для визита в контору «Интер трейдинг», заправлял которой не вовремя смывшийся Евгений Васильевич Бойко. В отличие от закосневших на работе коллег, Дима был абсолютно уверен, что врача убил именно он. Иначе чего бы ему было в бега кидаться?!

Майор Ларионов сказал, что в бега он кинулся скорее всего потому, что, возможно, знает убийцу. Или подозревает кого-то. Вот Ольгуня сегодня по Институту кардиологии с его фотографией походит, и станет ясно — он приходил к Мерцалову третьего августа или не он.

Дима был точно уверен, что он, но Димина уверенность, к сожалению, еще ничего не доказывает.

В «Интер трейдинге» конспиратор Дима с ужасом вспомнил, что забыл про самую главную деталь маскарада — мобильный телефон. Вряд ли Павлик дал бы ему свой мобильный, потому что он сам трепался по нему каждые полчаса, но все-таки нужно было попросить.

К счастью, на отсутствие такой важной детали никто, кажется, никакого внимания не обратил.

В конторе царила некая паника.

Дима изложил менеджеру целую историю о том, что хотел бы попробовать вложить деньги в какие-нибудь ценные бумаги, котирующиеся сейчас на бирже, но менеджер его едва слушал.

Диме было обидно, потому что он весь вечер потратил на добычу сведений о ценных бумагах у своего давнего приятеля, который уже года два работал брокером и в ценных бумагах все понимал.

В конце концов Дима не выдержал и спросил, что случилось.

— Да понимаете, наш генеральный сейчас в командировке, — доверительно сообщил менеджер, — а мы только что узнали, что умер один наш клиент. Сердце... Он председатель одной благотворительной организации, которая тоже вкладывала деньги в ценные бумаги.

— Крупный клиент? — спросил Дима, и в тоне его чувствовалось корпоративное сочувствие.

— Крупный, — согласился менеджер с тоской. — Крупный и... давний. И генеральный, как назло...

— А что за фонд? — спросил Дима. — Известный?

— Довольно известный, — согласился менеджер. — «Русский меценат» называется. Они всякие благотворительные акции проводят, концерты... Слышали, наверное, да?

— Какие солидные у вас клиенты, — сказал Дима, не имевший ни малейшего представления — солидный клиент фонд «Русский меценат» или нет.

Менеджер польщенно улыбнулся и предложил Диме ознакомиться со всеми возможными вариантами обогащения с помощью ценных бумаг. Чувствовалось, что ему до смерти хотелось выбежать из комнаты и наконец поговорить с кем-нибудь обо всех невиданных и неслыханных событиях.

Вооружившись десятком различных рекламных бумажек о деятельности компании «Интер трейдинг», Дима вышел из бетонно-стеклянного офиса и втиснулся в телефон.

— Игорь, — сказал он, когда Полевой снял трубку, — а майора нет?

— Вечером будет, — сказал Полевой. — Передать чего?

— Основной клиент нашего друга Бойко, — сказал Дима, пытаясь говорить так, как всегда говорил майор, — помер от сердечного приступа. Вчера. Какой-то благотворительный фонд «Русский меценат». Знаешь такой?

— Не-а, — сказал Игорь. — Да это очередная отмывочно-полоскательная контора скорее всего.

— Как ты думаешь, сходить мне туда?

— Куда? — не понял Игорь. — В фонд?

— И в фонд, и к этому, который помер. Проясню, от чего он на самом деле помер...

— Попробуй, — сказал Игорь задумчиво. — Попробуй. Вот интересные дела, а? Еще и меценат помер... Только когда пойдешь, придумай чего-нибудь поумнее, ладно? В том смысле, зачем пришел и все такое.

— Ладно, — сказал Дима, слегка уязвленный. — Придумаю.

Он повесил трубку, кое-как вылез из будки и вытянул за собой портфель. Эта деталь мужского туалета очень мешала ему. Он не знал, как с ней обращаться, и все время боялся где-нибудь ее оставить. Мама надерет ему уши, если он потеряет этот треклятый портфель. Подумав об этом, он засмеялся и пошел к машине. Адрес благотворительного фонда «Русский меценат», записанный на бумажке, лежал у него в кармане.

Дача Сергея Мерцалова в Ильинском ничем не отличалась от окружающих ее, точно таких же «новорусских» домов.

Красный и розовый кирпич, башенка с флюгером, стеклопакеты, матовые шары фонарей вдоль желтой дорожки, засыпанный листвой газон. Дождь шуршал по опавшим листьям, барабанил в крышу Андреевой машины, поливал забытого на лужайке пластмассового коня.

При виде этого коня у Андрея стало противно в животе и очень захотелось курить.

Ворота были открыты настежь, но на участок майор Ларионов заезжать не стал, оставил машину по ту сторону забора.

Может, все-таки покурить, пока его никто не заметил, подумал он воровато. Или воздержаться?

Дверь распахнулась, и он увидел Ирину Мерцалову.

— Здравствуйте, — сказала она сквозь дождь. — Проходите.

Он был уверен, что женщина не может выглядеть страшнее, чем выглядела Ирина Мерцалова в тот первый день, когда Андрей ее увидел. Оказалось, что может. У нее было даже не бледное и даже не синее, а изжелта-зеленое лицо с коричневыми тенями вокруг глаз и висков. Как будто за два дня она заболела какой-то тяжелой болезнью, и эта болезнь вот-вот убьет ее. Волосы заложены за уши, как у девочки из приюта. Свитер болтался и шевелился на ней так, как будто внутри его никого не было.

— Что же вы остановились? — спросила она. — Дождь ведь. Проходите в дом.

Он остановился потому, что ему было страшно. Страшно смотреть на нее, страшно разговаривать, страшно думать о том, что будет с этой женщиной дальше.

— Я иду, — сказал он глухо, — спасибо.

Он долго снимал ботинки в просторной передней. Такая вдруг навалилась тоска, что он никак не мог с ней совладать.

— Кофе будете? — спросила она издалека. — Впрочем, зачем я спрашиваю...

— Ирина Николаевна, — сказал Андрей, и собственный голос показался ему фальшивым от избытка сочувствия. — Я не смог вчера поговорить с вами потому, что ваша свекровь....

— Лидия Петровна — человек мнительный, — перебила Ирина. — Как большинство врачей. Если вы хотите спросить, не свихнулась ли я, то нет, не свихнулась. Садитесь. Я только забыла, как вас зовут.

— Ларионов Андрей Дмитриевич, — представился он омерзительно-казенным тоном.

Эта кухня вся была из желтого солнечного дерева. Деревянные стены, деревянные полы, деревянные потолки, лавки и стол. В глиняной пепельнице лежали запонки. Тяжелые, явно золотые запонки с черным камнем. Очевидно, Сергей когда-то снял их и бросил в то, что было под рукой. В пепельницу. Покосившись на выпрямленную, как будто застывшую спину, Андрей быстро вынул эти запонки и сунул на стеллаж, за книги. Подавая ему пепельницу, она неизбежно нашла бы их, и хотя бы от этого Андрей мог ее избавить.

— У меня же дети, — не поворачиваясь к Андрею, вдруг сказала Ирина Мерцалова. Она равномерно мешала в турке кофе. — Дети. Нет, я не свихнусь.

Кофе стремительно поднялся ноздреватой коричневой шапкой, перевалил через край турки, залил плиту, загасил газ.

— Я теперь все так делаю, — сказала Ирина. — Давайте лучше вы. Умеете?

Андрей молча вытер с плиты кофейные лужи, вымыл турку, снова насыпал кофе и поставил его на огонь.

— Я только не очень понимаю, зачем вы это делаете? Она сидела за столом, зажав коленями руки.

— Что? — спросил Андрей, глядя в кофейную черноту.

— Ищете кого-то. Время тратите. Его все равно не вернешь обратно. Вы понимаете? Он ушел и сюда больше не вернется. Все. Конец истории. Я опять забыла, как вас зовут.

— Андрей. Меня зовут Андрей Ларионов.

— Как вы думаете, мы с ним еще увидимся? — И посмотрела на Андрея с заинтересованной надеждой, как потерявшийся спаниель смотрит на человека, чем-то напомнившего ему хозяина.

Только одно ее интересовало, только об одном она думала неотвязно, постоянно, истово... Как будто это думанье могло что-то изменить.

— Я никак не могу понять, почему же он ушел? — Она потерла лоб, как будто пыталась ответить на сложный научный вопрос. — Почему он посмел уйти, когда он так всем нужен? И мне, и Ване, и Грише, и... людям, которых он лечил? А? Как вы думаете? Разве человек может позволить себе уйти, когда он так нужен?

— Он просто не смог остаться, — сказал Андрей, наливая кофе. — Выпейте.

— И еще я думаю о том, как я буду его ругать, когда увижу. — Она блаженно улыбнулась. — Он даже представить себе не может, как я буду его ругать! За все, что он со мной сделал. За то, что бросил нас одних. За то, что дети еще маленькие, они его просто обожают, а он?! Взял да и ушел... Вы верите в загробную жизнь, Андрей?

Он смотрел ей прямо в лицо, внутри у него все корчилось от сострадания, и глупо было в тысячный раз спрашивать себя, почему *это* перестало быть работой.

— Мой дед был сельский священник, — сказал он. — В Фирсановке. А прадед, отец моей бабки, всю жизнь служил у Николы на Курьих Ножках. Тот вообще был батюшка, на всю Москву знаменитый. К нему народ за сто верст шел за советом и добрым словом. Бабушка рассказывала, что к нему даже Лев Толстой обращался, пока в свое отступничество не ударился...

Ирина слушала, как будто он рассказывал ей волшебные сказки о драконах, феях и живой воде.

— Поэтому в загробную жизнь я верю, Ирина Николаевна, — продолжал он, понимая, что ему повезло и он знает теперь, как можно ненадолго сдвинуть эту женщину с ее чудовищных мыслей. — Я верю в нее так же твердо, как в то, что завтра снова будет восход, а сегодня вечером — закат. Иначе все это и вовсе бессмысленно...

— Да-да! — сказала она почти человеческим голосом. — Вот именно! Если нет, так это действительно совершенно бессмысленно...

— Вы только не проговоритесь моим коллегам, — попросил Андрей. — Меня в управлении засмеют.

— Нет, — сказала она, как будто и впрямь у них была теперь общая тайна. — Не проговорюсь. Надо же, как вам повезло. У вас в семье священники были. А у меня мама — кондитерша с «Красного Октября», папа — инженер с ЗИЛа, и никаких священников. И никаких надежд. Маме плохо все время... Отец в ванной запирается и плачет. Ребята тоже чуть что — ревут. Не столько от горя, сколько от того, что понять ничего не могут, где отец, где мать, где прежняя хорошая жизнь, почему мы в отпуск не едем...

Она замолчала надолго. Андрей не хотел ей мешать.

— И мне совсем не с кем поговорить про него, понимаете? — сказала она, глядя на Андрея с надеждой. — Моя сестра кое-как управляется с родителями и детьми, своими и моими. Свекровь...

— Я видел вашу свекровь, — перебил Андрей осторожно. — Я все про нее понимаю.

— Да? — спросила Ирина. — Ну, тем более. Мила Гольдина приехать и сидеть со мной не может. У нее тоже дети, да и вообще она человек очень... нежный. Слишком нежный... Поговорите со мной, пожалуйста. Поговорите со мной о Сереже. Вы не бойтесь ничего, я про все вам расскажу, просто мне нужно, чтобы кто-нибудь со мной о нем поговорил. Пусть даже вы.

«Пусть даже я, — подумал Андрей. — Пусть».

— Вы поэтому просили меня приехать? — спросил

он, как будто пытаясь нащупать твердую почву в зыбкой болотной топи.

— Нет! — сказала она. — Не только поэтому. Сейчас, одну минуточку...

Она вышла и быстро вернулась.

— Вот, — сказала она и протянула ему маленькую кассетку. Две точно такие же лежали у него в кармане джинсов.

— Что это? — спросил он изумленно.

Что за чертовщина? На сегодня с него вполне хватит кассет, своих и ворованных.

— Это я услышала вчера вечером. Дома, в Москве. Понимаете, все звонят каждую минуту — и родственники, и пациенты, и кто занимается Сережиными бумагами, и... — она запнулась, — похоронами. Я не подхожу к телефону. Я потом буду подходить, — вдруг прошептала она, оправдываясь, — но сейчас — не могу.

Андрей взял кассету.

— Там говорят, что я — сука и что я получила по заслугам, — продолжала Ирина ровным голосом. — Вы потом послушаете, хорошо? Не здесь. Это можно сделать не здесь?

— Можно, — сказал Андрей мрачно. — Голос мужской или женский?

— Голос... не знаю. Скорее мужской. Какой-то он непонятный, этот голос.

— Вам угрожают?

— Нет, что вы! — сказала она удивленно. — Говорят, что просто я наказана недаром. Как вы думаете, Андрей, его могли убить из-за меня?

— Что за ерунду вы несете, Ирина Николаевна! — сказал Андрей с досадой. — Вы лучше знаете что мне скажите...

— Что? — спросила она с проблеском интереса.

— Почему пятнадцать лет назад, когда вы поженились, вы прожили у свекра со свекровью всего два месяца, а потом переселились в общежитие? Чего вам в апартаментах-то не жилось?

Это было как раз то, что нужно. От воспоминаний она даже покраснела слегка.

— Ой, ну что вы... У них совершенно необыкновенная семья. Такая... аристократическая, докторская семья, а я была совершенная дурочка и простушка. Папа инженер, а мама кондитерша. Когда я впервые поговорила с Лидией Петровной, мне показалось, что это чуть ли не преступление, иметь таких... простых родителей. Я даже стала их стесняться, понимаете? Ну, и конечно, она очень быстро указала нам на дверь. Мы обижались сначала, а потом перестали. Как Сережа говорит, хорошо, что выгнали, я от этого только злее стал... А потом он очень быстро в гору пошел. То есть мы по-настоящему тяжело жили недолго. Лет... пять, пожалуй.

Пять лет, всего ничего, подумал Андрей. Подумаешь, пять лет в общежитии на две стипендии!

— Он подрабатывал. И я тоже подрабатывала. И мои родители нам все время давали какие-то деньги. Нет, с голоду мы не умирали, но бедствовали, конечно. Все это в последние годы только появилось — и дом, и квартира, и отпуска за границей. Господи, как же я люблю поехать в отпуск! У нас каждый отпуск, как медовый месяц. У вас есть жена, Андрей?

Очевидно, она забыла, что он и есть тот самый бывший милицейский муж, который ничем ей не помог.

— Нет, — сказал он. — Мы развелись давно.

— Нет, — сказала она. — Это не то. Тогда вы вряд ли меня поймете.

Он понимал ее.

Он как раз и мечтал о том, чтобы у него была именно такая семья. Чтобы пятнадцать лет — как один день. Чтобы каждый отпуск — как медовый месяц. Чтобы поругаться — а потом бурно помириться в постели. Чтоб непременно был толстый щенок по имени Тяпа. Чтобы прийти ночью с работы, обнять ее и ни о чем не думать, и знать, что ты — самый важный, самый главный, самый нужный человек. Что без тебя пропадут. Что тебя ждут, любого и всегда. Что ты — центр маленькой и бесконечно громадной собственной вселенной.

Мужчина, отвечающий за все. За женщину, за детей, за дом, за работу. За собственную вселенную.

Без «неумения жить в социуме». Без нескончаемых разбирательств, кто прав, кто виноват. Без грандиозной теоретической базы, подведенной под очередной отказ от секса. Без всей этой ерунды, что замучила его во время его недолгого брака.

Не то чтобы он мечтал как-то конкретно. Просто думал иногда. Может, и впрямь они были похожи с Сергеем Мерцаловым, и именно поэтому *это* больше не было работой?

Но у Сергея-то как раз была собственная вселенная. А у Андрея нет и не было ничего подобного.

— Сейчас я вам покажу... — Она поднялась из-за стола и пошла гостиную, отделенную от кухни низкой широкой деревянной стойкой с резными колонками.

Андрей внимательно следил за ней, боясь, что она налетит на стул и упадет или упрется в стену и не будет знать, как повернуть обратно.

— Вот, — она вынула из комода несколько альбомов и положила их перед Андреем. — Это наши фотографии. Здесь, конечно, только часть, в основном все дома, в Москве. Мы много фотографировали друг друга, даже когда камера появилась. Ну, такая, знаете, для съемок. Зато здесь старые фотографии. Детские, его и мои. Свадебные наши тоже, по-моему, здесь, хотя там особенно нечего смотреть. Мы такие глупые были и молодые...

Альбомы действительно были старые, очень непохожие на современные целлофановые книжки с розами или яхтами на верхнем листе. Это были настоящие альбомы для фотографий, упитанные, бархатные, с вытертым золотым тиснением на крышке. Андрей наудачу открыл один из них. Вихрастый мальчишка с удочками и ведерком серьезно смотрел в объектив. За ним рябило мелкой волной какое-то озерцо.

— Это на даче. А это в школе. Кажется, это Сережа в третий класс пошел. Это его в пионеры принимают, а это уже институт.

Маленького Сергея Мерцалова в альбоме было совсем мало, и на всех фотографиях он был серьезен и задумчив.

Интересно, над чем он тогда так напряженно думал?

Попалась еще какая-то старая открытка с женщиной необыкновенной, неестественной красоты и еще открытка с лютиками и ромашками — поздравление маме с Восьмым марта...

Потом начались развеселые студенческие лица, лаборатории, белые халаты...

— Это мы около трупа снялись, — сказала Ирина. — В анатомичке. Нас тогда это страшно веселило.

Она не смотрела на фотографии, но почему-то точно знала, что именно Андрей смотрит.

Нет, это невозможно.

Андрей закрыл альбом.

Они помолчали.

— Он... хороший врач? — спросил Андрей, пропустив слово «был».

— Да, — сказала Ирина. — Очень хороший. Он классный хирург прежде всего, это нечасто встречается. Конечно, собственную научную школу он не создал, но я уверена, что создал бы, если бы у него хватило на это времени. Ему же нужно зарабатывать, а не только заниматься чистой наукой. На чистой науке мы бы очень быстро протянули ноги. Хотя в мире его знают и уважают, не только у нас... Он увлекался часто, но не так, чтобы это вредило делу... Я его всегда за это ругала. Разве можно так бешено, безумно увлекаться?

— Чем? — спросил Андрей осторожно.

— Новыми теориями, идеями, методами лечения. Но он... гений. — Она улыбнулась. — Гениям свойственны всякие штуки, недоступные нашему пониманию.

— Почему брат ушел из его института, Ирина Никслаевна? Ведь он начинал работать у него?

— Ушел?! — Ирина посмотрела на Андрея с изумлением. Теперь она разговаривала, как совершенно нормальный человек. Теперь она говорила о том единственном, что было ей интересно. О том единственном, о чем вообще могла говорить. — Да Сережка выгнал его! Вы разве не знали? Это все знают!

Андрей вдруг понял, что она вряд ли отдает себе отчет в том, с кем именно разговаривает. Ей было все равно. Лишь бы — о муже. Лишь бы на несколько секунд обмануть себя. Вернуть его, хотя бы просто в разговоре с посторонним человеком.

— Нет, — сказал Андрей. — Я не знал.

— Ну господи, ну конечно, он его выгнал. Петя — очень сложный человек. Они все сложные, Мерцаловы, а Петя, наверное, самый сложный... Он учился не бог весть как, а когда Сережа его взял, он решил, что можно вовсе не работать. Он, видите ли, думал, что Сережа его возьмет на место Гольдина, но это же идиотизм! Гольдин в медицине двадцать лет, специалист замечательный, они с Сережей отличная команда, и Петя здесь, в общем-то, совсем ни при чем...

— И он его уволил? — спросил Андрей.

— Да, — подтвердила Ирина. — Это было ужасно. Лидия Петровна, по-моему, Сережке так этого и не простила. Они с нами год не разговаривали после этого... А Сережа переживал. Очень.

— Что он переживал?

— Ссору. — Она вся была там, в этих воспоминаниях, которые раньше, наверное, были не самыми приятными, а теперь казались ей чудесными. — Он же... Для него семья была всем на свете. Он готов был умереть за них. За нас... Он принадлежал к совершенно особенному типу мужчин, я вам говорю как психолог. Он был просто помешан на семье. Все, что он делал, он делал для того, чтобы его семья была самой лучшей. Самой крепкой. Чтоб ни мы, ни родители ни в чем, боже сохрани, не нуждались. Кстати, у таких мужчин не бывает друзей. И у Сережки нет никаких друзей, кроме Гольдина. Не сойдись он с Гольдиным на работе, у него вообще никого не было бы... Налейте мне еще кофе, Андрей.

— Может, вы поесть хотите? — спросил Андрей, чувствуя себя кретином. — Приготовить?

— Поесть? — переспросила она. — Нет, я не хочу есть. Может, вы хотите? Господи, а я даже не предложила...

Боясь, что она вот-вот вернется из своего счастливого мира в реальный, он торопливо уверил ее, что есть не хочет.

— А что было потом? — спросил он. — После того, как он уволил Петю?

— Он сам его и пристроил к Тихонову, в Медицинский центр. Рядовым врачом. Ну, у Пети не было выбора, и он согласился. Пришлось работать, конечно. Но отношения стали... хуже. А Сережка очень это переживал. Очень.

Андрей бесшумно встал и подошел к желтому холодильнику.

Ты не святой Серафим, сказал он себе. Успокойся. Садись и слушай, что говорит тебе вдова потерпевшего. Садись сейчас же.

Он вытащил из холодильника копченую колбасу и вялый огурец. Огурец он помыл, а колбасу нарезал тоненькими лепесточками.

— Он, знаете, все время пытался им доказать, что они могут им гордиться. Несмотря на то, что они были недовольны его женитьбой и тем, что он Петю выставил... — говорила Ирина. — Он был просто чудовищно внимательный сын. Я ревновала его ужасно. Он тратил на родных столько денег, что на них мы вполне могли бы купить замок в Гааге...

— Почему именно в Гааге? — спросил Андрей.

Хлеба не было, но он нашел открытый пакет с хрустящими хлебцами. Он навалил на хлебец колбасы и огурец и сунул ей в руку. И, тоскуя от собственной неуклюжей услужливости, подогрел кофе.

— Ешьте и пейте, — сказал он, втискиваясь за стол. Она послушно откусила.

Когда она ела в последний раз?

Когда ее муж приехал домой и велел ей собираться к теплому морю? Или позже, когда они уложили детей и пили чай перед телевизором?

— Да он так острил все время. И все время почему-то про Гаагу. Он был там однажды. Его ван Вейден приглашал. Ну вот. И всех его усилий все равно было мало. Все равно он делал что-то, что не позволяло ему стать «идеальным сыном». Вот на мне женился. Петю уволил. И так далее... Господи, он так хотел, чтобы они его любили, а они им... пользовались.

Слезы полились сразу и так обильно, что ей пришлось поставить чашку и прижать руки к глазам. Слезы текли из-под ее сжатых пальцев и капали с подбородка.

— Он так хотел, чтобы его любили... Я любила, конечно, его за всех. Если бы он только знал, как сильно я его люблю... Я ему каждый день говорила, как я его люблю. Он меня просил: расскажи, как ты меня любишь, и я рассказывала. В общежитии было холодно, мы лежали под тремя одеялами и все равно мерзли, и я рассказывала ему, как я его люблю. Мне было всего двадцать лет, но и тогда я понимала, какой он одинокий, страшно одинокий мальчик. Он так и не стал для них своим, а он так старался. Господи, как он старался... Он все время искал им какие-то подарки, он приглашал их на все банкеты, покупал им мебель...

— Кому — им? — спросил Андрей осторожно. — Родителям?

— Ну конечно, — кивнула она с горечью. — И ничего не помогало. Он даже сказал как-то, что никакими деньгами тут не поможешь, и званиями, и успехами...

— У него были вы, — сказал Андрей. — И дети. Этого должно было хватить...

Татьяна УСТИНОВА

Она взглянула на Андрея и, кажется, даже улыбнулась.

— Спасибо, — сказала она. — Вы добрый и все хорошо понимаете. Конечно, когда появились мы, все это стало не таким острым. В нашей любви он никогда не сомневался.

— Вы... доверяли ему? — спросил Андрей.

— Что значит — доверяла? — не поняла она. — Как человеку? Как врачу?

— Как мужу, — бухнул Андрей, ожидая чудовищного всплеска эмоций. У него засосало под ложечкой. — Он был вам... верен?

Ничего не произошло. Она смотрела точно так же, очень благодарная ему за то, что он разговаривает с ней о муже. И лицо не дрогнуло. И голос не изменился.

— Как он мог быть мне не верен? — спросила она и, кажется, даже повеселела. — Вот и видно, что вы разведены. У вас собственный отрицательный опыт. Или... — она улыбнулась. Совершенно точно: теперь она улыбнулась. — Или вы узнали про... Элю. Угадала?

— Угадали, — сказал Андрей.

Может, она все-таки не в себе? Найти спиртного? Вызвать врача?

— Эля — Петина любовница, Андрей. И всегда была Петиной любовницей.

— Так, — сказал Андрей и закурил. — Понятно.

— Тогда, давно, именно Петя уговорил Сережу взять Элю на работу. Петя был в нее влюблен, хотя сперва, на курорте, ей нравился Сережка, и это было очень смешно. Так она на нем висла... Господи, да она была совсем девочка, лет девятнадцать! Ну, двадцать, может быть. А Сережа в таких вопросах был удивительно толстокожий. Он никогда ничего не замечал или не хотел замечать. Может быть, поэтому мы как-то удачно избежали обычных скандалов и ссор, которые бывают, когда люди не доверяют друг другу... Он никого не замечал.

260

Хотя были девицы, которые... Которым он нравился, так, скажем. Молод, богат. Длинный, тощий, дорого одетый. — Она улыбнулась, легко и любовно. — А Пете эта девочка сразу понравилась, и она как-то быстро взяла себя в руки и перестала за нами бегать. Уезжали они уже вместе с Петей, он ее провожал. И в Москве все развивалось очень бурно. Потом она ему надоела, и он ее бросил. Она осталась одна с ребенком и быстро поняла, что сможет тянуть из Сережи деньги. Сережа чувствовал себя ответственным за всех. За всю семью. За Петю особенно, ведь он его младший брат. Ну вот он и содержал ее и племянника. Петин ребенок — Сережин племянник, понимаете?

— Понимаю, — согласился Андрей.

Оказывается, святым Серафимом оказался вовсе не Андрей Ларионов, а Сергей Мерцалов.

— Они очень из-за нее ссорились. Сергей считал, что, если уж получился ребенок, непременно нужно жениться. У него, конечно, были несколько... консервативные взгляды. А Петя не хотел ни в какую. И родители не хотели.

— А Эля?

— А Эле это было очень удобно. Вряд ли Петя смог бы давать ей столько денег, сколько Сережа. Он чувствовал себя виноватым и денег давал много... Он все время пытался заставить их выяснить отношения и пожениться. Он понимал, что не сможет везти на хребте еще и Петину семью до бесконечности. Но у него не получалось...

— Вы не знаете, он не был у нее в тот... день? — спросил Андрей.

Так. Нужно быстро нарисовать картину заново. Это все меняет. Абсолютно все.

— Был, конечно, — сказал Ирина. — Он к ней поехал из министерства. И звонил мне с мобильного, но у меня был пациент, и я трубку не взяла.

— А зачем он к ней поехал?

— Деньги повез, зачем же еще? Осень началась. Наверное, ребенку понадобились вещи какие-нибудь. Или Эле... — Она улыбнулась презрительно.

— А Петр не приезжал к ней в тот день, не знаете?

— Нет, — она покачала головой. — Сережка не говорил ничего. Наверное, не приезжал. Он редко у нее бывал. Его раздражало, что Сережка пристает к нему с какой-то б бой... Несмотря на то, что у этой бабы от него ребенок...

— Так, — сказал Андрей. — Так.

Ему нужно было быстро все проверить.

— Ирина Николаевна, вы здесь останетесь или в Москву вернетесь?

— Я пробуду здесь до пятницы, — ответила она твердо и взглянула Андрею в глаза. — В пятницу Сережины похороны. Вы придете?

День клонился к вечеру, и от холода и дождя очень хотелось спать. Клавдия деликатно зевнула в воротник свитера. Аптечная бабулька Наталья Ивановна, пришедшая сегодня без подруги, улыбнулась ей из-за стеллажа с косметическими препаратами — заметила, как она зевнула. Клавдия смутилась.

Весь день она бегала к телефону и хватала трубку, едва только телефон подавал первые признаки жизни. Окружающие девушки только удивлялись ее сегодняшней телефонной прыти.

Бегала она совершенно без толку. Ларионов не звонил.

Час в два позвонила его сестра и Клавдина лучшая подруга. Слышно было очень плохо.

— Я в Сергиевом Посаде! — проорала в трубку Танька. — Слышишь?! У шефа совещание здесь, мы только завтра вернемся! Алло! Клава!! Ты слышишь меня?!

— Слышу!! — проорала в ответ Клавдия. — Приезжай!!

И связь прервалась, как будто Сергиев Посад вышел

из зоны радиовидимости навсегда и скрылся за воинственной планетой Марс...

Он забыл. Или не смог. Или занят.

Скорее всего забыл, конечно. До Клавдии ли ему среди всех его многотрудных милицейских дел?

Она сама позвонит ему вечером, после девяти. Наверняка после девяти он будет уже дома. Она позвонит и расскажет о том, что его сотрудника Диму она так и не вычислила — интересно, был ли он сегодня, этот Дима? — зато своего всегдашнего кавалера приметила сразу. Сегодня утром он скучал возле залитой дождем бывшей клумбы и курил, как пленный немец, прикрываясь полой куртки. Чего ему, горемычному, в машине не сиделось?

— Устали, Клавочка? — добрым голосом спросила Наталья Ивановна, и Клавдия с некоторым содроганием вынырнула из своих бесконечных, как хвост автомобильной пробки, дум. — Вам необходимо витамины принимать. Я недавно услышала в программе «Здоровье», что весной и осенью нужно непременно принимать витамины.

Клавдия принужденно улыбнулась. Ей не хотелось обсуждать с болтливой бабулькой свою усталость или свой небогатый витаминами рацион.

— Надумали, что будете брать, Наталья Ивановна? — спросила она. Телефон стоял под ее правой рукой и даже не думал звонить. Обычно он заливался истерическим звоном каждую секунду.

Подумав, Клавдия сняла трубку и послушала. В трубке бодро гудело.

— Как обычно, Клавочка, — сказала Наталья Ивановна несколько более холодно. Обиделась, что Клавдия не поддержала беседу, а схватилась за телефон.

Клавдия проворно достала со своего стеллажа ее обычные сердечные средства и попыталась загладить свою вину:

— А из косметики выбрали что-нибудь?

— Куда уж мне косметика, Клавочка! — кокетливо

сказала Наталья Ивановна. — Это только молодым нужно. Старым — зачем... У старых все позади.

У бабульки были розовенькие щечки, тщательно ухоженные руки, прическа, и шея всегда старательно задрапирована шарфиком. Наталья Ивановна точно заняла бы первое место в конкурсе красоты среди бабулек.

— Вот вы кокетничаете, Наталья Ивановна, — сказала Клавдия с умеренной и оттого еще более располагающей фамильярностью, — а на самом деле вы очень красивая. Купите крем от морщин!

И они обе засмеялись.

Наталья Ивановна взяла еще крошечный тюбик мази, помогающей от трещин на пятках.

— Попробую, — сказала она с сомнением. Тюбик был не из дешевых.

Клавдия выбила чек и опять посмотрела на телефон. Как назло, и народу в аптеке почти не было, даже отвлечься невозможно.

— До свидания, Клавочка! — попрощалась Наталья Ивановна. — Приду теперь только в субботу, и скорее всего с Ашхен. Мы, правда, уже три дня не разговариваем. Поругались.

— Из-за чего? — спросила Клавдия с улыбкой.

— Из-за Ельцина! — провозгласила Наталья Ивановна строго и направилась к выходу.

Повеселевшая Клавдия смотрела ей вслед.

Уличная дверь неожиданно широко распахнулась, и здоровый мужик в джинсах и короткой кожаной куртке, чуть не сбив Наталью Ивановну с ног, пробормотал галантно:

— Пардон, мадам, — и придержал дверь.

Ларионов.

Наталья Ивановна неодобрительно посмотрела вверх, ему в лицо, неизвестно чему улыбнулась и стала спускаться по крутым ступенькам. Клавдия видела в окне ее приседающий все ниже зонт.

Ларионов. Господи, что же теперь делать?

Глядя прямо на нее смеющимися серыми, как сегодняшний дождь, глазами, он протопал к ее окошку и сказал:

— Дайте мне что-нибудь от простуды, насморка, кашля, головы, желудка, печени, поясницы, мозолей, бессонницы и похмелья. — Он неторопливо перечислял все это и смотрел ей в лицо. В ее невозможное, красное, перепуганное лицо, и непонятно было, что он там видит, кроме истеричной радости и безграничного смущения.

— Запомнили? — спросил он. — Или повторить?

— Что? — спросила Клавдия.

— Положи что-нибудь на прилавок, — не меняя тона, весело приказал он. Ему почему-то приятно было, что она так смутилась и покраснела. Вот дурочка... — Открой коробку, достань бумажку и читай ее. Как бы мне. Улавливаешь? Или с трудом?

Клавдия послушно достала аспирин и вынула инструкцию.

— Зачем мы это делаем, Андрей? — спросила она шпионским шепотом. — В зале никого нет...

— На улице есть, — сказал он, и из его глаз пропал смех, остался только дождь. — Твоего соглядатая вполне можно не посвящать в нашу нежную дружбу. Так будет только лучше, как ты считаешь?

— Что? — опять спросила она.

Никогда он ее такой не видел. Красная, неловкая. Это из-за него, что ли?!

Он присмотрелся повнимательнее.

Она упорно отводила взгляд и смотрела куда угодно, только не на него.

«Боится она меня, что ли?»

От этой мысли он пришел в раздражение.

— Клава, — сказал он, — посмотри на меня. Я заехал спросить, как у тебя дела, и заодно мальчонку посмотреть, который тебя караулит.

— Посмотрел? — спросила Клавдия, сворачивая бумажку раз и еще раз.

— Посмотрел, — сказал он. — Мне поговорить бы с

тобой. Не на ходу. Давай вечером созвонимся, договоримся, как нам встретиться, только чтобы ты «хвоста» за собой не привела.

— «Хвоста»? — переспросила она и быстро на него взглянула.

— Я тебя научу, как от него уйти, — повеселев от ее взгляда, сказал он. — Ты сообразительная, ты сумеешь. О'кей?

— О'кей, — согласилась она. — Как хорошо, что ты приехал, Андрей! — добавила она неожиданно. — А я весь день проторчала около телефона.

— Почему? — совершенно искренне спросил он.

— Потому что ты должен был позвонить, балда! — сказала она быстро и свернула бумажку еще вдвое.

Однажды она сказала ему, что он — слон. Он, конечно, был слон, но не до такой степени.

— Ты ждала моего звонка? — недоверчиво спросил гениальный сыщик Ларионов.

— Ждала, — призналась она.

Пропади все пропадом. Разве один раз за десять лет она не может сказать человеку, что ждала его звонка?

Он молчал, она снова быстро на него взглянула и покраснела еще гуще. Господи, ну почему она такая идиотка?!

— Ладно, — сказал он тихо. — Ладно, это мы с тобой потом обсудим. Ты только будь вечером поосторожнее, Клава. Хорошо? Я не смогу вечером за тобой приехать. Я завтра точно смогу, а сегодня у меня никак не получается. Уж я крутил, крутил... Так что ты... повнимательнее, и вечером я позвоню... — Он постепенно притормаживал, понимая, что говорит слишком быстро, и она посмотрела ему в лицо.

— Только обязательно позвони, — попросила она серьезно.

— Да, — сказал он тоже очень серьезно. — Да. Как только приду домой.

Это прозвучало обещанием, и он понял это.

Очень давно — годы — он никому и ничего не обещал.

— Поосторожней, — растерянно сказал он в последний раз и осторожно положил на прилавок раскрашенную в зеленое коробочку.

Она кивнула, и он быстро пошел к выходу из аптеки.

— Кто это? — спросила рядом Лида. — А, Клавка? Слушай, симпатичный какой мужик! Где ты его взяла? Он к тебе специально пришел? Поговорить?

— Да, — сказала Клавдия и наконец перевела дыхание. — Он приходил специально ко мне. Поговорить.

Андрей вошел в свой кабинет и, еще до конца не стряхнув с плеч мокрую куртку, набрал номер.

— Мам, — сказал он, когда ответили. — Это я. Вы как там? Не утопли?

Вполуха он слушал, как она ругает его за то, что вчера он так и не позвонил, а они волновались. Влажная от куртки рука застряла в плотном джинсовом кармане вместе с кассетами и обратно никак не вылезала.

— Мам, я тебя люблю, — перебил он мать и вытащил наконец руку.

— Ты что? — спросила она недоверчиво. — Заболел? Или подлизываешься?

— Я не заболел и не подлизываюсь, я просто тебя люблю.

С трубкой, прижатой к уху, он уселся в кресло и расшнуровал ботинки. Несмотря на то, что весь день он почти не выходил из машины, ноги были мокрые.

— Это приятно слышать, — сказала мать растроганно. — Только ты как-то слишком редко это говоришь.

Он бы и сегодня не сказал, если бы не Сергей Мерцалов. Но матери об этом знать не полагалось.

— Ты приедешь в выходные? — помолчав, спросила мать. — Я бы пирогов напекла. Каких тебе больше хочется, с мясом или плюшек с изюмом?

— Мам, мне хочется и с мясом, и с изюмом. И еще с

капустой и яблоками. И с малиной. — Она замораживала малину и иногда холодной осенью или среди зимы неожиданно пекла малинный пирог. — Я приеду, да. Но дело не в этом. — Он откинулся в кресле и потер глаза. — Мам, я привезу на выходные Клаву Ковалеву, ладно? Ей бы уехать из Москвы дня на два...

— Что случилось? — тут же спросила мать. — Что такое, Андрей?

— Ничего такого, — уверил он фальшиво. Почему-то при всех своих способностях к виртуозному вранью маме он врал плохо. Неталантливо. Без огонька. — Просто мне будет проще, если ты ее приютишь на время....

— Что значит — приютишь? — Мать встревожилась еще сильнее. — Она что, беспризорная собака? Что ты темнишь, Андрей!

— Я не темню! — сказал он. — Я тебе потом все расскажу. У нее определенные проблемы. Я до недавнего времени в них не верил, и напрасно, между прочим. Кстати, мам, я думаю, что мне на пенсию пора. Плох стал.

— Ну да, — сказала мать. — Понятно.

— Мама! — раздражаясь, прикрикнул он. — Я уже давно не в восьмом классе, и ты не поймала меня с куревом в школьной раздевалке.

Она засмеялась:

— Ну, ты ей помогаешь с ее проблемами, пенсионер?

— Я стараюсь, — сказал он честно. — Можно мне ее привезти?

— Ну зачем ты спрашиваешь? Да еще во второй раз? — В ее голосе чувствовалась смесь беспокойства и досады на сына за то, что он, по ее мнению, задает глупые вопросы. — Ну конечно, можно. Мы с отцом только счастливы будем. А она поедет? Она же у нас человек очень... деликатный.

— Привезу! — пообещал Андрей. — Я тебя целую, мамань. Ты — пупсик.

Он положил трубку, вытянул ноги и посмотрел на телефон. Потом снова набрал номер.

— Мам, — скороговоркой, чтобы не передумать, выпалил он, — скажи мне, если бы мне было двадцать лет, я бы только поступил в университет и решил жениться по безумной любви на какой-нибудь бесприданнице. На Клавке. Ты бы меня выгнала из дома?

— Андрей, — сказала Елена Васильевна, и голос у нее дрогнул, — ты что? Что с тобой, мальчик?

— Ничего, — ответило он резко. — Так выгнала бы? Она помолчала, как будто подумала.

— Ну, во-первых, я надеюсь, ты спрашиваешь несерьезно. Выпороть еще можно, а выгнать... А во-вторых... Наверное, я не была бы очень довольна, — сказала она, по учительской привычке тщательно взвешивая каждое слово и стараясь ответить максимально точно, — и отец вряд ли был бы доволен. В семье прибавился бы еще один ребенок — твоя жена, и нам, конечно, стало бы труднее. С другой стороны, если бы это действительно оказалась Клава, я не думаю, что у нас были бы проблемы. Она кинулась бы мне помогать с бабушкой и не доставила бы никаких хлопот. Кроме того, вы оба оказались бы у нас на глазах, а это гораздо лучше, чем весь вечер напролет изводиться — где ты, что с тобой, во сколько ты приедешь и так далее... Я ответила на твой вопрос, Андрей?

— Да, — сказал он. — Спасибо.

— Ты собрался жениться на Клаве? — спросила мать осторожно.

Ему так полегчало после того, что она сказала, что он даже развеселился.

— Пока нет! — Он засмеялся. — А что? Мне стоит подумать?

— Подумать всегда стоит, — ответила мать. — Ты постарайся ее не обижать, Андрюша. Может, милиционер ты хороший, но...

— Знаю, знаю, — перебил он, — я не умею жить в социуме. Пока, мам. Спасибо. В субботу с утра я ее привезу.

Дался им этот социум! Вот Клаве небось наплевать,

умеет он жить в социуме или нет. Он вспомнил, *как* она смотрела на него в аптеке. В последний раз на него так смотрела Лена Фетисова в детском саду. Она была хорошенькой, черненькой, в бантах и белых колготках, и у них с Андреем Ларионовым была любовь. Кажется, после Лены на него никто *так* не смотрел.

Он с усилием стряхнул с себя мысли о Клаве и о Лене Фетисовой, как давеча мокрую куртку. Ему нужно было подумать.

Думал он довольно долго, до тех пор, пока не приехал Полевой.

— Что за осень, а? — сказал он с порога. — Холод, и льет как из ведра. Ты чайник хоть поставил?

— Нет, кажется, — сказал Андрей, оглядываясь на чайник, чтобы удостовериться, поставил он его или нет.

— Люську, кроме музыки, еще на балет отдали. Представляешь? — Игорь проверил, есть ли в чайнике вода, и включил его в розетку. — Совсем спятила баба. Я ей говорю — если тебе охота, иди сама в эту балетную школу.

— А она? — спросил Андрей.

— А она говорит, чтобы я заткнулся. Денег нет, мужа нет, жизни нет, так хоть ребенка в балет отдам...

Говорить было нечего, и они помолчали.

Все правильно.

Работали они много и тяжело, а зарабатывали столько, что даже сказать стыдно. От большинства из них давно поуходили жены и мужья, а те, которые остались, боролись, как правило, из последних сил. Кому-то помогали родители, кто-то уходил в частный сыск, остальные перебивались кое-как. Майор Ларионов на общем фоне существовал вполне благополучно — у него не было семьи, зато была квартира и машина. Машина была старая, а квартира — родительская, но все же, все же...

Ни за что больше не женюсь, твердо решил про себя Андрей. Нужно внести в текст присяги пункт, запрещающий вступление в брак. Вот и будет решение всех проблем. Вполне в духе национального идиотизма. Нас хлебом не корми, дай только что-нибудь запретить...

— Ну что? — спросил Игорь. — Чего надумал про Мерцалова-то?

— Хрен с ним, с балетом, — сказал Андрей. — Люська — ребенок крепкий, авось протянет как-нибудь, пока мамаша не замучается ее таскать из школы в школу.

— Она не скоро замучается, — пробормотал Игорь, пристально глядя на закипающий чайник. — Ладно, майор. Давай по существу.

— А по существу Элю Коврову любил никакой не Сергей, а Петр, и именно Петр уговорил Сергея взять ее к себе на работу.

Изумленный Игорь длинно присвистнул.

— Это тебе Ирина рассказала?

Андрей кивнул.

— А не врет она? — спросил Полевой, подумав. — Не старается представить покойного мужа лучше, чем он был на самом деле?

— Нет, Игорек, — сказал Андрей. — Как раз наоборот. Если это правда, то все сходится. И его звонки домой, и совместные отпуска, и все сладкие сказки про то, как он любил жену и детей. Просто жить не мог, — добавил Андрей с какой-то внезапно поднявшейся злобой. — С матерью у него действительно плохие отношения. Во-первых, потому, что он все делал не так, как она считала нужным, начиная от женитьбы, а во-вторых, потому, что она младшего обожает, а на всех остальных ей просто наплевать. Ну, это пока мои догадки.

Игорь разлил кипяток в две кружки, посыпал сверху заварки, как посолил, и сунул одну Андрею.

— Кофе опять нет? — спросил Андрей кисло, рассматривая содержимое своей кружки.

— Ты покупал?

Андрей отрицательно мотнул головой.

— И я не покупал, — сказал Игорь. — Откуда же ему взяться, кофе-то? Пей, не выламывайся. Подумаешь, аристократ какой выискался...

Одновременно они отхлебнули кипяток и поморщились — слишком горячо было.

— Ты думаешь — брат? — спросил Игорь.

— Думаю, — признался Андрей. — Смотри: Сергей на него сильно давил, чтобы он женился на этой вашей Элеоноре. Саму Элеонору и ее ребенка Сергей содержал.

— Зачем?

— Ирина мне сказала, что он так понимал семейный долг. Это у него вроде болезнь такая была — гипертрофированное чувство ответственности за семью, которая его не очень любила. Ну, он и старался, чтобы они его любили, но у него не очень получалось. Он считал, что брательник должен жениться, и баста. Брательник жениться не хотел ни в какую. Проверить нужно, мог ли Сергей на него как-нибудь давить, кроме как финансово... Ну, например, на работу в Медицинский центр он Петю устраивал. Может, он грозился, что испортит ему карьеру? Может, хотел жаловаться этому профессору Тихонову, у которого он работал?

— Слушай, Ларионов, а чего этой бабе-то врать, что у нее от Сергея ребенок? — перебил Игорь. — Какой смысл? Ну ладно, в институте все думали, что генеральный пошаливает, на сторону ходит, и он эти слухи никак не опровергал...

— Как их опровергнешь? — спросил Андрей. — Объявление повесишь — я не сплю с любовницей брата?

Игорь пожал плечами:

— Я бы ни за что в таком положении не остался. Я бы уж как-нибудь...

— Ты что, когда-нибудь руководил институтом и имел кучу денег? — Андрей перестал хлебать из кружки и посмотрел на Игоря. — До таких мужиков, как наш потерпевший, всем есть дело. Всем, понимаешь? Не только секретаршам и уборщицам. Дружный трудовой коллектив просто существовать не может, пока не обнаружит чего-нибудь эдакого, остренького, тем более он был весь такой... образцово-показательный. В отпуск — с женой, на банкет — с мамашей, на Рождество — с детьми. Денег много не воровал, зарплату платил. Должны же быть у человека хоть какие-нибудь тараканы?! Да они все небось счастливы были, когда обнаружили, что он к бухгалтерше бегает....

— Ладно-ладно, — сказал Игорь успокаивающе, — угомонись. Что это ты так разошелся?

Он разошелся потому, что для него это было *не просто работой*. И забыть об этом у него не получалось, хотя он честно пытался.

Три часа назад он кормил Ирину Мерцалову бутербродами и поил невкусным подогретым кофе. И смотрел фотографии, на которых худенький черненький мальчик был таким сосредоточенным.

Да, фотографии.

Что-то там было, на этих фотографиях.

Что-то такое, что он упустил, просмотрел, и это тоже вызывало острое чувство недовольства собой.

Вспомни, Ларионов. Что ты там мог увидеть?

— Не знаю я, для чего она тебе врала про то, что это Сергея ребенок, — сказал он вслух. — Очевидно, какие-то свои цели преследовала...

— Мы у нее спросим, — сказал Игорь. — Спросим, майор?

— Я так думаю, что наш дорогой Петя в тот вечер тоже у Элеоноры был, — сказал майор задумчиво. — У него «Шкода Фелиция», у 161 ВТ. Как бы проверить, не стояла ли поблизости его машина часов с трех и часов до пяти? Она ведь где-то недалеко от института живет?

— Напротив, — откликнулся Игорь задумчиво. — Проверим, чего ж не проверить. Значит, все-таки брат...

— Я кассеты спер, — сообщил Ларионов доверительно. — Из автоответчиков у родителей и у Петечки. Очень мне хочется понять, почему Мерцалов-старший про телефон наврал. Зачем?!

— Ну ты даешь, майор, — сказал Игорь весело. — По-настоящему спер? Просто взял и спер?

— Где бы их послушать, ты не знаешь? У нас есть где-нибудь «Панасоники» с автоответчиками?

— Черт их не знает, — сказал Игорь. — У генерала точно есть. Хочешь, сходи к нему в приемную.

— Нет уж, я воздержусь пока, — пробормотал Андрей и снял трубку с внезапно завизжавшего телефона.

Звонила Ольга сообщить, что она едет домой, что в институт третьего августа действительно приходил Евгений Васильевич Бойко, удалившийся нынче на Балтийское побережье, и что она разговаривала с Димкой, который собирается завтра навестить квартиру покойного мецената из благотворительного фонда, и что она пойдет с ним.

— Хорошо, Ольгунь, — сказал Ларионов нежно. — Спасибо.

— Ну что? — спросил Полевой

— Бойко приходил, — сказал Андрей. — Ольга сегодня в институте была, и народ там его признал. Ты в Калининград звонил?

— Звонил, — сказал Игорь. — Ребята обещали помочь. И пограничникам я тоже звонил. Пока никаких сведений о том, что Евгений Васильевич Бойко пересек границу Литвы, нет.

— Я думаю, он теперь быстренько в Москву засобирается, если у него главный клиент преставился, как ты думаешь? Не может же он фирму нам на растерзание отдать?

— Не может, — согласился Игорь. — Пойдем, Ларионов, домой. Ночь на улице. А кассеты в собственном телефоне прослушаешь.

— Подожди, — попросил Андрей. — Подожди, Игорек. Давай лучше с тобой вот еще про что поговорим. Что мне делать с моей аптекаршей? За ней ведь тоже следят...

Пригревшись в метро, Клавдия уснула и проснулась, только когда объявили остановку. Тараща глаза, она ринулась выходить, и оказалось, что напрасно — она выскочила из поезда на одну остановку раньше.

«Следующая — «Речной вокзал», — сказал смятый сиплыми динамиками голос.

«Осторожно, двери закрываются, *следующая* — «Речной вокзал», — а она со сна не разобрала как следует.

Из тоннеля несло теплым пахучим ветром, волосы шевелились, лезли в глаза. Клавдия устала, и ей очень хотелось домой, тем более Ларионов обещал позвонить.

Вдруг он позвонит, а ее не будет дома? Что он тогда будет делать? Перезвонит или не станет?

И Таню унесло в Сергиев Посад, даже поговорить как следует не с кем.

Клавдия улыбалась, вспоминая, как он вошел в ее аптеку и чуть не сбил с ног старушку, и как посторонился, пропуская ее, и как потом подошел к прилавку и что именно говорил.

Такое вот необыкновенное явление природы — здоровенный молодой мужик в плотных джинсах и кожаной куртке, пришедший, чтобы поговорить с ней, с Клавдией Ковалевой.

Зеленая бумажная коробочка от аспирина, хрупкая и как будто ненастоящая в его грубых пальцах. Серые внимательные глаза, очень короткие волосы.

Андрей Ларионов.

Андрей Ларионов, который сказал, что никак не может проводить ее сегодня, зато завтра сможет точно. Который сказал, что позвонит ей вечером, и был при этом так серьезен, как будто клялся в любви.

Господи, да за одно только это мгновение она может выносить любую слежку всю оставшуюся жизнь! Пусть бы только Андрей продолжал ею заниматься... Конечно, это не слишком честно, кажется, это называется использование обстоятельств, ну и ладно. Она просто немножко попользуется ими, ведь других таких обстоятельств может больше не быть никогда...

В конце концов она еще и на автобус опоздала. Она выскочила из пасти подземного перехода, когда «Икарус»-гармошка уже захлопнул двери и стал разворачиваться на пятачке, чтобы поехать в сторону Клавдиного дома. Клавдия бежала и махала, но он, конечно же, не остановился.

Клавдия еще некоторое время бежала за ним, как отставший белогвардеец за последним пароходом в Стамбул, а когда остановилась, то обнаружила, что совершенно одна на задворках базарной площади, освещенной мертвенно-синим светом единственного фонаря. Дневные продавцы давно ушли, народ, возвращающийся с работы, уже проехал, метро выплевывало людей вяло и небольшими порциями. Все они расходились в разные стороны и исчезали в чернильной темноте, куда не доставал свет фонарей.

Будь сегодня поосторожней, попросил Ларионов.

Вот тебе и поосторожнее...

Она быстро оглянулась по сторонам. Киоски кое-где были открыты, и падающий свет выхватывал из темноты мокрый заплеванный асфальт и дрожащие от ветра лужи.

Вроде никого и ничего подозрительного. Скорее всего ее соглядатай ждет у подъезда и удивляется, куда она пропала. И тоже хочет скорее домой. Его ведь, наверное, ждут с работы...

Когда она так думала, ей становилось не так страшно.

Кожаные ножны плотно охватывали щиколотку. Она вполне готова ко всяким неожиданностям, да и вряд ли ее будут убивать рядом с метро, где, конечно же, есть милицейский пост и бабульки-вахтерши...

Клавдия вернулась на остановку. Куртка тяжело и влажно висела на плечах и совсем не грела. Нужно новую купить.

Какой-то человек прошел довольно далеко от нее и остановился у киоска. Она проследила за ним взглядом.

Руки замерзли, и она засунула их в карманы.

Пришел пустой автобус и, неуклюже пятясь, стал разворачиваться, расплескивая лужи.

Может, вернуться в метро?

Что там делать? Там светло и люди, но сидеть в метро до утра невозможно. Метро закроют, а Клавдию выгонят.

Господи, почему ей так страшно?! Ничего же не происходит. Она много раз возвращалась с работы в это время, и никогда ей не было страшно. Правда, теперь она не может утешить себя тем, что никому не нужна и вряд ли кто-нибудь позарится на тощую, бедно одетую оглоблю, которая мерзнет на остановке.

Кому-то она нужна. Кому-то, кто уже давно наблюдает за ней. Может быть, наблюдает и сейчас.

Человек, у которого сегодня было вполне определенное задание, смотрел на нее из темноты. Она стояла очень близко и как-то странно жалась. Мерзла, наверное. Он решил изменить весь план своего не слишком сложного предприятия, когда увидел, что она не успела на автобус.

Пожалуй, лучше места не найти и ждать ничего не надо.

Он быстро посмотрел по сторонам.

Никого. Никто ему не помешает.

Он опустил руку в карман, нащупывая то, что там лежало, сделал шаг вперед и оказался у нее за спиной.

Клавдия почувствовала, как шевельнулись волосы на затылке, но оглянуться уже не успела. Ее сильно ударило сзади, головой вперед она полетела на асфальт и, кажется, что-то еще раз ударило ее под коленки. Со всего размаха она упала лицом вниз — в черную грязную воду.

Андрей открыл дверь своей квартиры и неизвестно зачем сказал громко:

— Я дома!

Он всегда так говорил, когда возвращался с работы.

Без него квартира как будто остывала, и ему хотелось сразу включить везде свет.

Если бы у него была собака, она бы уже выбежала навстречу, обезумев от счастья, и прыгала бы, и вскидывала лапы, и тыкалась мордой в его колени, и порывалась лизнуть.

Не хнычь, приказал себе Андрей, с кряхтеньем расшнуровывая ботинки. Какая еще собака!

Он прошел в кухню и остановился посередине, раздумывая. Потом снял трубку и набрал номер. Никто не отвечал, и он стряхнул на запястье застрявшие под водолазкой часы.

Девять.

И где же она может быть?

Он достал из внутреннего кармана куртки записную книжку и проверил номер. Набрал снова. Безнадежные сонливые гудки кололи ему ухо.

Да где она, черт бы ее взял?! У Таньки?

Он набрал Танькин номер, но там трубку снял довольно удрученный Павлов и сказал, что жена его, Андреева сестрица, сегодня ночует с шефом в Сергиевом Посаде.

— Что значит — ночует с шефом? — переспросил Андрей голосом майора Ларионова.

Да то и значит. У шефа там совещание, они ночуют в гостинице, потому что с утра совещаются опять. И если Ларионов думает, что ему, Павлову, все это очень нравится, то он может проваливать к черту.

— Ладно, не злись, — сказал Андрей своему зятю. — Всего одна ночь...

Павлов, не стесняясь в выражениях, послал Ларионова подальше и повесил трубку. Они очень хорошо относились друг к другу, понимали и уважали один другого, поэтому вполне могли позволить себе время от времени не обращать внимание на политес.

Андрей вытащил из холодильника кусок мяса и поставил на огонь сковородку. Есть хотелось ужасно. Он мечтал об этом куске мяса с самой Кольцевой и представлял себе, как вкусно сразу запахнет, едва только он уложит толстые розовые куски на огненную сковородку, как оно будет аппетитно шипеть и как он съест все без остатка в тишине и покое собственной квартиры, а потом ляжет, задерет ноги на валик дивана, покурит и наконец подумает.

Он стянул свою шикарную кашемировую водолазку — Танькин подарок — и надел любимый бесформенный свитер с дырками на локтях, старательно заштопанными мамой.

Он надеялся, что прошло хотя бы минут двадцать. Оказалось — пять.

Он уложил на раскаленную сковородку мясо и снова набрал номер. Никто не отвечал.

Рассеянно посвистывая, он посолил и поперчил свой ужин, и тут заверещал телефон. От неожиданности Андрей обжегся, выругался и схватил трубку.

— Да!

— Андрей, — сказала ему бывшая жена с кроткой печалью в голосе, — видишь, как все получилось? Я же специально звонила тебе, чтобы ты занялся этим делом. А ты? Давай встретимся, Андрей. Я считаю, что тебе нужно серьезное и продолжительное лечение. Если ты не хочешь лечиться, тебе в ближайшее время придется оставить работу.

От ненависти у него потемнело в глазах. Он заставил себя крепко взяться за край плиты, чтобы не начать бить посуду.

— Жанна, — попросил он хриплым от ненависти голосом, — я прошу тебя... нет, я умоляю тебя — не звони мне больше. Или я за себя не отвечаю.

— Андрюша! — воскликнула бывшая жена со жгучим сочувствием в голосе. — Ты напрасно думаешь, что я не понимаю тебя. Я понимаю тебя лучше, чем кто бы то ни был. Я врач и знаю, как мучительно ты переживаешь то, что случилось. Но я-то всегда знала, что рано или поздно это должно было произойти. Рано или поздно существующий только в твоем воображении профессионализм должен был изменить тебе. Ты оказался перед лицом проблем, с которыми не можешь справиться. У тебя наконец-то открылись глаза. Ты понял, что впустую растрачиваешь жизнь, убеждая себя, что делаешь нечто важное и нужное.

Что было у него в башке, когда он решил, что эта женщина может быть его женой?! Почему он жил с ней, спал с ней, возил ее в Отрадное, выслушивал ее наукообразный обезьяний бред?!

Он занимает телефон, а между прочим, ему должна звонить Клава Ковалева. Может, она уже дома.

Почему-то всю его ярость как рукой сняло, и, не дослушав, он сказал в трубку ледяным тоном майора Ларионова:

— Вот что, дорогая моя бывшая жена Жанна. Как мы уже установили, я — элемент социально опасный. При этом я майор, работаю в уголовке и знаю всех и вся, начиная от руоповцев и кончая налоговиками. Если ты еще раз позвонишь мне, вот просто позвонишь, и все, я устрою вашей психотерапевтической конторе такую развеселую жизнь по линии пожарников, налоговой инспекции и санэпидстанции, что твоему любимому шефу мало не покажется. Кажется, он еще любил переночевать в моей квартире? Я обещаю это тебе совершенно серьезно. Профессионал я никакой, это мы тоже установили, зато я ловко могу испортить жизнь кому угодно. Это понятно?

— Да, — ответила жена нормальными человеческими словами. — Понятно.

По тому, что она не стала разражаться очередной

речью, Андрей понял, что она наконец-то восприняла его слова всерьез.

— Значит, договорились, — подытожил он. — Прощай, дорогая.

Он вдвинул трубку в аппарат, пристроенный на стене, и пропел рассеянно:

— И за борт ее бросает в набежавшую волну...

Потом он перевернул на сковородке мясо и еще раз набрал номер. Клавы дома не было.

Могло случиться все, что угодно.

Она могла неожиданно собраться в кино. От ее аптеки до «Пушкинского» рукой подать. Она могла пойти в театр. Как-то раз она рассказывала Тане, что заведующая время от времени выводит ее в театр, когда муж этой самой заведующей устраивает забастовки. Она могла остаться на работе, если у них там какой-нибудь аврал. В МУРе авралы то и дело. А в аптеке бывают авралы?

Мясо было готово, но есть Андрею расхотелось.

Она могла лежать где-нибудь с порванным горлом, как Сергей Мерцалов.

Кашляя от подступающей рвоты, Клавдия выбралась из лужи и села на мокрый асфальт. Голова кружилась, в глазах плавала отвратительная зелень, от которой тошнило еще больше. И больно было ужасно. Больно было везде, кажется, даже в желудке.

С трудом ворочая шеей, она огляделась по сторонам.

Никого. Какие-то люди шли вдалеке, почти у самого входа в метро.

Что случилось? Кто на нее напал?

Скосив глаза, она посмотрела на свои ноги. Джинсы были порваны на коленях. Под фонарем голая кожа казалась синей, а сочившаяся кровь — черной.

Как же она теперь доберется до дома? В таком виде ехать в автобусе невозможно...

Боль пульсировала в голове и никак не утихала. От удара ее голова лопнула и разлетелась на куски, как упавший с грузовика арбуз.

Клавдия подняла руку и осторожно потрогала лопнувшую голову, как будто это была чья-то чужая голова.

И никакая финка не помогла...

Вот дура. Она была уверена, что сможет защититься.

Откуда же взялся человек, ударивший ее? Она никого не видела и ничего не слышала. Она даже ничего не почувствовала. Ее детдомовская интуиция сработала только в самый последний момент, когда было уже поздно. Поздно...

Зачем он на нее напал? Что ему было нужно?

Неожиданно Клавдия охнула и стала шарить руками вокруг себя.

Сумка. У нее опять отняли сумку. Она засмеялась бы, если бы не боялась, что ее вырвет.

Господи боже мой, все дело в ее сумке! Клавдия посмотрела в середину лужи, откуда только что выползла, но и в луже сумки не было.

В двух шагах от метро, на автобусной остановке у нее отняли сумку. Во второй раз за два дня.

Ключи и кошелек лежали в кармане. Она переложила их в карман еще вчера, после кражи номер один.

В сумке был все тот же набор драгоценностей — очки, ручки, бумажки, записная книжка. Ах да, еще паспорт, вспомнила она вяло. Она же сегодня ходила в налоговую и брала с собой паспорт. Шут с ним, с паспортом. Она не чеченский террорист, поэтому ей просто выдадут в милиции новый.

Господи, о чем она думает?!

Нужно как-то попасть домой.

Кряхтя, Клавдия поднялась и кое-как доковыляла на разбитых ногах до фонарного столба. Столб был мокрый и приятно охладил щеку, когда Клавдия к нему прижалась. Даже тошнота отступила.

Домой нельзя, шепнула ей ее хваленая интуиция. Ты же видишь — происходит что-то совсем непонятное. Тебе нельзя домой, ты не знаешь, что тебя может там ждать. И самое главное — кто.

Пока ты стоишь, прижавшись к столбу, кто-то внимательно и неустанно наблюдает за тобой из темноты. Он видит каждое твое движение, он слышит каждый твой вздох, он контролирует тебя, и ты даже не заметишь, когда он сделает прыжок и убьет тебя.

На этот раз — насмерть.

На счет «три»...

Но ей некуда было пойти, да и как идти, когда ее не держат ноги, и порваны джинсы, и с куртки течет, как будто она пролежала в луже по меньшей мере неделю?! И тот, который наблюдает за ней из темноты, осторожно и внимательно двинется следом и окажется там же, где она сама.

Ларионов сказал: нужно встретиться, но только так, чтобы ты не привела за собой «хвоста».

Клавдия подышала широко открытым ртом.

Она не домашняя барышня, маменьки-папенькина дочка. Она — закаленная жизнью детдомовская девчонка. Она так просто не дастся.

Он ждет, что она пойдет домой? Пусть ждет.

Что делает человек, которого только что обокрали?

Правильно — идет в милицию. Она сейчас пойдет в милицию, благо идти недалеко — в метро.

А там посмотрим, кто кого.

Андрей посмотрел на часы. Наверное, нужно ехать к ней. Просто так сидеть и гадать, где она и что с ней происходит — глупо. Если ее нет дома, придется, наверное, ждать или искать, хотя где ее можно искать, он даже предположить не может.

Соглядатай его засечет, но делать нечего.

Он выругался, чувствуя, что весь состоит как будто из замороженного бетона.

Неужели поздно?

Я тогда просто не смогу жить, понял он со спокойной бетонной отчетливостью.

Если я не найду ее или найду и будет поздно, жить дальше я не смогу.

Вот тебе и *не просто работа*.

Он поикал ключи от машины. Куда-то их бросил, когда вошел... И нужно взять пистолет.

В дверь позвонили, когда он привычным движением застегивал кобуру. Не глядя, он распахнул дверь, уверенный, что пришла баба Тома с известием о том, что она только что разоблачила шпионский заговор.

И остолбенел.

— Андрей, привет, — скороговоркой сказала Клавдия. — Прости меня, пожалуйста, что я так поздно, но у меня опять...

Она шагнула в квартиру, обняла его за шею, как маленькая, и заплакала.

Она плакала довольно долго, Андрей обнимал ее и ни о чем не спрашивал. Только осторожно захлопнул дверь на лестничную площадку, из которой тянуло сырым осенним холодом.

— Прости меня, пожалуйста, — бормотала она ему в свитер, судорожно всхлипывая. — Таньки нет, а домой страшно... Я... я не знаю, что на меня нашло, я сейчас успокоюсь и все тебе расскажу, ты извини меня, пожалуйста...

— Пожалуйста, пожалуйста, — сказал он насмешливо-учтивым тоном, скрывая за ним облегчение и буйную радость от того, что она цела и невредима, что он все-таки не опоздал. — Сколько хотите...

Она не поднимала глаз. Ей было стыдно, что она такая мокрая, грязная, страшная и что она приперлась к нему на ночь глядя.

— Ты знаешь, — сказала она, неловко отстраняясь и глядя в пол. — У меня опять отобрали сумку. У метро, на «Речном». Видишь, я даже упала... И Таньки нет. Я посижу у тебя немножко и поеду.

— Да, — согласился он, — конечно.

Если бы она не чувствовала его руки, державшие ее за спину, если бы прямо перед носом у нее не было его свитера, мокрого и колючего от ее слез, если бы от него не пахло так хорошо — одеколоном, сигаретами и еще чем-то, — ей было бы легче. Но как найти в себе силы отстраниться от всего этого и сказать что-нибудь умное или хотя бы объясняющее ее эффектное появление, если в первый раз в жизни она была так близко к Андрею Ларионову?

— Клава, — позвал он осторожно и оторвал ее от себя. Серые внимательные глаза беспристрастно и профессионально обежали ее всю — от распухшего от слез носа и до мокрых ботинок. — Ты вообще-то цела?

— Цела, — кивнула она. — Я упала.

— Я заметил, — сказал он довольно холодно. — Давай разденемся потихоньку.

— Давай, — согласилась она, испуганная его холодностью.

Она смирно стояла, пока он расстегивал на ней куртку и разматывал с шеи платок. Куртка спереди была такой мокрой и грязной, что он не стал вешать ее на вешалку, а кинул на пол. Клавдия посмотрела на куртку, потом на него.

— Ничего, — сказал он сухо. Ледяной бетон внутри его вибрировал от страха. — Обойдется.

Придерживая ее, он нагнулся и расшнуровал ее ботинки. Она с изумлением смотрела на его затылок, заросший густыми и короткими, как бобровая шкура, волосами. Она не видела бобровых шкур, но ей казалось, что они должны быть такими же, как волосы Андрея Ларионова.

Он потянул за пятку один ботинок, потом второй. Потом носки.

Господи, что он делает?!

Она дернулась, и он прикрикнул:

— Стой спокойно!

Он швырнул на пол ее носки и сказал:

— Посиди минутку. — И отвел ее в кухню.

Там она села на стул, и он куда-то ушел.

Клавдия закрыла глаза. Оказывается, это потрясающее и совершенно новое чувство — чужая забота. Она приехала к Андрею Ларионову, и он заботится о ней. Она в совершенной безопасности, в тепле, сидит у него на кухне, где ее никто никогда не достанет, и он заботится о ней. Она может просто так сидеть и больше ни о ком и ни о чем не думать. Зачем ей думать? Обо всем позаботится Андрей Ларионов.

— В ванне наливается вода, — сказал он совсем рядом. Клавдия открыла глаза и обнаружила, что он сидит на корточках рядом с ней. — Дойдешь или отвести тебя?

— Конечно, дойду! — уверила она бодро, но на глаза опять почему-то навернулись слезы. Она всхлипнула и быстро утерлась рукавом. — Ты вполне можешь со мной не возиться, просто я...

— Заткнись, — попросил он. — Заткнись сейчас же, а?

Она послушно закрыла рот, но тут же снова его открыла.

— Ты сердишься? — спросила она робко.

— Да, — сказал он. — Я сержусь. Но к тебе это не имеет никакого отношения.

— Я знаю. Ты никогда не имеешь ко мне никакого отношения, — сказала она печально.

— В каком смысле? — поинтересовался он осторожно.

— В таком. — Она посмотрела мимо него. Наверное,

все дело в том, что она так перетрусила на остановке, и в том, что она тряслась, как осиновый лист, добираясь к нему, иначе ей и в голову бы не пришло говорить ему что-нибудь подобное. — Ты вообще никогда не имеешь ко мне никакого отношения. И никогда не имел. И иметь никогда не будешь.

Он чуть улыбнулся, рассматривая ее.

Она нашлась, она жива, и все теперь будет в порядке.

Пресвятая Матерь Богородица, спасибо тебе, не иначе два покойных деда-священника тебя укланяли и уговорили.

Она нашлась, и он теперь сможет жить дальше.

— Ты поэтому такая чудная? — спросил он, чувствуя, как начинает крошиться и обваливаться бетонная стена. — Из-за меня?

— Да, — кивнула она горестно, посмотрела на него и тут же отвела глаза. — Из-за тебя. Только ты не подумай, пожалуйста, что это тебя к чему-то обязывает, — переполошилась она неожиданно. — Я совсем не потому...

— Понятно, понятно, — сказал он. — Давай поднимайся и пойдем в ванночку. В ванночке хорошо, в ванночке тепло...

Она засмеялась, но как-то судорожно. Он боялся, что у нее может начаться истерика или что-нибудь в этом роде.

Она крепкая девчонка, подумал Андрей с некоторой непонятной гордостью. Не будет никаких истерик. Сейчас она отойдет, и мы поговорим...

— Я сама дойду, — сказала она, решительно поднимаясь. Ей было очень стыдно и очень больно разбитым коленкам. — Спасибо, Андрюш. И правда, ради бога, ты не думай...

— Ты произнесешь свою речь потом, — сказал он тоном майора Ларионова. — Я ее выслушаю и оценю. Давай быстро в ванну.

Улыбаясь, как идиот, он поставил на огонь сковородку, порезал в миску помидоры и огурцы, добыл из недр холодильника вкуснейший мамин малиновый компот, который — он знал — Клавдия обожала.

Он представил себе, как она, голая, забирается в его ванну, морщится от слишком горячей воды и шипит от боли, когда вода попадает на разбитые коленки.

Он быстро закурил. Что еще за черт? Он давно уже вышел из возраста, когда грезят о голых женщинах и возбуждаются от одних только мыслей.

Сколько раз в день, по статистике, средний мужчина думает о сексе? Впрочем, Андрей думал не о сексе, а о Клаве Ковалевой. Теперь она будет жить с ним. Пока он не разберется во всей этой чертовщине, она будет жить с ним. Он будет за ней присматривать.

Какое изумительное слово — присматривать.

Да, он будет присматривать за ней, а по вечерам она будет рассказывать ему свои аптечные новости. Усаживаясь на диван, чтобы подумать, он вытянет руку, и она устроится у него под боком. Она совсем не будет ему мешать, она будет сидеть тихо, как мышка, и от ее присутствия на душе у него станет спокойно и уютно. И еще она ни слова не скажет ему про социум и про его неадекватные реакции.

Неожиданно осознав себя на кухне перед шипящей сковородкой, Андрей помотал головой. В школе у него всегда были пятерки по литературе. Он вдохновенно писал сочинения. Пожалуй, сочинение, которое он придумал только что, было самым лучшим в его литературной практике.

Самое главное, что не случилось ничего особенно страшного. Он не опоздал, Клавдия нашлась, и теперь он не будет так преступно-медленно соображать.

И перестань сейчас же думать о том, как она выглядит по горло в горячей воде, приказал он себе. Подумаешь попозже, когда разгребешь все это дерьмо.

Он мог приказывать себе до завтра. Ничего от этого не менялось.

Минут через сорок он понял, что она решила провести всю оставшуюся жизнь в его ванной. Он постучал и приказал из-за двери:

— Клава, выходи! Я чайник уже три раза грел.

— Сейчас, — пропищала она жалобно. — Ты не мог бы дать мне что-нибудь надеть? Мое все мокрое.

— Я все положил на стиральную машину, — сказал он с досадой. — Вылезай, хватит в подполье сидеть. И намажь йодом свои раны. Йод на полке.

У него было прекрасное настроение, у него давно не было такого прекрасного настроения.

Интересно, она только что придумала, что влюблена в него, или это случилось уже довольно давно?

Сыщик хренов, профессионал, знаток психологии... Вот тебе и психология.

«Ты такой слон, Андрюшка!»

Вот тебе и слон. Он засмеялся.

Дверь из ванной слегка приоткрылась, и показалась Клавдия, красная, как рак, в трижды подвернутых джинсах и старой-престарой, драной на локтях рубахе. После многочисленных стирок она так села, что Андрею налезала только на спину — на грудь рубахи уже не хватало, — зато она была чистой.

— Вот и я, — сказала Клавдия фальшиво-бодрым голосом.

Он кивнул, страшась, что скажет что-нибудь не то или не так. Для него все изменилось после того, *что* она сказала.

Он положил ей на тарелку огромный, как лапоть, кусок мяса, помидор и огурец.

— Ешь, — приказал он.

Она робко взяла вилку:

— А ты?

— И я. — Он уселся напротив и с хрустом откусил

огурец. — Водки нет, — сказал он с сожалением. — Сейчас бы тяпнули.

— Ты алкоголик? — спросила она.

— Конечно, — подтвердил он. — Как все мужики.

Мясо было очень вкусное, его было много, а ей неожиданно так захотелось есть, что даже голова закружилась. Не думая ни о каких приличиях, она с наслаждением ела, чуть не урча, как оголодавшая подъездная кошка, а Андрей, пригорюнившись, смотрел на нее.

— Ты что? — заметив его взгляд, спросила она и покраснела. — Мне просто есть очень хочется.

Вместо ответа он встал и положил ей на тарелку еще кусок.

— Чего тебе, чаю или кофе? — спросил он от плиты.

— Кофе, — пробормотала она с набитым ртом. — Спасибо, Андрей. Мне так неудобно, что я...

— Если ты не перестанешь непрерывно мерсикать, я тебя выгоню под дождь, — пригрозил он. — Доедай давай.

Он был самым лучшим человеком на свете. Клавдия это всегда знала, но, когда он вот так возился с ней, ухаживал за ней, кормил ее и варил ей кофе, это было выше ее сил.

Он налил кофе в две огромные кружки, похожие на бульонные. Протиснулся мимо нее в прихожую и вернулся с сигаретами.

— Рассказывай, — приказал он и щелкнул зажигалкой.

Она затянула свой печальный рассказ. Но — странное дело! — в его присутствии ее почти перестали волновать все ее сегодняшние несчастья. И даже лужа, в которой она лежала, показалась ей просто приключением. И даже сумку ей не было жалко. Все это было совсем не страшно — когда он был рядом.

— Вот и все, — сказала она. — А потом я решила, что домой не поеду. Страшно мне было очень. Это глупо, да?

— Нет, — сказал Андрей.

— Я пошла в метро, к дежурному милиционеру и сказала, что у меня только что отняли сумку. Вид у меня был соответствующий, мокрая, грязная... Я сказала, что никаких протоколов мне не нужно, и они сразу очень повеселели...

— Еще бы!

— И тогда я попросила их отвезти меня домой. Я решила, что человек, который за мной следит, увидел, что я пошла в милицию, и вернулся на улицу меня ждать. Не стоять же на платформе все время, что они свои бумажки будут писать, верно? Ну вот... А я ни на какую улицу не пошла и никакие бумажки писать не стала, а попросила их меня отвезти. Ну, они сжалились. Мы вышли через какой-то служебный вход, сели в милицейскую машину, и я назвала твой адрес. Когда они меня высадили, я еще некоторое время постояла у подъезда, но никто не проходил и не проезжал. — Она улыбнулась. — Так что «хвоста» я не привела.

— Я тебя недооценивал, Клава, — сказал Андрей искренне. — Ты — замечательный оперативник. Я тебя возьму к себе в отдел.

— Я все правильно сделала, да? — радостно спросила она. — Я старалась, но ничего лучше этой милицейской машины придумать не могла. Кроме того, в метро бы меня точно патруль забрал, а я без паспорта. Паспорт в сумке остался.

— Н-да, — сказал Андрей, вытянул ноги, которые сразу же загромоздили полкухни, и закрыл глаза. Во-первых, он всегда думал именно в таком положении, а во-вторых, ему очень хотелось ее поцеловать. Хотелось уже давно, и легче было сдерживаться, когда он ее не видел.

Клавдия сидела очень тихо, боясь ему помешать. Кроме того, время уже приближалось к одиннадцати, и давно пора было уезжать, а ей так не хотелось уходить от него, из его дома, от его заботы и защиты! Она думала, что, если будет сидеть тихо, ничем о себе не напоминая, он не сразу спохватится и выставит ее.

Он молчал довольно долго. Так долго, что, измученная переживаниями этого бесконечного вечера, Клавдия начала задремывать, пригревшись в углу у теплой плиты.

— Скажи мне, Клава, — сказал он так неожиданно, что она вздрогнула и захлопала глазами, — что происходило в твоей жизни в последние... ну, месяца три? Где ты была, что делала, куда в отпуск ездила?

— В отпуск я не ездила, — начала она, добросовестно вспоминая. — Отпускные получила и купила себе на зиму ботинки и брюки.

Он быстро на нее взглянул, и ей стало неловко.

— Все лето просидела в Москве, — заторопилась она. — В Отрадное ездила, с Танькой встречалась, с родителями твоими...

— А на работе?

Она пожала плечами:

— На работе все по-старому. У нас годами ничего не меняется, не то что в этой вашей... уголовке.

Развеселившись, он опять посмотрел на нее. Надо же, как она выразилась — в уголовке! Он сам обычно именно так называл место своей работы.

— Клав, ты подумай внимательно, не торопясь. Может, ты где-то что-то видела необыкновенное, может, куда-то тебя приглашали... Может, ты в лотерею выиграла? — спросил он насмешливо.

Она очень старалась помочь ему. Она вспоминала так усиленно, что ей даже стало жарко.

— Нет, Андрюша, — сказала она виновато. — Ничего такого. Правда. Дом — работа. Работа — дом. Ничего интересного, честное слово.

— В каком детдоме ты была? — спросил он вдруг.

— Под Волоколамском, — ответила она, насторожившись. — А что?

— У тебя нет родных, хоть каких-нибудь самых дальних?

— Нет, — сказала она твердо.

— Ты искала?

— Пробовала... поначалу, — она улыбнулась кривой улыбкой. — Об отце сведений никаких, мать вроде бы умерла. Это довольно трудное дело, Андрей, искать родных, когда ты даже не знаешь своей фамилии...

— Я понимаю, — сказал он. — Наверное.

Ничего он не понимал. Он вырос в семье, где дедов, бабок, прадедов и прабабок, а также теток, дядьев, двоюродных, зятьев, свояков, невесток, снох знали не только по именам и фамилиям. Конечно, все были разобщены и раскиданы по Москве и окрестностям ее, но тем не менее о родных никогда не забывали, ездили друг к другу не только на похороны, но и на свадьбы, крестины и рождения, на Пасху всем кланом отправлялись в прадедову церковь, выстаивали службу, независимо от веры или неверия, и это было так же непреложно, обязательно и разумелось само собой, как «доброе утро», сказанное при встрече.

Андрей Ларионов с рождения был частью чего-то целого и незыблемого, как скала.

Клавдия Ковалева о рождении своем ничего не знала и всю жизнь была одна, как игрушечный заяц, позабытый в пустой осенней даче.

Он осознал это как-то в одну минуту, хотя никогда раньше об этом не думал.

«Пожалуй, рано мне еще на пенсию, — решил он. — Еще пригожусь».

Впереди у него было очень много работы.

Он должен был послушать кассеты, и те, которые спер у Мерцаловых, и ту, которую ему дала Ирина. Он должен был за сегодняшний вечер прийти хоть к какой-нибудь версии, которая удовлетворила бы его самого. Он должен был понять, что происходит вокруг Клавдии Ковалевой и как это может быть связано с Сергеем Мерцаловым. Кроме того, было еще что-то непонятное, ускользнувшее от него. Он увидел это на фотографиях в старых альбомах и никак не мог вспомнить, *что* это было. Оно не давало ему покоя, и почему-то он не сразу подумал об этом, а только после того, как заехал к Клавдии в аптеку.

— Я, наверное, поеду, — сказала рядом Клавдия Ковалева. — Спасибо тебе, Андрей. Если бы не ты, я бы сегодня просто пропала...

Вот тебе и раз.

Она, наверное, поедет! Спасибо, Андрей!

— Ты что? — спросил он недоверчиво. — Заболела? У тебя жар? Или внезапно открылся посттравматический синдром?

— Нет у меня никакого синдрома! — возмутилась Клавдия. — Просто поздно уже.

— Значит, так, — сказал майор Ларионов. — Сейчас я выдам тебе свой НЗ в виде зубной щетки. Пока ты будешь чистить зубы, я разберу тебе постель. Ты в нее ляжешь и уснешь. Это понятно?

На Клавдию напал столбняк и отупение.

— Непонятно, — констатировал Андрей. — Повторяю еще раз...

— Подожди, Андрей, — попросила она. — Мне же завтра на работу. Как я отсюда поеду на работу?

Господи, о чем она говорит! Как будто работа была самой большой проблемой!

— Как ты смотришь на то, чтобы поехать отсюда на работу на метро? — предложил он. — Ну, в крайнем случае, если ты очень попросишь, я могу тебя отвезти.

— Но у меня... нет одежды, — ляпнула она первое, что пришло ей в голову.

— Наденешь мою. — Почему-то его очень разозлило

то, что ей даже в голову не пришло, что она может остаться ночевать у него. — Джинсы веревкой подвяжем, свитеры до колен сейчас как раз в моде, если я не ошибаюсь. Куртку я тебе дам. Будешь вся такая стильная до невозможности...

В сильном раздражении он встал и бахнул на огонь чайник. Ручка жалобно звякнула.

— Безопасность я тебе гарантирую, — злобно проговорил он, не поворачиваясь. — Твоя девичья честь останется в полной неприкосновенности. Твоя стыдливость не будет оскорблена, а невинность поругана...

Он нес еще какую-то, должно быть, довольно оскорбительную ахинею и остановился, только когда почувствовал, как она обняла его сзади и прижалась пылающим лицом к его свитеру.

В одну секунду он позабыл обо всем — о работе и *не просто* работе, о необходимости думать, соображать, контролировать себя. О том, что он не должен так яростно целоваться с Клавдией Ковалевой, потому что она — девчонка, мартышка, почти сестра и еще потому, что она пережила сегодня сильное потрясение и, может быть, вовсе не хочет его, Андрея Ларионова, а просто стремится забыть обо всем, освободиться от страха, перестать вспоминать, как она вылезала из лужи, уверенная, что ее вот-вот прикончат.

Однако соображения высшего порядка моментально утратили всякое значение. Он целовался с Клавдией Ковалевой, и это было так хорошо, так по-молодому упоительно, так правильно, что он даже застонал слегка, прикусив ее нижнюю губу. Он совершенно не думал о том, что может напугать или оттолкнуть ее. Они целовались так, как будто делали это уже много раз, всю жизнь, но с неистовым пылом первооткрывателей, которые после долгих лет плавания наконец-то высадились на земле обетованной, и эта земля оказалась даже лучше, чем они представляли себе во время трудного, полного опасностей путешествия. Она оказалась лучше, чем баллады, которые были о ней сложены, чем пророчества и предсказания. Она была самой лучшей, единственной наградой.

Андрей перевел дыхание и сказал, не отрываясь от нее:

— Я тебя хочу.

Клавдия слышала, как сотрясается под свитером его сердце.

— Я тоже, — сказала она и улыбнулась ему. Так это было просто. Так легко. — Я хочу тебя уже много лет.

— Неужели? — переспросил он, не слыша себя и не понимая, о чем она говорит. — Я умру от разрыва сердца, если не получу тебя немедленно.

— Ты все выдумываешь, Андрюша, — сказала она нараспев и осторожно провела губами по его шее. — Тебе просто так кажется...

— Мне ничего не кажется. — Он зарычал, когда она прикусила его ухо. Ее затылок лежал у него в ладони, волосы струились и просачивались сквозь пальцы, рыжие, как морская вода, зажженная закатным солнцем. Он не мог на нее смотреть и поэтому закрыл глаза.

Она что-то шептала около его уха, он не мог понять — что, только чувствовал, как шевелятся ее губы, и смутно удивлялся, почему столько лет эта женщина не принадлежала ему. Он готов был проклинать ее за это.

Где он был?!

Он больше не может ждать, будь оно все проклято.

Он подхватил ее под худенькую попку, облаченную в его собственные джинсы, притиснул к себе и пошел в спальню, чувствуя руками только грубую ткань, и от мысли, *что* там, под этой тканью, у него темнело в глазах.

И ничего она его не боялась. Он был прав, когда думал, что *не может* напугать ее.

Она хотела его так же сильно, как он ее, и это было самое лучшее, что она могла для него сделать.

Ни о чем не думать, ничего не анализировать, не

вспоминать, не сравнивать, как это было у него раньше, потому что ничего подобного раньше не было. Она как-то в одно мгновение стала его собственностью, его частью, его неожиданной удачей.

Ведь бывает иногда так, что просто везет.

Не было никакой романтики. Потом, немножко опомнившись, он еще выругает себя за это. Разве так соблазняют девиц тридцатишестилетние опытные мужики?

Не было никакой игры. Разве он не знает, как важна и необходима утонченная прелюдия?

Даже слов никаких не было. Он не мог заставить себя произнести хоть что-нибудь внятное.

Ему не хватало времени. Никогда в жизни он еще так не спешил, боясь, что весь его опыт и самообладание подведут его.

Но и она спешила, он точно знал и чувствовал это, он не мог ошибиться. Она рвалась вперед так же самозабвенно, как и он, и не было на свете ничего лучшего, чем сознание этого.

Составив кулачки — один на другой — и пристроив их под подбородок, она лежала на нем и смотрела ему в лицо. Глаза у нее сияли.

Он пребывал в совершенном блаженном покое и в полном согласии с самим собой. Жизнь была прекрасна.

Клавдия хихикнула.

— Ты чего? — спросил он. Говорить ему не хотелось. Так хорошо было лежать, чувствуя ее во всю длину и остывая от недавнего штурма.

— У тебя потрясающе глупое выражение лица.

— Я не могу сейчас сделать его умным, — сказал он. — На это требуются силы, которых у меня нет.

Широкая, жесткая ладонь легла ей на попку и слегка ее сдавила. Клавдия моментально покраснела. Он понял это, даже не открывая глаз. Странное дело — ему, оказывается, очень нравилось ее смущать.

— Как это у нас вышло? — спросила она, и Андрей почувствовал, как шевелятся у него на груди ее волосы. — А, Андрюш? Как?

— А почему у нас могло... не выйти? — спросил он и засмеялся, потому что она опять смутилась. — Ты что? Сомневалась в моих способностях?

Она шлепнула его по бедру.

— Ну... мы же не собирались... — Она сбилась и замолчала, и он открыл глаза, серые, сытые и ленивые, как у кота. Она собралась с духом и продолжала: — И ты... никогда... даже когда мы молодые были... А я...

— А ты? — спросил он нежно.

Она разрушила свою пирамиду из кулачков, уткнулась мордочкой ему в подмышку и вцепилась в его руку, свободную от ее попки.

— Тебе доставляет удовольствие меня смущать? — почти сердито спросила она из-под мышки.

— Огромное, — признался он честно. — Гигантское. Почему, черт побери, он водил к себе совершенно чужих, не нужных ему девиц, вроде этой... как ее... Галки, и женился на Жанне, и валандался с ней, пока тихое бешенство не стало его ежедневным состоянием, и ни разу в жизни даже не подумал о Клавдии, которая была рядом?! Стоило только протянуть руку. А он не протягивал и тратил время на невозможные, изматывающие отношения, в которых он увязал и из которых вынужден был потом выбираться, проклиная себя.

Я мог бы прожить с ней жизнь, вдруг понял он совершенно отчетливо. Только теперь, наверное, уже... Что? Поздно?

Он взял в горсть ее волосы — их было очень много, и они были восхитительно рыжими — и спросил, стараясь, чтобы вопрос прозвучал, как шутка:

— Почему ты никогда мне не говорила, что я тебе... нравлюсь?

И сам вопрос, и это слово — «нравлюсь» — были из какой-то совсем другой жизни. Как из кино про старшеклассников семидесятых годов.

— Хороша бы я была, — сказала Клавдия и перевернулась на спину, но руку его не отпустила. — Ты меня в упор не видел. Представляю, что бы с тобой было, если бы я начала объясняться тебе в любви. Ты бы умер от смеха.

Я мог бы умереть, так и не узнав, что такое любовь Клавдии Ковалевой, вдруг подумал он. Это было бы обидно.

Но это была слишком серьезная мысль, чтобы додумывать ее, лежа рядом с ней на диване и радуясь тому, что впереди у них еще вся ночь.

«Может, она и вправду меня любит? Нет, пожалуй, я не умру от смеха».

— Я только Тане сказала, — добавила Клавдия, подумав. — Да и то случайно. После того дня рождения, на котором была твоя Жанна.

— Что? — спросил он и, подсунув руку под ее затылок, приподнял голову так, чтобы она смотрела ему в лицо. — Что ты сказала Тане?

Она заметалась, судорожно пытаясь не смотреть ему в глаза, но он держал ее крепко. У него были здоровенные сильные ручищи с надутыми, как веревки, венами. Самые прекрасные руки в мире.

— Нет, ты отвечай, — приказал Андрей Ларионов. — Что ты сказала Таньке? После какого дня рождения?

Пришлось отвечать.

— Она меня застукала в ванной, — призналась Клавдия обреченно. — У тебя был день рождения, тридцать лет, и пришла Жанна, на которой ты собирался жениться. Понимаешь, как будто жизнь кончилась. Я у Тани ночевала, ну и... плакала в ванной, а она меня застукала.

И я ей сказала. Мне пришлось ей сказать, иначе она от меня не отстала бы...

— Что сказать? — потребовал он.

— Ну, что я... Я... — Она старательно пыталась выговорить это, но у нее не получалось. Она вырвалась из его руки, отвернулась и тогда выговорила: — Что я влюблена в тебя. Давно, всю жизнь.

Значит, Танька знала.

Его сестра знала, что Клавка влюблена в него, и за шесть лет ни слова ему не сказала.

Кто еще знал? Мама? Папа? Павлов? Все, кроме него?

Ну, погоди, сестрица, приедешь ты из своего Сергиева Посада, я с тобой еще поговорю по-родственному...

— Ты не пугайся, — попросила Клавдия. — Я, честное слово, не буду к тебе приставать. И навязываться тоже не буду.

— Я не пугаюсь, — возразил он, досадуя на нее, что она может заподозрить его в такой глупости, и потеснее прижал ее к себе. Становилось холодно.

— Давай одеяло достанем, — предложил Андрей. — Ты не замерзла?

— Не-ет, — протянула она. — Ты очень теплый. Как печка.

Он засмеялся, но все-таки достал одеяло. И постелил простыню, и положил подушки.

— Я думала, что этого никогда не будет, — сонно сказала Клавдия, устраиваясь у него под боком. — Но я мечтала о тебе, Андрюшка, как я о тебе мечтала...

— Нашла, о ком мечтать, — сказал он растроганно и натянул на нее одеяло повыше. — Поспи.

— Мне жалко, — пробормотала она, засыпая, — мне жалко тратить время на спанье. Это же в первый раз... и может быть, больше никогда...

— Не выдумывай, — сказал он и поцеловал ее за ухом. И — не удержавшись — еще и еще раз. — Спи.

Она ровно задышала ему в бок, и он почему-то опять вспомнил деда с прадедом.

Небось они все придумали. Точно, это они. Два неугомонных старикана подсунули ему Клавдию и заставили десять лет бегать по кругу, как припадочная коза, чтобы в конце концов оказаться на том же самом месте.

Единственно правильном месте, где они лежат, тесно прижавшись друг к другу, и она ровно дышит ему в бок.

Клавдия проснулась от того, что рядом с ней что-то изменилось. Она проснулась, очень свежая и прекрасно выспавшаяся, и долго лежала, не открывая глаз и с удовольствием вспоминая сон, который ей приснился. Под одеялом было тепло, а вокруг холодно. У нее даже нос замерз, и она сунула его под одеяло.

Сон был изумительный. Как будто Андрей Ларионов занимался с ней любовью. И это было... необыкновенно. Не зря она ждала так долго. Она, наверное, интуитивно знала, что Андрей из тех мужчин, которых можно ждать сколько угодно.

Зато уж когда дождешься, жизнь становится совсем другой. Особенной. Не похожей на прежнюю.

Она забралась поглубже под одеяло. Может, удастся еще немного поспать и она увидит продолжение? Как в сериале.

Одеяло было легким и теплым и просто громадным, как десантный парашют. Под ним слегка пахло Андреем и еще чем-то, и Клавдия быстро открыла глаза.

Это было не ее одеяло. У нее такого отродясь не было. Это даже не одеяло, а целая перина. И комната не ее. Она села, придерживая на груди перину. Внутри ей было немножко больно, и она наконец-то сообразила, что ей ничего не приснилось.

Она в комнате у Андрея, на диване Андрея и под его одеялом.

Она охнула и зажала рот рукой. Господи, что она наделала?!

Ничего особенного. Просто только что переспала с

Андреем Ларионовым. Она посмотрела на часы. Начало второго. Спала она от силы час.

Как же это получилось? Зачем они сделали это?! Ему-то ничего, он завтра все забудет, а она как будет жить, зная, *что* это такое — заниматься любовью с Андреем Ларионовым?! Как завтра она вернется в свою пустую квартиру, к своему Сене и капусте, как будет работать, зная, что больше никогда...

Она даже заскулила от ужаса.

Пусть бы все оставалось по-прежнему. Пусть бы она только мечтала о нем, потому что, неосуществленная, эта мечта не могла ее убить. Осуществленная, она была по-настоящему опасна.

Он ни в чем не виноват. Он пожалел ее, бедную и несчастную, прибежавшую к нему среди ночи в мокрой и грязной куртке, в джинсах, порванных на коленях, трясущуюся от страха и холода. Он пожалел ее, как жалеют брошенных собак и выносят им остатки от ужина, но мало кто берет их к себе, спасая по-настоящему.

Клавдия выпрямилась на постели и, сколько могла, расправила плечи. Она не станет навязываться. Она не даст ему никакого повода для жалости. Один раз пожалел — и хватит. Она уберется из его жизни, она никогда больше не напомнит ему о себе, она...

— Я тебя разбудил? — приглушенно спросил он от двери.

Она сильно вздрогнула и оглянулась. Свет из коридора бил ему в спину, поэтому она видела только силуэт — широченные, в дверной проем, плечи, могучая шея, ежик волос на голове, рельефные ноги.

— Прости, — сказал он, подошел и сел на диван. — Я не хотел. Я думал, что тебя теперь пушкой не разбудишь.

Она молчала, и в темноте он не мог рассмотреть выражение ее лица, поэтому он просто потянулся, легонько толкнул ее на спину и навалился сверху.

— Я не могу дышать, — пискнула она.

— Я тоже, — признался Андрей и поцеловал ее. — Как, черт возьми, нам теперь быть?

Он начал свои дьявольские поцелуи от макушки и уже дошел до шеи.

— Как нам быть? — переспросил он и поднял голову. Его глаза в темноте казались совершенно черными. — Как нам быть, если мы оба не можем дышать?

— Слезь с меня, — попросила она, боясь, что сейчас заплачет и убежит. Все это было как в сказке. Все это было лучше, чем в сказке.

Он чуть подвинулся, но Клавдию не отпустил.

— Я встал потому, что мне еще нужно поработать, — сказал он с сожалением. — Если я засну рядом с тобой — все. Пропала моя работа. А мне нужно, понимаешь?

— Понимаю, — ответила она осторожно. Он как будто извинялся или оправдывался, и это ее смущало.

Теперь он целовал сгиб ее локтя, и она готова была плакать от удовольствия. Ни в одной медицинской книге Клавдия не читала, что сгиб локтя — это исключительно чувствительное место. Потом он переместился на ее живот, и оказалось, что живот тоже исключительно чувствительное...

— Перестань! — Она дернулась и попыталась освободиться. — Прекрати сейчас же!! Перестань, я тебе говорю, Андрюшка!

Он щекотал ее, а она хохотала и извивалась, пытаясь стукнуть или хотя бы лягнуть его, но у нее не получалось. Он был гораздо сильнее и как-то... ловчее, что ли.

Она уже почти не могла дышать, когда он отпустил ее и, опасаясь возмездия, отпрыгнул от дивана, как очень большой и тяжелый, но все же тренированный зверь.

— Лежать! — сказал он. — Лежать и спать.

— А ты? — спросила она, задыхаясь. — Ты будешь спать, стоя в коридоре?

— Я буду работать, Клава, — повторил он отчетливо. — Тебе придется к этому привыкнуть. Жить со мной трудно. Я или все время на работе, или все время думаю о работе. Конечно, иногда я о ней забываю, — и он ухмыльнулся так, что Клавдия покраснела в темноте, — но чаще все-таки помню. Постарайся уснуть. Я тебя растормошил, конечно...

И он тихо прикрыл за собой дверь.

Она осторожно, как стеклянная, легла на диван, как будто боялась, что стекло разобьется и драгоценные слова вырвутся наружу, разлетятся и больше никогда не вернутся.

Он сказал — тебе придется привыкнуть.

Он сказал — жить со мной трудно.

Тебе придется привыкнуть. Жить со мной трудно.

Он собирается с ней жить?! Он хочет, чтобы она к нему привыкла?!

Она перевела дыхание и подняла к глазам руку, чтобы удостовериться, что это действительно она и что она не бредит. Потом пощупала перину. Рука была настоящая, и перина тоже казалась настоящей.

Так не бывает, сказала она себе. Не бывает.

Так не бывает, но так есть.

Она полежит и тихонько все обдумает. Времени у нее полно, и Андрея, в присутствии которого думать она совершенно не способна, рядом нет. Она все-все обдумает и поймет.

Как он сказал?

Он сказал: привыкай. Жить со мной трудно.

— Я привыкну! — пообещала она вслух и сморгнула слезы, от которых дрожал и двоился свет уличного фонаря.

Сосредоточиться было очень трудно. Нет, сосредоточиться было совершенно невозможно. Такое неукротимое чувство победы он испытывал в жизни всего раза два, и тогда, кажется, оно было как-то бледнее.

Он не будет думать о Клавдии, которая лежит в двух шагах от него, укрытая по шею его одеялом, теплая, сонная и розовая от любви, которой они занимались с таким студенческим пылом.

Да нельзя об этом думать, черт тебя побери, если ты хочешь сегодня еще заниматься работой!

Или не хочешь?

Может, ну ее к бесу, эту работу, а? Сейчас я выключу свет, тихонько открою дверь, заберусь под одеяло и...

Очень решительно Андрей Ларионов прошагал в выстуженную ванную и сунул голову под холодную воду. Вода была не просто холодной, вода была совершенно ледяной, и это немного помогло.

Вытирая полотенцем покрасневшую шею, он решил, что сейчас быстренько прослушает кассеты, все обдумает, и у него останется еще полночи на Клавдию. Часа три, не меньше.

Повеселев, он поставил чайник, насыпал в кружку растворимого кофе и закурил.

А почему, собственно, три часа?

Завтра, или нет, уже сегодня вечером, она приедет из аптеки прямо к нему, и они смогут заниматься любовью хоть всю оставшуюся жизнь, прерываясь только для того, чтобы сходить на работу. Он не отпустит ее домой. Убедить ее будет нетрудно, повторное нападение очень ее напугало, она согласится пожить у него, а там видно будет... Андрей самодовольно улыбнулся. Он сумеет ее убедить в чем бы то ни было. Она в него влюблена. Эта мысль доставляла прямо-таки чувственное удовольствие. Она в него влюблена уже десять лет. У нее никогда не было мужа, потому что она была влюблена в Андрея Ларионова.

Чувствуя, что нужно снова совать голову в раковину, он глупо помахал руками. Почему-то ему пришло в голову разогнать сигаретный дым, а то он помешает Клавдии спать. Она же не курит...

Он все время улыбался и, ловя в темном кухонном стекле свое отражение, вдруг не узнавал себя. Ему не было холодно, хотя он натянул только джинсы. Стена, к которой он привалился, приятно холодила голую спину.

Не простыть бы, подумал он озабоченно, как будто думал не он, а кто-то другой.

Чайник вскипел, и Андрей налил кипятка в кружку.

— Успокойся, — сказал он себе вслух и не узнал своего голоса. — Ты что? В первый раз, что ли?

Но счет — в первый ли, во второй или в пятнадцатый раз — не имел никакого значения, и он тотчас же почувствовал это. Имело значение только то, что произошло, и то, что еще произойдет. Почему же у него ушло десять лет на то, чтобы догадаться, что ему нужна именно Клавдия Ковалева? Это было очень глупо потому, что он уже спрашивал себя об этом и, понятное дело, никакого ответа от себя самого не получил.

— Ладно, — сказал он себе, — давай поработай немножко. Раньше сядешь, раньше выйдешь.

Наверное, Клава за стенкой решит, что он ненормальный. По ночам не спит, а разговаривает вслух сам с собой.

Еще минуточку, попросил он себя жалобно. Только одну...

Он поставил на стол кружку, подкрался к двери в спальню и приоткрыл ее. Клавдия спала, уличный фонарь освещал ее диким синим светом. По крайней мере, она на месте. Он ничего не придумал, и ему ничего не показалось.

Чувствуя себя идиотом, он захватил из большой комнаты «Панасоник» и вернулся на кухню. Налил себе еще кофе и достал из куртки кассеты.

Послушаем сначала, что там у Ирины...

Сигнал, шуршание пленки, рыдающий голос: «Ира, девочка, это Таня Маркова, мы только что узнали о Сережке... Если нужна помощь... Марков прилетит из Парижа только утром, мы сразу...» Андрей прислонился затылком к стене и прикрыл глаза. Сигнал, шуршание пленки. «Ирина Николаевна, это Лев Антонович, директор школы. Мы с женой готовы взять детей на время к себе. Перезвоните. Глубоко соболезную». Сигнал, шуршание. «Ир, это я. Я не еду потому... потому...» Сдержанный плач, какое-то движение. Андрей открыл глаза и покосился на аппарат. «Я приеду, как только приду в себя. У меня была дама из милиции, спрашивала про нас и про вас. Ничего особенного я ей не сказала, да и говорить нечего, кроме того, что мы все сто лет дружим... Ирка, я не знаю, что теперь делать. Прости меня». Опять всхлипывания и короткие гудки. Это нежная Мила Гольдина, все ясно. Сигнал, шуршание пленки. Продолжительное молчание. Трубку повесили. «Ирина, это Лидия Петровна. Ты должна немедленно вернуться в город. Если ты не способна заниматься Сережиными делами, пусть ими займется кто-нибудь другой, но я считаю, что твое бегство на дачу просто неприлично. Академик Виноградов, например, сегодня весь день искал тебя, чтобы выразить соболезнования. Кроме того, мальчикам нельзя так долго оставаться с твоими родными. Это их полностью дезорганизует». Короткие гудки.

— Вот сволочь, — пробормотал Андрей, не открывая глаз.

Сигнал, шуршание пленки. Долгое молчание.

«Ты получила по заслугам, сука. Все вы получили по заслугам. Особенно твой гениальный муженек. Ты думала, что всю жизнь сможешь упиваться его успехами и ни черта не делать? Жизнь еще тебе покажет, какая ты мелкая, слабая, никому не нужная дрянь. А как же теперь твои драгоценные детишки, которых ты каждый год по два раза за границу таскала? Придется в Москве сидеть, а? Ты его держала в своих ручках и думала, что так будет всегда, и ничего у тебя не вышло. И мне тебя не жалко, сука. И никому тебя не жалко. Таких сволочей никто не жалеет. В электричках побираться будешь, сука. Так тебе и надо».

Монолог оборвался, кончилось время, отведенное на один звонок.

Андрей перемотал на начало.

«Ты получила по заслугам...»

На слух невозможно было определить, женский голос или мужской. Скорее действительно мужской, как и сказала Ирина Мерцалова. Впрочем, нужно отвезти пленку Семенычу, авось, он чего расслышит, чего не может расслышать Андрей Ларионов.

Он прослушал запись еще раз, снова закрыл глаза и вытянул ноги. По бессмысленности этот звонок мог быть сравним разве что с попыткой украсть из «Мерседеса» пачку сигарет. Шума много, поймают — бить будут, а смысла... Нет никакого смысла. Чепуха какая-то. Вариантов, с точки зрения майора Ларионова, могло быть только два — или это настоящий убийца пытается ввести в заблуждение уголовный розыск, заставить поверить, что смерть Сергея — это месть его жене, или же звонил кто-то, не имеющий отношения к убийству, но люто ненавидевший мерцаловскую семью. Звонил просто так, ублажал собственную ненависть.

И пожалуй, в этом случае Андрей точно знал, кто это.

Если это убийца, то придется копать еще и связи Ирины. Чем черт не шутит, может, все дело в ней, а не в Сергее. Просто это такая изощренная месть. Психоз, что ли... Но в это майор Ларионов верил мало, как и в то, что Мерцалова задушили какие-то никому не нужные бандиты.

Но черт побери всех на свете бандитов, все это придется проверять, а времени у него совсем нет.

Он поставил на голый живот остывающую кружку с кофе.

Нужно искать где-то совсем не там, где они ищут. Нужно завтра с утра на свой страх и риск снимать ребят с бандитов и начинать разбираться с Клавдией Ковалевой, которую неизвестно зачем пасут день и ночь и еще регулярно отнимают сумки.

Да. Сумки.

Для чего нужно два раза подряд отнимать у человека

сумку? В первый раз ее вернули. Это вообще клиника какая-то. Белые Столбы называется. Во второй раз почему-то не вернули. Почему? Почему вернули первый раз и назавтра всю процедуру повторили сначала?

Андрей, дотянувшись и чуть не свалившись со стула, поменял в «Панасонике» кассету. Эта кассета была из дома родителей Сергея Мерцалова. На ней было всего три сообщения. Два из них от пациентов Мерцалова-папаши, третье — от того самого академика Виноградова, которым свекровь попрекала Ирину. Дальше только тихое шуршание пленки.

Зря ты старался, майор Ларионов. Все чисто. Даже если что и было, аккуратные родители Мерцалова, конечно же, все затерли. Зачем он врал? Зачем папаша Мерцалов врал, что у него не работал телефон? Ну, соврал бы, что они ничего не слышали, автоответчик что-то там такое записал, и ладно. В конце концов никто никогда не докажет, что человек слышал сообщение, если он говорит, что он его не слышал.

Андрей снова поменял кассету и сразу понял, что здесь ему повезло больше. Сообщения были разнообразные и явно более ранние, чем ночь, когда произошло убийство. Очевидно, у Петра не было привычки затирать сообщения.

Мышиный писк, шуршание пленки, задыхающийся голос: «Петя, немедленно возьми трубку. Слышишь? Петенька, я прошу тебя, немедленно возьми трубку!»

Пауза. Андрей выпрямился и с изумлением посмотрел на «Панасоник».

«Петя, да где же ты?! Там что-то стряслось у Ирины. Сергей пошел с собакой и не вернулся домой. Петя! Перезвони нам, как только вернешься».

Этот задыхающийся, дрожащий, умоляющий голос принадлежит самой царице Тамаре — Лидии Петровне Мерцаловой?!

Андрей перемотал пленку.

«Петя, немедленно возьми трубку. Слышишь? Петенька, я прошу тебя, немедленно возьми трубку! Петя, да где же ты?! Там что-то стряслось у Ирины. Сергей пошел с собакой и не вернулся домой. Петя! Перезвони нам, как только вернешься».

Итак, Пети не было дома в ночь убийства. Вряд ли, услышав такое сообщение от матери, человек спокойно завалился бы спать дальше. Очевидно, телефон у него работает таким образом, что автоответчик включается после нескольких звонков, ведь Мерцалова несколько раз повторила, чтобы он взял трубку, значит, была уверена, что он слышит.

Снова писк и тот же умоляющий, полный сокрушительной паники голос: «Петенька, да где же ты?! Господи, там что-то ужасное. Петя, я не могу тебя найти, твой мобильный не отвечает. Отец поехал туда. Господи, Петя, что нам делать?! Позвони немедленно, как только прослушаешь сообщение».

Отец поехал... куда?!

Это Гольдин поехал, а не отец Мерцалова! Леонид Андреевич Мерцалов сказал, что ничего не знал до самого утра, пока они с женой не позвонили Ирине, чтобы выяснить, кто будет забирать детей!

Андрей длинно и витиевато выругался.

Когда-нибудь я разберусь в этом проклятом деле или нет?!!

Он нажал кнопку. Снова писк и тот же голос, на этот раз исполненный вселенского страха и такой же тоски:

«Петя, уже почти утро. Папа вернулся. Мы не знаем... Петенька, позвони нам. Петя, я умоляю тебя, мальчик мой, позвони нам... Господи, как это ужасно... Мне не верится даже...»

Они все знали. Они все знали и узнали о Сергее ночью, а никаким не утром. Петра дома не было. Где был отец Мерцаловых, куда именно он ездил — непонятно. У Ирины он не был. Где он был?

Думай спокойно, приказал себе Андрей. Думай так, как ты думаешь обычно. Не спеши и не зарывайся.

Если бы только это было *обычной работой*!

Дальше пошли сообщения, не имеющие отношения к той ночи. Андрей старательно дослушал их до конца и поставил все сначала.

Он слушал очень внимательно, сцепив на животе большие руки. Он должен был услышать что-то, не услышанное с первого раза.

Сергея Мерцалова убил его собственный брат.

Брат?!

Клавдия слышала, как он зачем-то приоткрывал к ней дверь и некоторое время мялся на пороге. Проверял, не снятся ли ей кошмары? Она старательно притворялась, что спит. Не зря же он сказал ей — привыкай. Ему нужно работать, и она совсем не хочет его отвлекать. Еще рассердится.

Она была так счастлива, что спать не могла совершенно. Где уж тут спать, когда он сказал, что жить с ним трудно и что ей нужно привыкнуть!

Господи, в это невозможно поверить.

Все это произошло не с ней, а с какой-то другой женщиной. Именно этой другой женщине только что сказали, что она сможет жить с мужчиной, в которого всю жизнь влюблена, как школьница. Именно у этой, другой женщины неожиданно появился шанс устроить свою жизнь так, как ей даже не могло присниться в самых соблазнительных и невероятных снах.

Не то что спать, она даже лежать не могла спокойно.

Он сказал: «Лежать и спать!» — как будто она была его собакой. Какое счастье, что он сказал ей: «Лежать и спать!» Так говорят только очень близким, самым близким. Самым понимающим. Своим. Как будто она давно и безраздельно принадлежит ему и он в ней совершенно уверен. Впрочем, так оно и есть. Она принадлежит ему всю жизнь, и он может быть в этом совершенно уверен.

Не в силах лежать, она села на диване и натянула на голову перину. Она любила так сидеть в минуты сильных душевных потрясений. В детдоме она всегда натягивала на голову одеяло, чувствуя, что это единственный способ укрыться от мира, который был ей опасен и враждебен. В котором нужно было выживать.

Она улыбнулась под периной.

Теперь ей не нужно выживать. Теперь у нее есть Андрей, который *заботится* о ней. Который даже заглянул тихонько, чтобы проверить, спит ли она.

Ну, и что ты теперь плачешь? Зачем ты плачешь, ведь все хорошо! И, начиная с сегодняшней ночи, будет хорошо всегда.

Слезы капали прямо на разбитые коленки. Клавдия осторожно промокала их пододеяльником.

Нужно встать и сделать что-нибудь. Ну, хоть походить по комнате. Сидеть дальше под периной и заливаться слезами было выше ее сил.

Шмыгая носом, она осторожно выбралась на холод и прислушалась. Ей велели лежать и спать, а она нарушает приказы. Из-за закрытой двери неслось какое-то бормотание и как будто взвизгивание перематываемой пленки. Что-то он там слушал. Интересно, это тоже часть его работы?

Клавдия начала подмерзать.

Отопительный сезон, подумала она, поспешно натягивая на голое тело свитер, — великая и недоступная пониманию простых граждан вещь.

Она осторожно выглянула в коридор. Свет был только на кухне, значит, Андрей производил свои манипуляции именно там.

Ему нельзя мешать, сказала себе Клавдия, медленно продвигаясь в сторону кухни. Он же меня предупредил. Он велел мне лежать и спать.

Она открыла дверь и заглянула.

Он сидел почти голый, прислонившись затылком к стене. Ноги лежали на соседнем стуле. Руки сложены на животе замком. Может, спит? Очень осторожно она вдвинулась в кухню поглубже.

— Зачем ты встала? — спросил он, не открывая глаз. — Спи. Утром не проснешься.

Разве она может спать!

Он приоткрыл глаза, серые и очень внимательные. Посмотрел на Клавдию и усмехнулся самодовольно. Ей стало неловко. Чтобы скрыть это, она заглянула в его кружку. В кружке было почти пусто, только на дне болтался глоток холодной кофейной бурды.

— Ты не сердись, — попросила она и поставила на плиту чайник. — Просто я совсем не могу спать. Я даже лежать не могу.

Он следил за ней все тем же внимательным серым взглядом, который ее нервировал.

— Хочешь, я тебе кофе сварю? Я варю отличный кофе. Я не буду тебе мешать, я только сварю тихонько кофе и сразу же... — Она чувствовала, что говорит что-то не то и говорит слишком быстро, но он вдруг потянулся здоровенной ручищей, схватил, подтащил, упирающуюся, к себе и, задрав на ней свитер, поцеловал в живот.

Клавдия сдавленно хрюкнула.

— Вари! — решил он. — Вари мне кофе! А в свободное от основной работы время можешь даже связать мне носки. Ты умеешь вязать, Ковалева?

— Д-да, — ответила она с некоторой запинкой.

Господи Иисусе, какие еще носки?! О чем он говорит?

— Все, — сказал он, повернул к себе спиной, как маленькую, и слегка хлопнул по попке. — Вари свой кофе. И не отвлекай меня от моей основной работы.

Он опять вытянул ноги и закрыл глаза. Клавдия осторожно на него покосилась. Он ей так нравился, что хотелось сесть на пол возле его стула и рассматривать его всего, от узких, длинных ступней до густых и прямых ресниц. Рассматривать долго-долго, сколько угодно, потому что *теперь она имеет на это право*.

Он замерзнет, сидя в кухне в одних только старых джинсах, решила Клавдия с новым для нее чувством заботы. Нужно принести ему какую-нибудь одежку. Его свитер валялся почему-то на полу в коридоре. Клавдия подобрала его и, не решаясь набросить, тихонько положила на колени Андрею Ларионову.

— Спасибо, — пробормотал он и натянул свитер. Мелькнула и исчезла безобразная рваная полоса кожи на левом боку. Какой-то застарелый шрам.

Господи, она совсем ничего про него не знает! Не знает про эти шрамы, про сломанный нос, про то, какие сигареты он курит и что именно ест на завтрак. Ей только ко предстоит это узнать, и это так прекрасно, так славно — узнать, что именно Андрей Ларионов ест на завтрак...

Клавдия поставила перед ним кружку с кофе и, подумав, насыпала две ложки сахара. И помешала.

— Пей, — сказала она тихонько, глядя в усталое, бледное лицо с синими тенями вокруг глаз. Теперь нужно осторожненько убраться вон. Ему нельзя мешать, он думает.

— Подожди! — приказал Андрей, и его рука сцапала Клавдию у самой двери. — Посиди со мной.

— Я тебе буду мешать, — сказала Клавдия не слишком уверенно.

Он отхлебнул из кружки, и лицо его приняло выражение глубочайшего удовольствия.

— Скажи мне, Ковалева, — попросил он задумчиво, — скажи мне вот что... — Он снял ноги со стула и усадил ее напротив себя. — Нет, лучше ты мне ничего не говори, а напиши.

— Что написать? — не поняла Клавдия. — Чистосердечное признание?

— Напиши мне в два столбика, что именно было у тебя в сумке в первый раз и что во второй. Ты хорошо знаешь, что носишь в сумке?

— Хорошо, — сказала Клавдия.

Выходит, он сидел и полночи думал о том, кто и зачем на нее напал?! Или не только об этом?

— Ручка и блокнот на холодильнике. Напишешь?

— Конечно, — сказала она, торопясь выполнить его указания. — Сейчас.

Тикали часы, в ванной вздыхали трубы. Андрей пил кофе, Клавдия старательно писала. Она даже язык высунула от усердия.

Андрей покосился на нее и улыбнулся. Надо же, свитер ему принесла! И кофе сварила. И не просто из банки насыпала, а нашла молотый и сварила. Сто лет он не варил себе кофе, все некогда ему было, а она сварила. Мартышка...

Значит, брат.

Брат, которого не было дома той ночью и который соврал майору Ларионову, сказав, что посмотрел по телевизору какой-то фильм и проспал всю ночь без задних ног.

Непонятно, куда именно ездил отец Мерцалова, потому что у Ирины его точно не было. И слежка, слежка...

Кто следил за Сергеем Мерцаловым в последний месяц его жизни? Кто следит сейчас за Клавдией Ковалевой и с завидным постоянством отнимает у нее сумки? Как могут быть связаны между собой великий врач и мелкая аптекарша, и связаны ли вообще?

Он закинул за голову руки. Он должен вспомнить что-то увиденное в альбомах на даче у Ирины Мерцаловой. Он чувствовал, что это очень важно — вспомнить. Он многое поймет, как только вспомнит, не будь он майор Ларионов, столько лет проработавший в уголовке.

Что же в них было, в этих альбомах? Очень серьезный мальчик занимался своими мальчишескими делами. Он нигде не улыбался, этот мальчик, очевидно, уже тогда понимая, что в его семье происходит что-то совсем неправильное. Сколько ему было лет на этих фотографиях? Лет девять-десять, не больше, и он нигде не улыбался...

— Вот, Андрюша, — произнесла Клавдия так неожиданно, что он вздрогнул. — Я написала.

Она сбила его с мысли. Ему казалось, что еще чуть

чуть, и он поймает за хвост ту самую верткую, как пескарь, деталь, не дававшую ему покоя, а Клавдия его сбила. Придется начинать все сначала.

— Давай! — сказал он сердито и уставился в ее каракули.

— Паспорт, — сказал он через секунду. — В прошлый раз у тебя в сумке не было паспорта.

— Ну и что?

— Ну и то, что вся история с сумкой происходила, по всей вероятности, из-за твоего паспорта. Кому-то очень нужен был твой паспорт.

— Зачем?! — поразилась Клавдия. — Кому и зачем может быть нужен мой паспорт?!

— Я не знаю, — сказал Андрей честно. — Даже предположить ничего не могу. Понятно только, что твой паспорт имеет для человека, который наблюдает за тобой, какое-то принципиальное значение, иначе они не стали бы так напрягаться. А в первый раз тебе вернули твою сумку, потому что без паспорта она была им ни за каким чертом не нужна.

Они помолчали.

— Вот что, Клава, — сказал наконец Андрей голосом майора Ларионова. — Давай ложиться спать. Утро скоро. Ничего особенного я пока не надумал, но... Завтра я приеду за тобой на работу. Во сколько ты заканчиваешь?

— Завтра? — Она даже не сразу сообразила, о чем идет речь. — Завтра, по-моему, в четыре...

— Значит, до вечера подождешь меня в своей аптеке. Никуда не выходи, даже за хлебом. Это понятно?

— Что ты придумал, Андрей? — спросила Клавдия. — Почему я должна сидеть в аптеке и не выходить даже за хлебом?! А? Почему?

— По кочану, — сказал он серьезно. — Потому что я не понимаю, что происходит. Потому что только что пришили мужика, за которым тоже кто-то наблюдал. Я не хочу никаких эксцессов, поэтому ты посидишь и подождешь меня в своей аптеке.

— Пришили? — пробормотала Клавдия, и неожиданно ей стало холодно. — Совсем? До смерти?

— Совсем, — ответил он, раздражаясь. — До смерти. У него осталось двое пацанов и жена, которая все пятнадцать лет прожила с ним, как в медовый месяц.

Глаза у Клавдии налились слезами.

— Ты знал их? — спросила она шепотом, изо всех сил жалея эту совершенно неизвестную ей женщину и мальчишек, у которых убили отца.

— Я не знал их, — возразил Андрей. — Я не помог им, будь оно все проклято! А ты, Ковалева, будешь меня слушаться, как старший лейтенант — генерала. Ясно?

— Ясно, — согласилась Клавдия с готовностью. — Конечно, ясно.

Она подошла и прижалась к нему.

— Ты мой хороший, — сказала она таким голосом, что ему почему-то перехватило горло. — Ты мой мальчик. Как же тебе трудно!

— Мне не трудно! — почти крикнул он, вырываясь, потому что она не должна была, не смела его жалеть и все-таки жалела, и он раскисал, размягчался от этой жалости, а он не мог себе этого позволить. — Мне нормально. Это просто работа! У меня просто такая работа, понимаешь, Ковалева?

— Да, — согласилась она, прижалась еще теснее и, пугаясь собственной храбрости, поцеловала его в шею, на которой выступили жилы. — Понимаю.

С утра еще похолодало, и Андрей, высадив Клавдию у аптеки, подумал смутно, что к вечеру, наверное, дождь превратится в снег.

Начало сентября, елки-палки...

Соглядатай был на месте, Андрей знал номер его машины, как дату собственного рождения. Небось обрадовался, придурок, что никуда Клавдия не сбежала...

Нужно было не выпендриваться и не играть в сыщиков и воров, а отвезти ее к матери, в Отрадное, подумал он злобно, выруливая с бульваров к Петровке. Сиди теперь целый день и думай, что там с ней и как...

Очень сердитый, он распахнул дверь в кабинет Полевого и страшно удивился. С утра пораньше у Полевого уже сидел посетитель.

— Здравия желаю, — сказал Полевой официально. Глаза у него были веселые. — Это господин Бойко Евгений Васильевич. Почти с ночи меня дожидался...

— Здрасьте, — пробормотал господин Бойко Евгений Васильевич и утерся платком, хотя холод в здании был немыслимый.

— Здрасьте, — сказал Андрей. — Нашлась, значит, наша пропажа...

— Нашлась, — подтвердил Игорь весело, а Евгений Васильевич сделал странное движение, как будто хотел поклониться, но раздумал. Он нервничал, потел и пытался при этом сохранить повадки и тон хозяина жизни.

— Не буду вам мешать, — проговорил Андрей. — Не забудь потом меня навестить, Игорь Степанович.

— Не забуду, — пообещал Полевой, и Евгений Васильевич неловко улыбнулся, очевидно чувствуя, что эти двое, играя в слова, как в мяч, говорят о чем-то совсем другом, может быть даже, для Евгения Васильевича опасном.

Андрей дошел до своего кабинета и, не раздумывая ни секунды, набрал номер.

— Ковалеву, пожалуйста, — попросил он вежливо, когда трубку наконец сняли.

Пока искали Клавдию, он смотрел в окно, на залитый дождем и усыпанный листьями двор и думал о том, что, пожалуй, понимает Сергея Мерцалова, по три раза на день звонившего жене. И еще он думал, что если к выходным разберется во всей этой чертовщине, то повезет ее в Отрадное. Они пойдут гулять по мокрому, дождливому, осеннему лесу, собаки будут бежать впереди, забираясь в кусты и осыпая на себя разноцветные растопыренные холодные листья. Листья будут скользить и шуршать под ногами, и близкие сумерки будут наступать неуловимо и мягко, как в валенках, и хорошо будет вечером пить чай на теплой, сверху донизу застекленной веранде, в которую уже лет тридцать стучит одна и та же ветка старой липы и которую они с отцом каждый год собираются спилить. Андрей что-нибудь объяснит родителям, и они положат их вместе, в той самой парадной спальне, где всегда ночуют Танька с Павловым и где он, Андрей, никогда ни с кем не ночевал...

— Алло! — сказала ему в ухо запыхавшаяся Клавдия. — Алло!

— Это я, — ответил Андрей, немножко недоумевая, что его занесло так далеко. — Как у тебя дела? Все в порядке?

— Да, — подтвердила она. — Ты правда заедешь?

Он засмеялся:

— Смотри не вздумай одна уехать. Хватит с нас приключений в духе Чака Норриса. Это понятно?

— Да! — радостно сказала она. — Понятно!

Он положил трубку.

Спятил, что ли, Ларионов? Окончательно и бесповоротно?

Зазвонил телефон, и Андрей поднял трубку, почему-то твердо уверенный, что это Клавдия.

— Ларионов.

— Это мы, майорушка, — сказала Ольга Дружинина. — Как ты там? Все в облаках витаешь?

— Витаю помаленьку, — согласился Андрей, тем более что это полностью соответствовало действительности. — Тебе чего?

— Мы с Димычем собираемся к почившему меценату Василькову. Ты не возражаешь?

— Нет, — сказал Андрей. — Не возражаю. Придумали что-нибудь типа предлога?

— Обижаешь, начальник! Мы такой предлог придумали — закачаешься. Хотя ты у нас человек великий и бесстрашный. Пожалуй, и не закачаешься.

— Передай Мамаеву, что нашелся его Евгений Васильевич Бойко. К Полевому на свидание аж ночью пришел. Так что пусть успокоится.

— Передам! — откликнулась Ольга. — Прощай, любимый!

— Прощай, любимая! — ответил Андрей и положил трубку.

Полевой пришел минут через пятнадцать, по-прежнему очень веселый.

— Ты чего? — спросил Андрей. — Люську из балетной школы выгнали?

— Не приняли! — ответил Игорь и захохотал. — Сказали — косолапая. Ох, что у нас вчера дома было, какой грандиозный фейерверк и салют, ты себе не представляешь. По этой причине супруга меня теперь обратно любит, и еще дня три, наверное, любить будет. Ну как?

— Высший класс! — одобрил Андрей. — Что нужно Бойко Евгению Васильевичу от нас, грешных?

Игорь сел на хлипкий стул напротив ларионовского стола.

— Труп первого числа утром он видел.

— Неужели?

— Видел. Пенсионер Белов ему труп показал и попросился позвонить. Телефон он дал, но очень перепугался потому, что Мерцалов был ему знаком.

— Неужели?

Игорь покосился на маиора:

— Что-то ты сегодня остришь как-то... однообраз ю. Или мне показалось?

— Показалось, — сказал Андрей. — Я всегда острю разнообразно. С выдумкой я острю. С огоньком.

— Ну да... — сказал Игорь недоверчиво. — Так вот. К Мерцалову он действительно приходил третьего августа, и до этого момента Евгений Васильевич почти ничего не врал. А с этого момента начались сказки про старую больную бабушку. У него есть друг, назвать которого он не может по этическим соображениям. Этот друг страдает тяжким сердечным недугом, но сам к врачу не идет, потому что недуг близкие и родные, вроде Евгения Васильевича, от него скрывают. Ну, не знает он, что болен, и все тут. Евгений Васильевич приходил к Мерцалову в институт, чтобы как раз проконсультироваться относительно этого болезного друга. Ну а когда труп врача увидел, понял, что надеяться его другу больше не на кого — врач-то того... Помер. Ну и смылся...

— Хороша история, — похвалил Андрей. — За душу берет.

— Берет, — согласился Игорь. — Но самое интересное не это. К любовнице Лилии Борисовне Моисеевой он приехал в первом часу. До этого в боулинг-клубе гонял с приятелем шары и потом этого приятеля подвозил до Чистых Прудов. Если подтвердится этот приятель — чист Евгений Васильевич перед нами, как младенец. От Чистых Прудов до Хохловского на машине ночью ровно две минуты.

— Понятно, — сказал Андрей. — Посмотрим, что за приятель... И про больного друга надо как-то побольше разузнать. Сдается мне, что ветер дул со стороны того самого клиента, о котором Димка узнал в офисе этой самой «Интер трейдинг». Который от сердечного приступа помер так... некстати. Ну, там Димка с Ольгой. Разберутся.

Андрей закурил.

— Значит, у нас еще не отработан родитель Элеоноры Ковровой, который считал, что Мерцалов совратил его чистую девочку. И еще, Игорек. Петра Мерцалова в ночь убийства дома не было, и где он был, никто не знает. Мать звонила ему три раза и сказала, что пропал Сергей и отец уже поехал к Ирине. Мы знаем, что у Ирины Мерцалов-отец не был. Ирине кто-то позвонил по телефону и оставил на автоответчике сообщение, что она — сука, получившая по заслугам. И еще. У моей знакомой аптекарши вчера вечером во второй раз отняли сумку. На этот раз в ней был паспорт.

— Ничего себе, — пробормотал Игорь. — Ничего себе...

Многоопытная Ольга еще в машине сказала Диме, что проблемы у них вряд ли будут. Меценат, как они между собой называли умершего предположительно от сердечного приступа Юрия Петровича Василькова, был не старый, не бедный и не больной человек, поэтому страховая компания вполне могла заинтересоваться обстоятельствами его смерти.

— Да, может, он и вовсе не был застрахован! — Дима, опять надевший шикарный братнин костюмчик, злился и нервничал. Ольгина невозмутимость и, как ему казалось, безалаберность могли серьезно навредить делу. Кроме того, он совершенно не мог понять, зачем в таком простом деле, как выяснение обстоятельств смерти человека, вроде бы причастного к убийству, нужно придумывать какие-то сложные заходы и изображать из себя представителей страховой компании.

— Не имеет никакого значения, был он застрахован или не был. — Ольга энергично жевала яблоко и смотрела, как Дима выруливает с Петровки и пристраивается к плотному автомобильному потоку, в который со всех сторон вливались ручейки грязных, фыркающих, ревущих машин. — Вот увидишь, Димочка, никто ничего и не спросит. А если мы скажем, что мы из милиции, сразу же начнется паника и напряжение. Зачем нам паника и напряжение, а?

Ольга разговаривала с ним, как с маленьким, и это его тоже раздражало. Он не маленький. Она капитан, а он лейтенант, и в этом все дело, а вовсе не в том, что Дима ничего не понимает в сыске. Она ставит его на место, так он понимал все затеянное Ольгой представление. Они все только и делают, что ставят на место Диму Мамаева.

Да еще Инкины родичи...

Конечно, он не выдержал и позвонил, и Инки не было дома.

— Я же вас предупредила, — сказала ее мамаша с холодным удовлетворением. — Звоните завтра.

Он не хотел звонить завтра. Он хотел, чтобы она сейчас же, немедленно оказалась дома или хотя бы позвонила ему и рассказала, где она и что с ней. И утешила бы его. И пошептала бы, что любит, и скучает, и ей скучно там, где она была, одной, без него.

Все, блин, как сговорились портить ему жизнь.

Бойко пришел к Полевому, а Димы в это время даже на работе не было. Дима в это время зачем-то должен был притворяться страховым агентом вместо того, чтобы задать прямые милицейские вопросы и получить на них прямые и понятные ответы!

Попробуем мыслить логически.

Если к смерти Мерцалова причастен Бойко, то вполне возможно, что заказчиком был Васильков, ведь фонд Василькова целиком и полностью контролировал фирму «Интер трейдинг», принадлежащую Бойко. Васильков мог, конечно, умереть своей смертью, но также вполне вероятно, что его пришили, испугавшись, что оперативники подошли слишком близко. Такая версия Диме, в его нынешних расстроенных чувствах, нравилась больше и добавляла приятного чувства собственной значимости.

Так. Если Василькова убрали свои, значит, заказчик не он, а кто-то еще, кто стоит за ним. Значит, нужно искать и копать связи Василькова и Бойко и тогда...

— Димыч, яблочка хочешь? — спросила Ольга.

Это было так неожиданно и так грубо нарушило весь стройный ход его мыслей, что Дима глянул на нее так, как будто именно она и была заказчиком всех убийств.

— Ты что? — тут же спросила она и перестала жевать. — Я тебя раздражаю?

— Нет, — ответил он, опомнившись. — Не раздражаешь. Просто я не понимаю, зачем мы...

— Дима, — сказала Ольга серьезно, — ты не злись. Ты подумай спокойно. Этот человек мог не иметь никакого отношения к убийству. Вполне возможно, что у него был честный бизнес и прекрасная семья. А тут мы с тобой, лейтенант Мамаев и капитан Дружинина, припремся к нему домой, напоем им сто бочек арестантов про какое-то убийство, о котором они знать не знают, и спросим, не убил ли кто, часом, и их любимого мужа и отца. Глупо?

— Да я же не предлагаю такого идиотизма!! — Дима выкрутил руль и неизвестно зачем подрезал громадный, черный, похожий на океанский лайнер, представительский «Мерседес». Взвизгнув тормозами и дрогнув бронированным телом, «Мерседес» подался вправо, и Ольга взглянула на Диму сочувственно. Она его понимала.

— Хорошо, что зеленый включился, — сказала она. — А то бы он сейчас выскочил тебе морду бить.

— Я бы не дался, — процедил Дима сквозь зубы.

— Дима, мы совершенно не собираемся на каждом шагу демонстрировать тебе, что ты никуда не годный салажонок. Это ты сам выдумал и теперь маешься, обсасываешь эту мысль со всех сторон. Ты ее выплюни к черту и больше не обсасывай. — Ольга решительно закусила яблоко, которое только что предлагала Диме. Он сбоку быстро взглянул на нее, удивленный ее проницательностью. — Ты талантливый мужик и скоро сам поймешь, как много ты можешь, но есть вещи, которые приходят только... с опытом. Ничего нет ни страшного, ни зазорного, если ты этого пока не то что не понимаешь, а не чувствуешь. Ты работаешь всего... сколько? Полгода?

— Восемь месяцев, — сказал Дима, польщенный тем, что Ольга назвала его «талантливым».

— Ну и перестань на всех дуться. Ларионову хуже всех, на него еще и начальство давит не переставая, поэтому ему с тобой носиться некогда. Это только в кино старые молодых учат и опыт передают. Смотри, слушай, запоминай, и все будет отлично. Ладно бы ты дурак был или лентяй, а ты ведь у нас умненький, сообразительный, быстрый... Самое главное, не выдумывай ничего...

К дому Василькова они подъехали совершенно помирившимися, но потом на Диму опять напало раздражение. Ольга оказалась совершенно права. Никто и не усомнился, что они пришли по поручению страховой компании, в которую Юрий Петрович обратился незадолго до смерти. Мило и сочувственно улыбаясь, Ольга моментально выведала все, что им было нужно, начиная от имени врача, у которого Юрий Петрович лечился, и кончая адресом больницы, в морг которой его увезли. Дима в одиночестве маялся в огромной гостиной, перекладывая из стороны в сторону блестящие папки, взятые для отвода глаз, а Ольга что-то тихо и проникновенно говорила жене Василькова. В открытую дверь кабинета было видно, как вздрагивали безупречные плечи жены и как Ольга поглаживала холеную ручку, на которой взблескивали бриллианты. Дима чувствовал себя ненужным.

— Хотите курить? — спросили рядом с ним, и от неожиданности он выронил свои папки.

Очень молоденькая девушка стояла за его спиной и смотрела, как он неловко собирает бумажки. Просто стояла и смотрела, не делая ни одного движения.

Она была неправдоподобно, сказочно хороша, как бывают хороши актрисы на церемонии вручения «Оскара». У нее были длиннющие ноги, прямые узкие плечики, маленькая энергичная грудь и светящаяся кожа. Дима даже зажмурился. Он никогда раньше не видел таких женщин. Он даже не знал, что они на самом деле существуют в природе.

Он сделал шаг назад и налетел на кресло, которое сам же и отодвинул. Кресло загрохотало так, что из кабинета оглянулись Ольга и та, вторая, с бриллиантами. Девушка, очевидно, очень хорошо знала, какое впечатление может произвести на человека неподготовленного, потому что в глазах ее Дима увидел вдруг снисходительную насмешку, и понимание, и еще что-то более сложное, вроде: «Ну, посмотри, посмотри... Там, где ты живешь, такие, как я, не водятся. Таких выращивают специально, штучно, в райских садах, и предназначены мы вовсе не для таких, как ты, но — что делать! — посмотри, запомни...»

Все это длилось секунды две. Чувство времени у Димы было безупречным. Потом глаза у девушки стали более подходящими к случаю — печальными и туманными.

— Меня зовут Даша, — сказала девушка по-детски просто и протянула ручку. За эту милую детскость Дима моментально простил ей все на свете. — Это мой папа обращался в вашу страховую компанию. Надо же, какая чудовищная судьба... А мы с мамой даже ничего не знали.

В какую такую страховую компанию, смутно удивился про себя Дима. Ах, да! Я же из страховой компании.

Девушка грациозно опустилась в кресло и вопросительно посмотрела на Диму. Ей нравилось с ним играть. Он неловко и быстро сел рядом. Она достала из пачки длинную сигарету и опять посмотрела. Дима не отрывал от нее глаз, как коллекционер от редкой картины.

— Дайте прикурить, — попросила она, забавляясь. — У меня нет зажигалки.

Дима торопливо выхватил из кармана зажигалку, смутившись оттого, что это простая пластмассовая зеленая зажигалка, а не какой-нибудь «Данхилл» или «Унгаро». Впрочем, он понятия не имел, какие бывают зажигалки.

— Курите! — предложила девушка. — Дать вам сигарету?

— Спасибо, — пробормотал Дима, — у меня свои...

Он закурил и снова посмотрел на нее.

— Мы с мамой только сегодня из-за границы вернулись, — сообщила девушка доверительно. — Нам позвонила Галина Андреевна, домработница наша, и вот... — Девушка замолчала и печально опустила глаза на свою сигарету, но что-то было в этом простом движении настолько ненатуральное, показное, что даже совершенно ослепленный Дима насторожился.

— Вы там... отдыхали? — спросил Дима осторожно.

— Нет! — Девушка взглянула на него, как бы оценивая, стоит с ним разговаривать или уж он совсем не подходит ей в собеседники. Дима был молод, высок и натренирован, как борзая из рекламы иностранного собачьего корма. Кроме того, на нем был дорогой костюм, и смотрел он так... жадно. Даше это нравилось.

Он был низший — какой-то менеджер из страховой компании! — и Даша никогда в жизни больше его не увидит, поэтому... что ж... можно и поговорить, пока мама занята, а Даше так скучно и неловко, что папа умер...

— Нет, мы не отдыхали. — Она осторожно постучала по краю пепельницы сигареткой, предчувствуя, какое впечатление ее слова произведут на этого мальчика. — Я выхожу замуж. Мы были в Италии, где живет мой жених.

Дима Мамаев был молодой, неопытный и слишком порывистый лейтенант. Эдакий недозрелый опер. Но права была Ольга Дружинина — он вовсе не был дураком.

— Поздравляю вас, — сказал Дима постно. — И очень сочувствую. Теперь вам свадьбу придется откладывать...

— Вряд ли, — ответила Даша задумчиво и снова постучала сигареткой по пепельнице. — Борис очень занятой человек, и что там у него с расписанием... Хотя, может, он и решит отложить. Он, знаете, очень дружил с папой...

Дима покивал, нащупывая почву для следующего вопроса.

— Там тепло сейчас? — спросил он и улыбнулся улыбкой провинциала, который выспрашивает у соседа-счастливчика подробности недавней поездки в столицу. — Или тоже похолодало?

Даша воодушевилась. Это было замечательно — поговорить про Италию и забыть про отца.

— Я не знаю, как там было, мы с мамой только три

дня и пробыли, но когда улетали, было градусов двадцать пять, наверное.

— Три дня? — искренне удивился Дима, вспомнив майора Ларионова, который утверждал, что чем искреннее ты будешь, тем охотнее люди будут говорить с тобой. — Так мало?

— Мы полетели, только чтобы договориться с Борисом о свадьбе. — Даша улыбнулась ему ласково, как неразумному. — Он давно был влюблен в меня, всю жизнь, с детства, а я поняла, что... Что он... — Она слегка сбилась со своего лирического тона и даже чуть покраснела. — В общем, я поняла, что хочу выйти за него замуж, только недавно. Мы поговорили по телефону, и он пригласил нас к себе. Даже билеты купил. Так торопился...

— Было бы странно, если бы он не торопился, — сказал Дима галантно. Он вдруг совершенно перестал видеть перед собой ангельской красоты девушку и теперь видел только человека, который может сообщить ему важные сведения. Если только Дима не спугнет ее. Но он не спугнет. Он умный.

— Надо же, — сказал он, как бы со стороны следя за собой, чтобы не переиграть, — а я нигде дальше Антальи не был. Ваш... Борис в Италии постоянно живет?

— Да, — подтвердила Даша. — Он уехал туда еще летом и теперь — да. Теперь живет постоянно. Даже гражданство у него двойное. Он перевел туда бизнес, дела и теперь живет там. Говорит, что не может без моря и солнца. — Она засмеялась. — И мне там очень понравилось, очень.

Вот и наша больная бабушка объявилась, подумал Дима все так же отстраненно. Больная бабушка, о которой хлопотал Евгений Васильевич Бойко, нашла способ отбыть за границу без помощи Сергея Мерцалова. Больную бабушку зовут Борис... А дальше как?

— Значит, вы почти что итальянка, — с восторгом глядя на Дашу, сказал Дима. — У вас и фамилия будет итальянская?

— Нет, что вы! — Она засмеялась. — Фамилия Бориса вполне русская, ничего итальянского — Гладышев. Ну, и я тоже буду... Гладышева, — произнесла она с некоторым усилием. Она смяла сигарету и поднялась из кресла, грациозная, поразительно стройная, очень красивая. — Что это они там так долго? — спросила она недовольно. — Мама!

Ей почему-то неловко, понял Дима, и стало неловко, когда она произнесла фамилию. Что-то тут было еще... Какая странная поспешность! В Италии они с матерью пробыли почему-то всего три дня, таинственный Борис не прилетел с ними оплакивать потенциального тестя и лучшего друга. Что-то тут все-таки...

Не слишком хорошо понимая, что именно делает, Дима взял с низкого розового столика изящную пепельницу с двумя окурками и вышел на кухню, всем своим видом демонстрируя желание поухаживать за осиротевшей Дашей и ее матерью. Он решительно направился к раковине, под которой, согласно повсеместно распространенной традиции, должно было помещаться мусорное ведро. Дима распахнул светлую деревянную дверцу, больше похожую на крышку ларца с сокровищами. Ведро оказалось там, где и должно было оказаться. Оглянувшись на дверь, Дима быстро снял качающуюся крышку и заглянул. В ведре было пусто, заправленный в него пакет казался только что выглаженным и даже не смятым, лишь на дне болталась какая-то скатанная в шарик бумажка. Дима вытащил ее, сунул в карман, вытряхнул в ведро пепельницу и вернулся в гостиную.

Даша попалась ему навстречу.

— А я думала, что вы ушли, — сказала она с недоумением.

— Я... пепельницу вытряхнул, — сказал Дима, и скулы у него покраснели. — Чтобы не пахло...

Даша посмотрела ему в лицо с такой оскорбительной жалостью, что он чуть было не вытащил из внутреннего кармана и не сунул ей под нос служебное удостоверение.

— Спасибо, — у самой двери в кабинет с чувством произнесла Ольга. — Вы мне очень помогли. Спасибо, и держитесь.

Безупречная Дашина мать проводила их до двери, позвенела цепочками, пощелкала замками, и они вышли на лестничную площадку. Не сговариваясь, они молчали до тех пор, пока не пришел лифт. Дима пропустил Ольгу вперед, двери закрылись, и они посмотрели друг на друга.

— Зачем ты в кухню таскался? — спросила Ольга. — Что искал?

— Жениха Даши Васильковой, к которому она летала в Италию, зовут Борис Гладышев. Он друг ее покойного папаши. В мусорном ведре я нашел бумажку, — Дима полез в карман. — Я решил, что если была какая-то записка, связанная с таким поспешным отъездом за границу, то она так в ведре и лежит. Вряд ли ее кто-то сжег или в карман положил...

— Ну, ну, — заторопила Ольга. Дима разгладил бумажку, и, сталкиваясь головами, они прочли:

«Милый, прости! Мы с Дашей решили уехать. Не ищи нас — мы расстаемся навсегда. Позже сообщим тебе о месте нашего пребывания».

— Вот суки, — сказала Ольга легко. — Папанька-то не просто так окочурился. Он с горя окочурился, когда узнал, что две его крали свалили к лучшему другу. Вот суки, право слово...

Лифт остановился, и они вышли из ухоженного подъезда под жадно-любопытным взглядом вахтерши.

— Димка, ты молодец! — сказала Ольга, едва только они оказались на крыльце. — Нет, ты не просто молодец, ты умница! — Она потянулась и поцеловала его в твердую щеку. Он сверху посмотрел на нее, вид у него был смущенный. — Я же говорила тебе, что ты будешь классным профессионалом, у тебя чутье. Я еще буду к тебе на доклад ходить, когда ты выйдешь в генералы.

— Да ладно тебе, — пробормотал Дима. — Куда теперь? К врачу? Или в морг?

— Сначала к врачу, а потом в морг, — покладисто согласилась Ольга. — И тормозни у автомата, я должна Ларионову позвонить, рассказать про то, какой ты гениальный сыщик.

— Спасибо, — неловко сказал Дима.

Несмотря на то, что слова, которые ему наговорила Ольга, были приятными и залечили почти все раны, на душе у него было скверно. Он вспоминал голливудской красоты девушку, у которой только что умер отец и которая только и думала о том, как бы поскорей отделаться от скучных похоронных обязанностей и улететь в Италию, где много солнца и моря и было двадцать пять градусов, когда она улетала, узнав, что ее отец умер от разрыва сердца, прочитав записку, оставленную ему матерью.

— Я готов, — сказал Полевой, — поехали?

— Поехали, — согласился Андрей и не двинулся с места. Полевой знал такие его настроения. Они означали, что майора нужно на несколько минут оставить в покое, тогда вскоре он очухается и поведает миру о своих сомнениях и тревогах. Если начать приставать, майор разозлится, заорет и ничего хорошего из работы уже не выйдет.

— Хочешь Люську посмотреть? — спросил Полевой минут через десять. Молча сидеть ему надоело, и он решил, что необходимое время уже выдержал.

— А? — рассеянно переспросил майор.

— Не «а», — сказал Игорь. — Люську хочешь посмотреть?

— Давай, — согласился Андрей. Он ничего не понимал в детях, тем более в чужих, но всегда покладисто смотрел, понимая, что отказом можно глубоко оскорбить тонкие чувства любящего родителя.

Игорь с гордостью вытащил из внутреннего кармана несколько глянцевых снимков и выложил их на стол перед майором.

— Это первое сентября. Правда, она красавица?

— Вся в тебя, — сказал Андрей искренне и сел прямо. На фотографиях было море радостных детских мордашек, кое-где перекрытых чудовищно огромными букетами цветов и чужими бантами. Осторожно, за уголок, Андрей взял одну фотографию и повернул к свету.

— Вот здесь особенно на тебя похожа, — сказал он с удовольствием. — Надо же как... Девчонка, а на тебя похожа, как две капли...

Фотографии... Да, фотографии. Первое сентября. Целая толпа разновозрастных детей.

Что же он забыл? Что-то же было такое, что насторожило его... Нет, даже не насторожило, а вызвало чувство смутной тревоги. Он опять взглянул на фотографии. На первом плане совсем малыши. Улыбаются щербатыми ртами, уже потерявшими молочные зубы, но еще не приобретшими коренных... За ними — ребята постарше. Стоят смирно, но видно, что им это дается нелегко. Родители, учителя, снова дети...

Совсем маленькие и постарше. Постарше...

Андрей схватился за телефон и опрокинул свою кружку. Кружка упала и покатилась по полу.

— Ты чег ? — спросил Полевой. — Вспомнил что-нибудь, Андрюха?

Он называл майора Андрюхой очень редко. И почти никогда — на работе.

— Да, — сказал Андрей, слушая гудки в трубке. — Да, вспомнил.

Он едва заставил себя дослушать автоответчик, предлагавший оставить сообщение, и заговорил быстро:

— Ирина Николаевна, возьмите трубку, это майор Ларионов. Это очень срочно и важно, Ирина Николаевна, я знаю, что вы дома, пожалуйста, возьмите трубку. Это майор Ларионов...

Он не договорил до конца.

— Здравствуйте, Андрей, — тихо сказала Ирина Мерцалова. — Я вас узнала.

— Ирина Николаевна, — Андрей говорил преувеличенно спокойно. Этот нарочито спокойный тон Игорь Полевой хорошо знал. — Скажите, пожалуйста, почему в ваших альбомах нет *маленького* Сергея? Все фотографии начинаются лет с девяти, наверное...

— С семи, — поправила Ирина. — Надо же, вы не спросили, а мне даже не пришло в голову, что вы не знаете...Сережку усыновили, когда ему было семь лет. До этого он жил в детдоме.

— Я так и думал, — пробормотал Андрей, но умолчал о том, что так думал он последние секунд тридцать. — А в каком детдоме он был?

— В детдоме? — переспросил рядом Полевой. — Мерцалов — в детдоме?

Андрей кивнул.

— Где-то в Удельной, по-моему, — сказала Ирина задумчиво. — Точно, в Удельной. Мы как-то раз туда ездили даже. Сережка деньги им какие-то возил, и медикаменты, и подарки. Он не слишком долго там был, но все помнит. А про настоящую семью ничего не помнит, кроме того, что мать умерла, а потом пришли чужие люди и забрали его в детдом.

— Ирина Николаевна, я пришлю к вам человека, он заберет у вас альбомы. Ненадолго, — попросил Андрей, чувствуя ее внезапное напряжение. — Мы вернем их вам в целости и сохранности...

— Хорошо, — сказала она. — А если вам это нужно срочно, я могу сама подвезти.

— Нет, — сказал Андрей твердо. Он был совершенно уверен, что никуда ехать она не может. — Мы сами.

— Ну, хорошо, — сказала она с сомнением. — Спасибо, что позвонили, Андрей, — добавила она, и Ларионов чуть не упал со стула. — Я... благодарна вам, что вы не забыли о... Сережке.

— Что вы такое говорите, Ирина Николаевна, — пробормотал Андрей и повесил трубку.

— Детдом? — спросил Полевой. — Он что, детдомовский?

— Выходит, так, — ответил Андрей. Он не мог сидеть и поэтому встал и оперся руками о подоконник.

Сергей Мерцалов был детдомовским ребенком, как и Клавдия Ковалева.

Вот тебе и таинственная связь процветающего доктора и бедной аптекарши. Они оба выросли в детдомах. Насколько Андрей понял, в разных. Но они оба — детдомовские...

Он выругался и повернулся лицом к Игорю.

— Я не знаю, что нам нужно делать дальше, — сказал он решительно. — К Мерцаловым-родителям, конечно, ехать нужно, и к Петечке, любимому братцу... Но...

— Что? — спросил Игорь.

— Моя аптечная подруга тоже из детдома. Только ее так и не удочерил никто, — сказал Андрей. — И за ней тоже следят, как следили за Мерцаловым. И я не знаю, что теперь я должен делать.

— Давай подумаем, — предложил Игорь. — Подумаем спокойно.

— Как же! — сказал Андрей и пнул ногой желтую тумбу своего письменного стола. — Подумаешь тут спокойно... Если все это действительно... то ее тоже вот-вот прикончат, а мы даже мотивы не установили.

Будь проклята его работа, будь проклята Клавдия, с которой он внезапно вознамерился прожить оставшуюся жизнь, будь проклято все на свете!

— Тебе в отпуск надо, — сказал Полевой.

— Мне надо кого-нибудь к Ирине на дачу отправить, — хмуро поправил Андрей. — Где Димка с Ольгой? А нам с тобой надо к Мерцаловым ехать. Боюсь, что это все-таки... брат. А? Как ты думаешь?

— Поедем, Андрей, — сказал Полевой, поднимаясь. — В машине додумаешь.

— Леонид Андреевич, — сказал майор Ларионов спокойно, — все-таки вы должны объяснить нам, где вы были ночью первого сентября. Мы установили, что дома вас не было, так что давайте примем этот печальный факт как данность, и вы постараетесь больше нам не врать. Идет?

В шикарном кабинете повисло молчание. Это было такое огромное, плотное, объемное молчание, что его можно было разрезать на куски и продавать за хорошие деньги любителям тишины. Леонид Андреевич Мерцалов медленно поднялся из кресла, в котором, очевидно, читал по вечерам, или принимал пациентов, или покуривал короткую английскую трубку, подставки для которой были расставлены во всех комнатах. Он воздвигся так величественно и монументально, что Андрей понял: возиться с Мерцаловыми они будут очень долго, а время катастрофически уходило. Он прямо-таки чувствовал этот песок, стекающий между его грубых пальцев. Песок, который он никак не мог удержать в горсти и от которого зависела жизнь Клавдии Ковалевой, в этом он не сомневался.

— Я была совершенно уверена, что этим все и закончится, — в плотной тишине сказала Лидия Петровна Мерцалова, обращаясь к мужу. — Не нервничай, Леня, я прошу тебя, все разъяснится. Я сейчас же пойду и позвоню....

Но Андрей не желал ничего слушать про министра внутренних дел и его супругу.

— Если вы хотите звонить нашему начальству, Лидия Петровна, — сказал он галантно, — то вам придется подождать, пока мы уйдем. До тех пор к телефону вы не подойдете. Я не предъявляю вам никаких обвинений, я просто хочу знать, где был Леонид Андреевич в ту ночь. Я знаю, что он поехал искать Сергея и что вы, Лидия Петровна, несколько раз звонили своему младшему сыну и очень волновались потому, что его не было дома. Где был ваш муж? И где был ваш сын?

Впервые в жизни Андрей своими глазами увидел, как у человека пропало лицо. Оно только что было и даже выражало негодование и презрение и еще какие-то сложные чувства, и вдруг оно исчезло. Лица, по крайней мере того, что было, внезапно не стало. Оно превратилось в жалкую и страшную маску, отдаленно похожую на то, прежнее, очень благородное и красивое лицо Лидии Петровны Мерцаловой.

Андрей отвернулся.

Уцепившись длинными костлявыми пальцами за край стола, Мерцалов-отец сел обратно в кресло, и рука его как будто помимо его воли бессильно поехала по наборной деревянной крышке и потащила за собой бумаги, газеты, ручки, подставку для щегольской английской трубочки.

Андрей смотрел, как все это исчезает за краем стола и с шуршанием валится на пол.

Ему было совершенно наплевать на этих людей. Он не верил в их чувства и не хотел им сочувствовать. Они-то как раз были для него *просто работой*.

Сергей не был. И Ирина не была. И Клава Ковалева не была тоже. А эти двое интересовали майора Ларионова постольку, поскольку могли сообщить ему нечто такое, чего он пока не знал сам.

— Мы ждем, — сказал он майорским голосом. — Поторопитесь, пожалуйста.

— Да, — даже не сказал, а выдохнул Леонид Андреевич Мерцалов и стал шарить рукой по столу в поисках своей трубочки. Очевидно, он так и не увидел, что свалил все на пол. — Да. Нам следовало догадаться, что вы в конце концов все-таки узнаете. Я так и думал, я знал, что так и будет...

— Леня, перестань, — приказала Лидия Петровна, но как-то жалобно приказала, без прежнего королевского высокомерия.

— Лида, Лида... — забормотал Леонид Андреевич и прикрыл глаза. Морщинистые веки дрожали, на старческих ресницах показались слезы. Андрей смотрел ему в лицо, и ему казалось, что он присутствует на репетиции трагедии «Макбет». От злости у него даже задергалась жилка под левым глазом — верный признак скорого взрыва бешенства.

— Да! — вдруг снова страстно воскликнул Леонид Андреевич. — Да! Мне придется сказать вам, но знайте, что он ни в чем не может быть виноват. Ни в чем... Он просто очень самолюбивый, очень ранимый и очень гордый мальчик.

— Кто? — спросил Полевой, которому тоже надоела вся эта почти шекспировская петрушка. — О ком вы говорите?

— О своем сыне, — сказал Леонид Андреевич. — Он не мог убить Сережу. Нет, не мог.

— Наш сын никогда не мог бы... — заговорила Лидия Петровна и прижала руки к груди. — Вы должны это понять, и если только у вас есть хоть капля разума...

— У вас было два сына, — перебил Андрей. — Два. Вы не помните?

Он вытер о джинсы влажные руки — привычка, от которой лет десять его отучала мама. И почти отучила.

— У нас был один сын! — вскрикнула Лидия Петровна, и в голосе у нее зазвучали слезы. — Мы взяли мальчика из детдома потому, что у нас много лет не было детей. Мы ждали, надеялись, а потом решились на усыновление. Мы долго выбирали, искали подходящего, потому что возиться с младенцем нам совсем не хотелось, мы всегда много работали. Кроме того, наследственность... Мы не могли взять первого попавшегося ребенка. А вдруг у него оказались бы... — Она умолкла на секунду, и муж ей подсказал:

— Отклонения.

— Да, отклонения, — уцепившись за это слово, продолжала Лидия Петровна. — И надо же было так сложиться, что через год у нас родился Петя! — Лицо у нее просветлело. — Наш собственный, замечательный мальчик. Наш наследник. Наша плоть и кровь. Решение всех наших проблем, воплощение мечты...

— И детдомовский пацан стал вам не нужен. — Андрей закурил, не спрашивая разрешения. — Но сдать его обратно вы не решились потому, что это испортило бы вашу репутацию. Так?

— Вы что? — поразилась Лидия Петровна, и на миг из-под ее нового постаревшего и страдающего лица выглянуло старое, красивое и величественное. — Осуждаете нас?

— И не думаем даже, — заверил Полевой насмешливо. — Как можно...

— Мы вырастили его и дали образование. Мы выполнили свой долг, — сказала Лидия Петровна высокомерно, — но он как был, так и остался... чужим. Он все и всегда делал по-своему, начиная с того, что внезапно из восьмого класса ушел в медицинское училище. А потом его женитьба, и все остальное...

— Он оказался более талантливым, чем ваш Петя, да? — спросил Андрей. — Он стремился быть Мерцаловым даже больше, чем вы. Он был Мерцалов с головы до ног. Он даже медициной стал заниматься потому, что ему хотелось доказать вам, какой он настоящий Мерцалов. А Мерцаловым был не он, а Петя.

— Да как вы смеете говорить нам это?! — Лидия Петровна пошла пятнами, и ее худая рука сжалась в кулачок. — Что вы знаете о нас, чтобы делать такие выводы?!

— Я знаю о вас достаточно, — уверил Андрей. — Вполне достаточно, Лидия Петровна. Сергей оказался более Мерцаловым, чем ваш сын, и вы этого ему так и не простили. И Ирину не простили, которая любила его. Верно?

Опять повисло молчание. Андрей докурил и затушил сигарету.

— Ближе к делу, пожалуйста, — сказал он сухо. — Что произошло той ночью?

— Ирина позвонила нам и оставила сообщение, что Сережа ушел с собакой и не вернулся, — несчастным голосом продолжал Леонид Андреевич. — Мы испугались. Мы знали, что в последнее время он только и делал, что ссорился с Петей, заставлял его жениться на этой девице, грозил, что не будет давать ей деньги, что позвонит Тихонову, у которого Петя работал... А у Пети только-только все стало налаживаться, в смысле работы...

— И личной жизни, — вставила Лидия Петровна, деликатно сморкаясь в платок. — Он стал встречаться с Машей Тихоновой, дочкой профессора, и мы были так рады... Но с Сергеем же никогда и ни о чем невозможно было договориться... Он всю жизнь шел напролом и совершенно отказывался принимать во внимание интересы других...

И покупал вам мебель, и возил вас на курорты, и содержал вашего внука, хотя вовсе не обязан был этого делать. Он думал, что в ответе за всю семью, и хотел, чтобы эта семья в конце концов признала бы его своим. А она никак не признавала.

Андрей вытащил из пачки следующую сигарету и прикурил ее только с третьего раза. На родителей Сергея Мерцалова он не мог смотреть.

— Мы подумали, что, может быть, Петя... Тем более что его не было дома. Мы думали, что Петя наконец не выдержал давления, которое на него оказывал Сергей, и сделал что-нибудь непоправимое... — Леонид Андреевич закрыл лицо рукой. — Мы так боялись.... Нет, вы не подумайте, мы даже представить себе не могли...

— Вы поехали к Сергею, — сказал Андрей, морщась от того, что дымом тянуло ему прямо в глаза. — Вы не стали подниматься к Ирине, а пошли в скверик, где обычно Сергей прогуливал свою собаку. Вы искали его, потому что были готовы к тому, что он убит. И нашли. Нашли?

— Нашел, — сказал Леонид Андреевич и заплакал. — Но поймите, я сразу понял, что это... это... не Петя. Это было сделано так чудовищно, так ужасно... — Он всхлипнул.

— Вы увидели своего мертвого сына и не вызвали милицию? — спросил Полевой.

— Я не мог. Я не мог. А вдруг это все-таки... Я не мог вызвать милицию. Я понял, что никто и ничем ему уже не поможет, и поехал домой. Потом мы искали Петю.

— Мы провели чудовищную ночь, — сказала Лидия Петровна. — Просто чудовищную.

— Ну да, — сказал Андрей. — Конечно.

Ему очень хотелось что-нибудь сломать. И еще он подумал о Клавдии. Он приедет вечером домой, обнимет ее, одетую в его свитер, и не отпустит, пока не придет в себя. А приходить в себя ему придется очень долго.

Он не знал, как это трудно — *не просто работа*.

— Вы нашли вашего Петю? — спросил Полевой. Голос у него был холодный.

— Да, — кивнул Леонид Андреевич. — Он был, как это ни странно, у этой... На которой Сергей хотел его женить. Сергей заезжал к ней днем и заставил Петю явиться тоже для такого... решительного объяснения, и у нее они снова... ужасно поссорились, но вечером Петя почему-то опять поехал к ней...

— Почему бы это? — спросил Андрей, и Игорь тронул его за плечо.

Леонид Андреевич поднял на них несчастные глаза, похожие на глаза старой больной собаки.

— Но по крайней мере мы поняли, что Петя не мог убить Сережу. Он был у этой... часов с десяти, наверное.

— Это он вам так сказал? — спросил Полевой.

Леонид Андреевич кивнул.

— Вы успокоились и стали ждать утра, когда Ирина наконец-то вам дозвонилась, — заключил Андрей. — Мило. Очень мило и элегантно. Все должно быть в полном порядке, и Петя должен быть в полной безопасности. А Сергею все равно ничем помочь было нельзя. Очень мило — И, дернув плечом, он сбросил руку Полевого. — У вас просто замечательная семья. И сын тоже удался. Не Сергей, а тот, настоящий. Мы за вас искренне рады.

— Если вы решили свалить это грязное дело на Петю, я предупреждаю вас, что.... — встрепенулась Лидия Петровна.

— Не надо меня предупреждать! — Андрей поднялся, и следом за ним поднялся Игорь. — Ваш Петя —

слизняк. Избалованный, слабый, трусливый и подлый. Радуйтесь. Ребенок — настоящий, а не приемный, — вышел у вас просто замечательный. Если он убил Сергея, то я это докажу кому угодно. Хоть министру внутренних дел, хоть председателю Верховного суда. Если не он, получите его в полное и безраздельное владение на всю оставшуюся жизнь. Ясно вам?

Он пошел к двери, остановился и оглянулся. Глаза у него были бешеные.

— Только у вас уже нет Сергея, который будет тащить на хребте Петю, его жен, детей, любовниц и разгребать Петин навоз.

Они вышли на лестничную площадку, и Андрей все-таки бахнул кулаком в пластиковые двери лифта.

— Ах, сволочи, — сказал он, не разжимая зубов, — ах, какие сволочи...

На улице они разделились. Игорь поехал к Элеоноре Ковровой и к ее отцу, а Андрей вернулся на работу. Время неумолимо приближалось к четырем.

Он не стал слушать никаких историй о кончине Юрия Петровича Василькова, отложив это на вечер, и услал Диму с Ольгой в архивы, искать родителей Клавдии Ковалевой и Сергея Мерцалова. Он был совершенно уверен, что это небыстрое дело за полдня сделано быть никак не может, но от недостатка времени у него шевелились волосы на затылке и холодела спина, как будто кто-то беспрестанно шептал ему: *ты опоздаешь, опоздаешь, ты уже почти опоздал...*

Он налил себе кипятка — ни кофе, ни даже чая на этот раз ни у кого не было — и сел подумать.

Дело не в Юрии Петровиче Василькове, кем бы он ни был. Дело скорее всего и не в Мерцалове Пете, которому слежка за братом была совершенно не нужна, он мог убить его и без всякой слежки. И не в Элеоноре.

Элеоноре убивать Сергея и вовсе не было никакого

смысла. Зачем убивать пресловутую курицу, несущую золотые яйца?

У Клавдии два раза вырывали сумку. Первый раз ее тут же вернули, потому что в ней не оказалось паспорта. Нужен был именно паспорт. Зачем? Чтобы с точностью установить, что это именно она, Клавдия Ковалева, прописанная там-то и там-то. Человек, который следил за ней, хотел в последний раз с точностью удостовериться, что это именно она. Очевидно, он не знал ее в лицо и никогда до этого не видел и не мог допустить, чтобы произошла досадная ошибка. Чтобы он убил кого-то другого.

Он хотел быть точно уверен, что убивает именно Клавдию Ковалеву.

Зачем?

Зачем он убил Сергея Мерцалова и собирался убить Клавдию Ковалеву?

Детдомовские дети.

Сергея усыновили в семь лет, а Клавдия так никому не приглянулась. Они выросли в разных детдомах и скорее всего никогда не видели друг друга.

Что они могли знать? Кому они могли мешать?

Что-то, случившееся в детстве и до сих пор, спустя почти тридцать лет, имеющее значение?

Что же? Что?!!

Андрей подтянул к себе один из альбомов, которые привезли от Ирины Мерцаловой.

Это свадьба. Глупые счастливые лица молодых, испуганные — родителей. Родители только Ирины, родителей Сергея не видно. Интересно, они и на свадьбе не были?! Какие-то студенческие сборища — лыжи, костры, гитары и портвейн «Три семерки». Это все нам знакомо, это все мы тоже проходили... Соревнования. Картошка. Какая-то очень серьезная аудитория слушает Сергея Мерцалова, стоящего за кафедрой. Диплом? Кандидатская?

Андрей открыл второй альбом.

Опять серьезный мальчишка с удочками и холодное

озеро на заднем плане. Школа, первое сентября. Теперь он не просто серьезный, теперь он хмурится, совсем как взрослый, а ему лет восемь, наверное.

Незаурядным человеком был Сергей Мерцалов. Он не возненавидел брата, который взял да и лишил его всякой надежды на родительскую любовь, просто так, по праву рождения. Он всю жизнь потом носился с этим братом, ухаживал, устраивал, содержал...

Открытка с лютиками — поздравление маме на Восьмое марта. Еще одна старая открытка с неестественно красивой женщиной. Подцепив ее за уголок, Андрей вытащил эту открытку. Интересно, какого она года выпуска? По виду гораздо старше Сергея Мерцалова.

Все верно, открытка была начала пятидесятых годов, и у женщины, изображенной на ней, даже оказалось имя. Ее звали Наталья Рогожская. Интересно, кем она была, тогдашняя знаменитость? Актриса? Певица? И как она попала в альбом?

Продолжая рассеянно изучать фотографию, Андрей набрал номер.

— Ирина Николаевна, — заговорил он, терпеливо дослушав автоответчик, — это снова Ларионов.

— Да? — спросила она. — Я слушаю вас, Андрей.

— Спасибо вам за альбомы, — поблагодарил он неловко. — Они уже у меня. Вы не знаете, откуда у вас в альбоме такая... типографская фотография Натальи Рогожской? И кто она такая? Я о такой актрисе не слышал даже.

— Она была не актриса, — сказала Ирина. — Она была певица. Пела в оперетте и, говорят, была знаменита. Мои родители, например, ее очень хорошо помнят. А в альбоме она оказалась... Это Сережина фотография, Андрей. Она у него была в детдоме. Единственное, что осталось у него от настоящей семьи. Так он мне, по крайней мере, рассказывал. Он долгое время был уверен, что она его настоящая мать, но она, конечно, никакого отношения к нему не имела....

— Откуда это известно? — перебил Андрей.

— Лидия Петровна и Леонид Андреевич, прежде чем усыновить Сережку, целое расследование провели, и Наталья Рогожская оказалась совсем ни при чем.

— А кто при чем? — спросил Андрей.

— Мы так и не узнали, Андрей. Его мать умерла, а про отца вообще никаких данных. Наверное, эта фотография была у них дома и он, маленький, почему-то схватил ее, когда его увозили... в детдом. Он любил ее и берег, как ребенок бережет медведя, с которым спал в детстве.

— Понятно, — сказал Андрей. — Понятно, спасибо...

Клавдия Ковалева тоже выяснила, что ее мать умерла, а про отца сведений никаких нет.

Андрей бросил фотографию на стол и поднялся, чтобы включить чайник. Что-то опять захотелось кипятку.

Дождь не переставая шелестел за окнами, и было пасмурно, сумрачно, маетно. Серые тени скользили по комнате и пропадали в углах. Опершись руками о подоконник, Андрей смотрел вниз, во двор и ждал, когда закипит чайник. Чайник уютно, по-домашнему шумел, и в прокуренной выстуженной комнате становилось теплее.

Скорей бы выходные, что ли...

Андрей налил кипятка в кружку и посмотрел с тоской. Пить кипяток было противно, но больше пить было нечего. Осторожно держа кружку, он повернулся, чтобы идти к столу, и замер. Фотография на столе в сером предвечернем свете видоизменилась, изображение как будто поплыло, смялось, и Андрей увидел то, чего никак не мог увидеть раньше.

Он обжегся, замычал, ткнул кружку на подоконник и посмотрел еще раз. Он был уверен, что не ошибается.

— Черт возьми, — сказал он сам себе и поднял фотографию к глазам. — Вот черт возьми...

Клавдия сидела и распечатывала на компьютере латинские названия лекарств, чтобы потом их можно было приделать на выдвижные ящики. Ее смена закон-

...илась два часа назад, но, строго следуя Андреевым ин-
...трукциям, она не ушла, а уселась за работу, до которой
...и у кого не доходили руки. И не дошли бы, если б не
...арионов и его распоряжение.

Клавдия печатала, изредка сверяясь с длиннющим
...писком, вздыхала и думала об Андрее.

Он неизвестно зачем позвонил ей утром, он сказал
...й, что приедет и заберет ее, и она целый день осторож-
...о нюхала воротник его свитера, в который была одета.
...оротник очень слабо, почти неслышно, пах Андреем,
...Клавдию это радовало.

— К телефону, Клава, — крикнула пробегавшая ми-
...о заместительница Наталья Васильевна. — В зал, к те-
...ефону, Клава!

Клавдия вздрогнула и уронила на пол списки, в ко-
...орые смотрела.

Ларионов. Неужели Андрей? Больше вроде и некому...

— Да! — сказала она в трубку. — Я слушаю!

И отвернулась от Лиды, которая улыбалась ее по-
...пешности и явно прислушивалась.

— Клава, это я, — сказал в трубке страдающий Та-
...ин голос. — Я только приехала, еще даже в ванну не
...лезла. Ты как?

Клавдия была так разочарована, что ей стало стыд-
...о. Танька десять с лишним лет была ее самой лучшей
...одругой, а она, Клавдия, даже не может себя заставить
...брадоваться!

— Ау! Клава! — позвала из трубки Танька. — Что с
...обой? Или это не ты?

— Это я, — призналась Клавдия, — и со мной ниче-
...о. У меня вчера опять сумку отняли и обратно уже не
...ернули. В сумке был паспорт. Твой брат сказал, что
...аспорт здесь имеет первоочередное значение.

— Что? — переспросила Таня. — Ты что? Бредишь,
...овалева? Опять сумка? И на этот раз еще и паспорт?!

— Да, — сказал Клавдия. — Он меня толкнул, я упа-
...а, разбила коленки, вымочила куртку, порвала джинсы

и долго валялась в луже. Толкнул, конечно, не брат, жулик.

— Ну ты даешь! — сказала Таня с восхищением. — И что Ларионов говорит?

— Говорит — надо подумать, — сказала Клавдия.

Ее страшил момент объяснений с подругой. Конечно, Таня все про нее знает и очень сочувствует, но одно дело — сочувствие, и совсем другое — пикантный эпизод с ее ночевкой в постели Андрея Ларионова.

— Я не могла идти домой, — твердо сказала Клавдия, решив, что лучше выложить все сразу. — А тебя не было. Я ночевала у Андрея.

Воцарилось молчание, столь красноречивое, что Клавдия даже улыбнулась тихонько, хотя бояться не перестала.

— Неужели? — спросила Танька, как показалось Клавдии, очень холодно. — Поправь меня, если я ошибаюсь, но мне показалось, ты сказала, что переспала с моим братом.

— Да, — подтвердила Клавдия.

— Гениально, — сказала Таня. — Стоило один раз жизни уехать из Москвы, и все произошло. Ты не разочаровалась в своих чувствах, Ковалева?

Клавдия с облегчением перевела дух. Самое страшное было позади — Таня не бросила трубку и не потребовала объяснений. Клавдия была ей за это несказанно благодарна.

— Клавка, ты что там? Непрерывно грезишь о Ларионове? — Таня постучала чем-то по трубке, и Клавдии пришлось отодвинуть ее от уха. — Я все еще здесь. Твоя лучшая подруга хочет с тобой поговорить. Ты меня слышишь?

— Слышу, — согласилась Клавдия.

— Ты сегодня опять у Ларионова ночуешь?

— Опять, — сказал Клавдия и покраснела.

— То есть мне приезжать нет никакого смысла, да и Вы с Ларионовым вряд ли будете рады видеть нас с Павловым?

— Мы всегда... — заговорила Клавдия и осеклась.

«Мы всегда» — это были слова из совсем другой жизни. Не из жизни Клавдии Ковалевой. Кажется, впервые она сказала «мы».

«Мы» — это Андрей и я. Я и Андрей. Мы всегда рады вам с Павловым. Мы всегда рады принять гостей. Мы ждем вас к восьми часам.

Нет, не может быть, чтобы это могла сказать она, Клавдия Ковалева.

— Клавка, не переживай ты так, — сказала Таня серьезно. — Я страшно рада, что у вас в конце концов что-то получилось. Господи, да никто не подходит ему так хорошо, как ты, и не подходил никогда! Только смотри теперь, не упусти его. Ты же у нас девушка неопытная, скажешь что-нибудь, а он не так поймет или совсем не поймет...

— Не упущу, — пообещала Клавдия. — Постараюсь не упустить, если только.... Если только я на самом деле ему нужна.

— Нужна! — уверила Танька. — Конечно, нужна. И я на самом деле была уверена, что рано или поздно он все правильно сообразит. Он и сообразил. Всего десять лет прошло.

На глаза Клавдии навернулись слезы, и Танька как-то подозрительно всхлипнула в трубке.

— То есть бандиты и истории с сумками и слежками для вас нынче не актуальны, правильно я понимаю?

— Не совсем, — призналась Клавдия. — Слушай, давай я тебе вечером позвоню. Или ты нам... А то мне говорить неудобно.

— «Нам» — это звучит гордо, — провозгласила Танька. — Я вам позвоню. Я очень рада, что ты жива и здорова и что ты теперь спишь с моим братом.

Улыбаясь, Клавдия положила трубку.

— Ты чего не ушла, Клава? — спросила проходящая через зал Варвара Алексеевна. — Твоя смена давно закончилась...

347

— Я этикетки пишу, — сказала Клавдия, краснея от того, что она как будто занимается сверхурочной работой, а на самом деле ждет Ларионова.

— Клавочка, тебе просто цены нет! — сказала заведующая с чувством. — Я тебе премию выпишу!

Все слышали, что заведующая опять похвалила Ковалеву и что она даже собирается выписать ей премию и раздражение сотрудниц было таким острым, что Клавдия почувствовала его, как уколы электрофореза.

Я не виновата. Она ожесточенно печатала и думала о своем. Я не виновата. Андрей велел мне ждать, но не могу же я просто сидеть и три часа пить кофе. Это как-то глупо.

Вспомнив, что она собиралась выглянуть на улицу, когда ее позвали к телефону, Клавдия решительно погасила свет и прижалась носом к холодному стеклу.

Знакомая машина была на месте, и шофер мирно дремал в ней.

Нет, не права Танька. Все-таки слежка ее пугала. Даже несмотря на Ларионова.

Андрей вспомнил, что ему еще нужно заехать за Клавдией, только часов в семь. Вспомнив, он вдруг вскочил и начал собираться.

— Ты что? — спросил Полевой.

— Да я забыл совсем, что я сегодня свою аптекаршу забираю, — сказал Андрей, натягивая куртку. — Игорь, дождись ребят и позвони мне вечером, ладно? Только обязательно.

— Ну, конечно, — сказал Полевой, с интересом изучая Андрея, — позвоню. Только не нравится мне все это. Особенно последнее.

— Можно подумать, что мне нравится, — буркнул Андрей. — Выходи давай, мне еще дверь закрывать...

— А куда ты ее денешь? — спросил Игорь, пока Андрей привычно прилаживал на дверь пластилиновую печать.

— К себе отвезу, — сказал Андрей. — У меня с ней... роман.

— Остановись, пока не поздно, Ларионов, — сказал Игорь весело. — Какой еще роман?

— Самый обычный, — буркнул Андрей. — И вообще я не понимаю твоего веселья. Какое тебе дело?

— Никакого, конечно, — согласился Полевой. — Пока. Я позвоню. Или сам звони, как со своей аптекаршей разберешься.

Андрей издалека показал ему кулак и, не дожидаясь лифта, побежал по лестнице вниз.

Он волновался, что она не дождалась его и ушла, а этого нельзя было делать. Он волновался, что не позвонил ей, а она, наверное, ждала. Он волновался, что она обиделась на то, что он ей не позвонил, да и вообще забыл о ней, занятый своей работой и *не только работой*.

Глупо было волноваться обо всем этом, все-таки ему было тридцать шесть, а не шестнадцать, и он был не молодой влюбленный, а умудренный жизнью мент, но он волновался так, что пришлось даже несколько секунд посидеть в машине, чтобы успокоиться.

Запирая дверь, он оглянулся по сторонам. Соглядатай был на месте, значит, Клава из аптеки не ушла.

Умница.

Он взбежал на высокое крылечко, посторонился, пропуская людей, и вошел в теплый и залитый ярким светом зал. Зал был небольшой и уютный, и в нем приятно пахло лекарствами. Вдоль стен стояли диваны, и на диванах сидели старики. По старику на каждом диване.

Интересно, почему они не ходят в аптеку днем, когда никого нет? Почему они непременно идут вечером, когда народу в десять раз больше, чем днем? Может, потому, что им хочется посмотреть на людей или кажется, что, когда они приходят в аптеку вечером, они больше похожи на всех остальных, молодых и занятых, таких, какими и они сами были когда-то.

— Вы что-то хотели, молодой человек? — окликнула

349

Андрея маленькая, плотная дама в белом халате, с высокой прической и очками, сдвинутыми на кончик носа.

Андрей улыбнулся. Дама смотрела подозрительно. Он знал, что не внушает доверия дамам среднего и старшего возраста.

Дама улыбнулась в ответ, потому что Андрей умел улыбаться исключительно обаятельно. Так что не могли устоять даже дамы среднего и старшего возраста.

— Мне Клаву Ковалеву, — сказал Андрей доверительно. — Она не ушла еще?

— Н-нет, — протянула дама, — не ушла. Я так понимаю, что она как раз вас и дожидается. Девушки! — крикнула дама за перегородку, в глубину белого, залитого огнями коридора. — Позовите Ковалеву!

Она кивнула Андрею, что должно было означать, что Клавдия сейчас придет, и направилась в противоположную сторону. Согревшийся Андрей потянул вниз «молнию» на куртке.

Он изучал стойку с зубными пастами и кожаной своей спиной чувствовал, как вся аптека пристально и придирчиво изучает его. Не то чтобы ему было неловко, но хорошо бы все-таки Клава побыстрее вышла...

— Привет, Андрей, — сказала она совсем рядом. — Как хорошо, что ты приехал.

Он оглянулся, увидел сияющее личико, рыжие волосы, собственный свитер и собственную куртку, которая висела на ней, как на вешалке, и собственные джинсы, которые он сам утром аккуратно обрезал ножницами, потому что они были ей слишком длинны, и на душе у него сделалось так хорошо, так радостно и так спокойно, что он в первую минуту не смог ничего сказать. Он просто молча потянул ее за руку к выходу из аптеки, и она еще на ходу успела проговорить:

— До свидания, девочки, до завтра!

Спустившись с крылечка и не думая о соглядатае, Андрей нагнулся и поцеловал ее в губы. Губы были теплыми и нежными, а щека холодной. Он поцеловал ее еще и в щеку. А потом опять в губы.

— Андрей! — придушенным голосом прошипела она. — Тут же люди!

Но рук от него не отняла и голову не опустила. Он поцеловал ее еще раз и отпустил с сожалением, понимая, что место выбрано не самое удачное.

Ничего. Так он сказал себе. Через пятнадцать минут мы будем дома. Там мы запрем дверь на замок, и не будет никаких людей, которые смогут нам помешать.

Подумаешь, осталось потерпеть всего пятнадцать минут.

Оказывается, он ждал встречи с ней весь день, просто за всеми делами... немножко забыл об этом.

Сколько раз в день средний мужчина думает о сексе?

— Садись, — он открыл ей дверь и увидел мельком, что соглядатай таращится на них из своих «Жигулей» в полнейшем изумлении.

Не ожидал меня увидеть, голубчик, подумал Андрей злорадно. Ну вот посмотри. И хозяину своему доложи, что она теперь не одна. А теперь посмотри, как я мастерски, просто виртуозно сниму тебя, глупого, с хвоста. Ты и не поймешь ничего...

— Андрюш, а как же мы поедем? — тревожно спросила Клавдия. — А... тот?

— Который? Который сидит в пруду? — переспросил Андрей. — Молод он еще со мной тягаться. Молод и глуп. Не переживай, он за нами не успеет.

— Точно? — уточнила Клавдия осторожно.

— Точно! — сказал Андрей уверенно.

Ему нужно было на Тверскую и по ней до поворота на «Сокол», но на улицу Чехова, с которой был выезд на Тверскую, он не поехал, зато поехал прямо под «кирпич», к только что выстроенному, шикарному, как «Титаник», отелю «Мариотт». Соглядатай еще только ковырялся в тесном Воротниковском переулке, а Андрей уже зарулил на широченный, с коврами и вазами, подиум «Мариотта», сверкавший европейскими огнями и витринами.

Озабоченный швейцар подбежал и наклонился к

окну. Андреева машина никакого восторга у него не вызвала. Андрей опустил стекло и сунул швейцару под нос удостоверение.

— Я сейчас уеду, — сказал он. — Я на работе.

Швейцар почтительно отступил, округлив глаза и косясь на удостоверение. Клавдия голову могла дать на отсечение, что он раздумывает, не вызвать ли срочно охрану.

Кто их знает, этих... из уголовки...

Громыхая по булыжникам мостовой, сделанной под старину, мимо них пролетел «жигуленок» соглядатая и свернул направо, на Тверскую.

— Вот и все, — сказал Андрей. — Поехали.

Он включил зажигание и не спеша съехал с подиума.

— Ты голодная? — спросил он у Клавдии. — Если очень голодная, могу тебе булку купить, здесь хорошая булочная. А если не очень, то терпи до дома. Дома мясо есть, сейчас поджарим. Ну что? Тормозить у булочной или до дома потерпишь?

Клавдия быстро на него взглянула, сняла с рычага переключения передач его огромную, тяжелую лапищу, распрямила пальцы и поцеловала в ладонь. Он следил за ее манипуляциями с загадочным выражением лица.

— Потерплю, — решила она наконец, — не тормози у булочной. Поедем домой.

Они ее упустили.

Несколько недель неустанных наблюдений пошли прахом. Эти тупые свиньи не смогли даже проследить за машиной, которая ее увезла. Откуда могла взяться какая-то машина, когда она даже в магазин ходит в строго определенные дни, а все остальное время только на работу и с работы.

Сволочи, придурки. Никому и ничего нельзя поручить. Непременно все испортят. В сильном раздражении он сплетал и расплетал пальцы. Он всегда отлично умел владеть собой и не давал себе воли, только в сосем крайних случаях — вот как сейчас — позволял себе тискивать руки.

Хуже всего то, что у него совсем не осталось времени.

К началу следующей недели дело должно быть закончено, или его не стоило затевать вообще. И вот пожалуйста! Глупая баба не нашла ничего лучшего, чем в самый последний момент завести мужика, который увез ее на машине в неизвестном направлении, а идиоты, наблюдавшие за ней, даже не смогли проследить.

Господи, как его раздражали свиньи, в окружении которых он жил! Тупые, жадные, неповоротливые свиньи, почему-то уверенные, что они такие же люди, как и он.

Он доведет дело до конца, как бы ни мешали ему эти свиньи. Он просто чуточку изменит планы, немного подкорректирует их, и все. От него не уйдешь, тем более когда сделано почти все и осталось сделать еще совсем немного.

Одну треть, подумал он.

Во всем он любил точность.

Женщина должна умереть, и она умрет тогда, когда будет нужно.

Завтра, как он и планировал.

Милиция — такие же тупые свиньи, как и те, что вели за ней наблюдение, — ему не помеха. Он был не так глуп, чтобы совсем не принимать их в расчет, но он был совершенно уверен, что они никогда его не найдут.

Где им!..

Нужно спокойно подумать и решить, *как* именно он это сделает.

Отчеты наблюдателей лежали перед ним на столе, как всегда, в строгом соответствии с датами. Он знал все об этой убогой крысе. Он знал все о ее образе жизни, о графике ее работы, о том, что она ест на обед и как проводит выходные.

Он презрительно усмехнулся.

С какой дрянью ему приходится возиться. Ему, никогда в жизни ни обо что не пачкавшему руки!

Значит, завтра.

Он просмотрел отчеты еще раз, внимательно и беспристрастно.

Завтра в два часа дня. Конечно, от шнура придется отказаться. Новое положение дел вынуждает его воспользоваться пистолетом, хоть это и казалось ему пошлым и глупым. Но не настолько уж он прямолинеен и не гибок, чтобы не использовать другое оружие, когда оно было более уместно. Этим-то он и отличался от всех окружающих свиней. Он всегда делал все так, как ему было удобно, и до конца выполнял свой долг.

В два часа дня в ее аптеку приходит машина с медикаментами. Машина приходит во двор, старинный московский глухой двор, сохранившийся еще с прошлого века. Машина въезжает в арку так, что ни развернуться, ни выехать вперед она не может, и сопровождающий отправляется с бумагами на аптечный склад. Шофер остается в машине, но из-за арки ему не видно — и не может быть видно то, что делается сзади, у кузова машины.

Там всегда стоит бледная рыжая крыса, которую ему предстоит уничтожить. Стоит и ждет распоряжений. Стоит и ждет, когда откроются складские двери. Стоит и ждет сопровождающего, мерзнет и держит бумажки, в которых будет отмечать привезенные лекарства.

У него будет по меньшей мере несколько минут, чтобы выстрелить в нее и убраться. Рядом — совсем рядом — стройка. Особняки переоборудуют в офисы, в которых разместятся потом свиньи рангом повыше. За неровным сосновым забором ревут экскаваторы и краны швыряют многопудовые плиты. Если выстрел и услышат, то никто не придаст ему никакого значения. Подумаешь, на стройке опять что-то бабахнуло.

Он усмехнулся.

К тому времени, как ее найдут, он будет мирно пить кофе в кофейне Театра Станиславского и спокойно отдыхать с чувством до конца выполненного долга.

Да. Все будет именно так.

Он радостно и глубоко вздохнул.

Завтра. Завтра все будет хорошо. Завтра к нему вернется привычное спокойствие и уверенность. Завтра он наконец-то доведет до конца то, что началось так много лет назад, когда в их жизнь вломилась *та, первая* гадина и чуть было все не разрушила.

Он вовремя остановил ее.

Завтра он закончит то, что началось так давно.

Завтра...

— Завтра ты поедешь на работу вместе со мной. — Андрей потянулся и пристроил ее голову себе на плечо. Ему нравилось, когда ее голова лежала у него на плече и волосы щекотали нос.

— Но мне завтра к двум! — сказала Клавдия беспечно.

По правде говоря, ей было совершенно все равно, к которому часу ехать на работу. Прикажет майор — поедет к девяти, не прикажет — поедет к двум. Придумает что-нибудь, как-нибудь объяснит сотрудницам свое непреодолимое служебное рвение, заставляющее ее приходить на работу на полдня раньше.

Он помолчал.

Клавдия его слушалась так, как будто он и впрямь был центром вселенной, и это его обескураживало и пугало. Немножко.

У него не было никакого опыта по части ответственности за другого человека, особенно когда этот человек полагался на него так, как полагалась Клавдия — полностью. До конца.

— Мы так и не поели, — почему-то рассердившись, сказал он. — Ты небось с голоду помираешь.

— Помираю, — сказала она новым для него и для себя робко-кокетливым тоном и куснула его за голое плечо. — Помираю. Сейчас тебя съем.

Он захохотал, подтянул ее за локти и переложил на себя. Она была удивительно легкая, несмотря на то, что длинная, но совсем не такая костлявая, как он пред-

ставлял себе все эти десять лет. Теперь ему уже казалось, что все десять лет он мечтал о ней и воображал е
себе. Холодные пальцы ее ног осторожно потрогали ег
ноги. Это было приятно.

— Замерзла? — спросил он заботливо.

— Нет, — сказала она, рассматривая его очень близко. — Как я могу с тобой замерзнуть. Ты такой... теплы
и большой.

Клавдия не могла поверить в то, что лежит с ним
постели, гладит ногой его ногу и близко смотрит
серые, внимательные глаза. Что с ней будет, когда пре
кратится эта дурацкая слежка, — нет, эта чудесна
слежка, спасибо тому, кто придумал последить з
ней! — и Андрей выставит ее вон из своей квартиры и и
своей жизни. Ведь не мог же он в самом деле внезапно
спустя десять лет в нее влюбиться!

— Ковалева, — сказал он задумчиво. Его большая
рука гладила ее по голове, как маленькую. — В свое
стиральной машине я нашел самодельную финку с на
борной ручкой, в самодельных же ножнах. Можно уз
нать, что это такое?

Вот идиотка! Она забыла финку на его стиральной
машине! В его присутствии она забывала обо всем на
свете, не то что о каких-то дурацких финках!

— Это... моя, — пробормотала она, пытаясь рассмотреть выражение его лица. Все-таки она была бес-
призорником, нет, беспризорницей, а он вырос в благо-
получной и большой московской семье. Ей не хотелось
посвящать его в тонкости детдомовского быта.

— Что твоя, я понял, — сказал он, — потому что она
точно не моя. — Он перестал гладить ее по голове и под-
сунул руку под ее грудь, распластанную на его груди. У
Клавдии по спине пробежали мурашки, и сразу стало
щекотно и радостно где-то в глубине. — Ты ее всегда с
собой носишь? Или только теперь стала?

— Она мне досталась по наследству, — сказала Клавдия неохотно, хотя он спрашивал вовсе не об этом. — От одной девчонки. Она несколько раз мне помогала. И спасала даже. Почему-то жалела, хотя мы вообще-то друг друга жалели мало. Ну вот... В общежитии финка мне очень пригодилась. Там разные придурки шлялись. Начиная от вьетнамцев и кончая работягами с ЗИЛа. Я их два раза этой финкой припугнула, а на третий они отвязались.

— Как ты их припугнула? — спросил Андрей, рука его замерла у нее на груди.

Клавдия тяжело вздохнула от воспоминаний.

— Ну... сказала, что со всеми сразу я, конечно, не справлюсь, но того, кто подойдет первый, — прирежу. Потом они, конечно, смогут сделать со мной все, что хотят, но одного-то я с собой заберу точно. Пусть выберут и решат, кого именно. С ножом обращаться я умею, реакция у меня хорошая, так что... Они оба раза пошумели, побузили и ушли...

— Высший класс! — сказал Андрей. — Первый сорт! Голливуд!

— Не злись, — попросила Клавдия и сделала попытку вытащить его руку. Она мешала ей и уводила мысли совсем в другую сторону. — Все обошлось, я жива и здорова...

— Да уж, — сказал Андрей, но руку не вытащил и только крепче стиснул грудь. — Теперь я буду за тобой смотреть. А то чуть что — ты за нож хватаешься. Нехорошо это, Клава. Неженственно...

Он сделал какое-то движение, всего только одно, и Клавдия оказалась прижатой к дивану.

Он не даст ее в обиду. Он защитит и спасет ее. Он уже очень много про нее знает, намного больше, чем знает она сама. Он будет с ней столько, сколько она пожелает. В конце концов именно о ней, оказывается, он мечтал всю свою мужскую жизнь.

Он был совершенно твердо уверен, что потеряет ее, как только она узнает то, что уже знал он.

Ольга позвонила часов в одиннадцать.

— Я только приехала, — сказала она злым голосом. — Ей-богу, в следующий раз в эти архивы сам поедешь. Подумаешь, какой начальник выискался, посылает нас туда-сюда, как лакеев...

— Не расходись, — приказал Андрей. — Где Мамаев?

— На Мамаевом кургане, — огрызнулась Ольга, но, так как Андрей молчал, добавила: — Домой поехал. Или ты думаешь, что он у меня ночует?

— Что у тебя есть? — Андрей покосился на Клавдию, которая деловито готовила запоздавший ужин.

У нее были розовые щеки, она все время улыбалась и, словно бы сдерживая себя, иногда нахмуривалась. Поверх вчерашней рубахи был повязан фартук, подол задрался немного, открывая длинные-предлинные ноги и кусочек выпуклой попки.

Андрей зажмурился и с грохотом переставил стул спиной к ней. Сердце колотилось, и руки были влажными, хотя он весь вечер пролежал с ней в постели.

— Да будешь ты слушать, что говорит тебе капитан Дружинина, или нет?!

— Оля! — повторил он, сердясь на себя. — Ты где?

— Я здесь, — сказала Ольга. — Я чайник ставила. Значит, так. Все правильно ты предполагал, они брат и сестра. Ну, то есть наш Мерцалов покойный и эта твоя аптекарша.

Андрей Ларионов предполагал нечто подобное уже довольно давно, но сейчас, когда подтверждение прозвучало так определенно, сердце у него сжалось.

— Они оказались в разных детдомах потому, что после смерти матери девочка заболела и болела очень долго, с полгода, наверное. Про болезнь точно я не знаю, просто так думаю. Мне так в детдоме объяснили.

— Звонила в детдом? — спросил Андрей с чувством. Он очень любил своих сотрудников. Не было в управлении других таких грамотных, профессиональных и н~~ ленивых ребят.

— Звонила, конечно, — подтвердила Ольга. — Когда ее из больницы выписывали, то, конечно, про старшего брата никто и не вспомнил. Старшая сестра больницы, в которой она лежала, отвезла ее в детдом номер 37 под Волоколамском. Эта сестра родом из Волоколамска и знала про этот детдом, что он неплохой. Мальчик остался в Удельной, и его очень скоро усыновили Мерцаловы. Все. Нет, не все. Девочке было два года. Мальчику — шесть. Вот теперь все.

— А мать? — спросил Андрей.

— Это не Наталья Рогожская, если ты об этом спрашиваешь. Рогожская жива и здорова, а мать этих детей умерла от воспаления легких. Вернее, от отека легких. Родных нет. Жили под Москвой, в Немчиновке. Работала она художницей в издательстве «Советская Россия», так написано в заключении о смерти. Про отца ничего не известно. Неуловимый какой-то отец.

— Фотографии есть?

— Кого? — не поняла Ольга. — Матери?

— Да.

— Нет, конечно, откуда? — Ольга даже развеселилась. — Ты думаешь, я волшебница? А фотографию убийцы не хочешь?

— Нет, — сказал Андрей честно. — Не хочу. Спасибо, Ольга. Завтра с утра займемся...

— Можно я завтра с утра в парикмахерскую схожу? — подхалимским голосом попросилась Ольга. — Не могу же я вкалывать и вкалывать как ненормальная...

— Нет, — сказал Андрей, и Ольга на том конце провода моментально поняла, что на самом деле нельзя. Поняла и не обиделась. — Сходишь, когда все закончится. Недолго уже.

— Черт с тобой, — сказала она и бросила трубку.

Андрей прикрыл глаза и стал покачиваться на стуле.

Клавдия Ковалева, лучшая подруга его сестры, ег нынешняя любовь, гадкий утенок, привезенный Тань кой со студенческой картошки, которая хлопочет сей час за его спиной и о которой он не может спокойно ду мать, потому что она слишком ему нравится, — сестр убитого Сергея Мерцалова.

Черт возьми, все в этом деле, сразу ставшем *не про сто работой*, с самого начала пошло не так, как надо.

Майор Ларионов злился и сочувствовал вместо того чтобы спокойно и трезво рассуждать. Он выходил и себя, утопал в жалости, впадал в бешенство и в конц концов влюбился — и все из-за этого проклятого дела.

Теперь ему предстоит сообщить Клавдии, что у не был брат, о котором она ничего не знала, что этот бра убит и убийца теперь собирается прикончить и ее.

Замечательно. То, что нужно.

И еще та старая фотография. Все дело в ней, в той фотографии, которую маленький Сережа зачем-то взял из дома и сохранил.

Какая судьба.

Какая чудовищная несправедливость.

Андрей потер руками лицо.

Завтра, если повезет, он будет знать все. Завтра, в день похорон Сергея Мерцалова, майор Ларионов будет знать точно, кто его убил и кто собирается так же убить его сестру.

— Андрюша! — тихо окликнула сзади Клавдия. — Все готово. Ты что молчишь, Андрюша?

Полевому он позвонил сам.

— Как твоя аптекарша? — спросил Полевой с ходу.

— Спит, — сказал Андрей. — Наелась, как щенок, и спит. Ольга тебе звонила?

— Да, — сказал Полевой, — конечно.

Они помолчали.

— Отец Элеоноры в ночь с тридцать первого на первое спал в поезде Кисловодск — Москва, — сказал Игорь негромко. — Сама Элеонора провела всю ночь с братом Петей. Его «Шкода» действительно всю ночь простояла на охраняемой стоянке перед ее домом. Ребята со стоянки эту «Шкоду» хорошо знают, хотя она нечасто приезжает. Номера и время приезда-отъезда у них записаны. Они же денежки по часам берут...

— Зачем она тебе наврала про то, что Сергей был ее любовником?

— Говорит, что очень его любила, что всегда о нем мечтала и еще какую-то ахинею, а на самом деле мне кажется, что ее больше всего деньги волнуют. Он же, наверное, денег немало после себя оставил. Она, по-моему, на них претендует больше, чем на любовь.

Андрей хмыкнул:

— Интересно знать, как она собралась доказывать, что это его ребенок. Ну, ездил он к ней, ну, болтали в институте, но ведь любая экспертиза...

— Я думаю, что экспертиза тут ни при чем, Андрей, — сказал Полевой. — Она скорее всего собиралась на жену давить, чтобы жена ей кусок отвалила. Она же не знала, что жена была в курсе всех его дел, и ни за что не поверила бы, что Сергей ей изменял. Элеоноре такие вещи просто недоступны. Этот Петя ей ни за каким хреном не нужен. Ей денег много нужно, а у Пети они откуда...

— А зачем она Ирине звонила и сукой ее обзывала? — Андрей закурил и толкнул дверь на кухню, чтобы дым не несло в квартиру, в глубине которой спала в тепле сытая Клавдия.

— Рыдает и говорит, что от ревности. — Игорь выругался. — Она сама сука первостатейная, майор. Очень ее задевало, что Мерцалов ее прелести презрел и не смотрел даже в ее сторону. Где это видано, где это слыхано, чтобы мужик родную старую жену предпочитал новой неизвестной красотке? Говорит — не сдержалась, потому что Ирина Сергею не давала вздохнуть свободно. Если бы давала, Сергей давно бы к Элеоноре ушел.

— Ну да, ну да, — сказал Андрей неопределенно. — А как же...

Они еще помолчали.

— Завтра с утра мы с тобой должны разыскать эту Рогожскую, чья карточка в семейном альбоме Мерцаловых завалялась. — Андрей прикурил следующую сигарету. — И еще я Измайлову позвонил.

Лев Ильич Измайлов был знаменитый на всю Москву старый адвокат, которого они с Полевым однажды спасли от не в меру прытких ребят, на которых осторожный Лев Ильич отказался работать. С тех пор Измайлов называл Полевого и Ларионова «ребятками» и всегда безотказно помогал.

— Ну как старый хрен? — развеселился Игорь. — Жив еще?

— Жив и процветает, — уверил Андрей. Они оба любили «старого хрена» и радовались, что тогда не дали его в обиду. — Обещал помочь. У него же везде свои, а муж этой Рогожской был человек не маленький.

— Ладно, Андрей, — закруглился Полевой. — Еще поспать бы неплохо. Давай ты тоже ложись. Завтра день такой... непростой.

Андрей повесил трубку.

Сейчас он пойдет и осторожно заберется под одеяло, нагретое Клавдией. Она моментально, как будто они спали так всю жизнь, повернется, обнимет его тонкой рукой и мерно задышит в бок, как желтый щенок по имени Тяпа. Гораздо лучше, чем желтый щенок по имени Тяпа.

Он никому не даст ее в обиду.

Завтра правда очень... непростой день.

— Клава! — закричала заведующая. — Сейчас машина придет! Ты готова?

Никто не любил принимать товар. Это была тяжелая, долгая, нудная работа, да еще когда девять месяцев в году холод и дождь, поэтому как-то так получилось, что товар всегда принимала Клавдия, и потом к ней подключалась заместительница Наталья Васильевна.

— Да! — крикнула Клавдия в ответ. — Я давно готова, Варвара Алексеевна!

— Наташи сегодня нет, — разумея заместительницу, сказала заведующая от самой двери. — Я тебе сама помогу. Ты чего такая веселая? Из-за того парня, что вчера приезжал?

Клавдия поперхнулась кофе, который она попивала на аптечной кухне, и закашлялась. Заведующая подошла и деловито похлопала ее по плечу.

— Ты что? — спросила она. — Я тебя так смутила? Ты меня извини, конечно, но я просто очень за тебя рада, и он такой... довольно симпатичный. Основательный.

Она улыбнулась доброй улыбкой.

— И ты у нас девушка на выданье. Так что просто я рада. Ты давно его знаешь?

— Десять лет, — прохрипела Клавдия. — Старый друг.

— Ну что ж, — нисколько не удивившись, сказала заведующая, — и так тоже бывает. Допивай и иди, встречай машину. Уже без пяти.

Сегодня Клавдия чувствовала себя очень хорошо, просто замечательно. Одно немного омрачало ее радость — соглядатая не было.

Дура, идиотка, тебе бы от счастья прыгать, а ты?

Ты все боишься, что Андрей выставит тебя вон, и перестанет тобой интересоваться, и больше никогда не приедет к тебе в аптеку, и не уведет тебя в дождь на глазах у всех девиц, и не поцелует под крылечком холодными, твердыми, нетерпеливыми губами.

Ты не просто идиотка, Ковалева. У тебя тяжелое заболевание головного мозга. Радуйся тому, что есть у тебя сейчас. Тому, что будет вечером. Он сказал — я тебя заберу, что тебе еще нужно?!

Торопливо проглотив остатки кофе, Клавдия ополоснула чашку и, натягивая рукава свитера на мерзнувшие руки, пошла к задней двери, выходившей во двор. Со двора всегда приезжала машина с медикаментами. Она посмотрела на Андрюшкины часы, которые он дал ей поносить вместе с джинсами и свитером.

Было почти два. Сейчас придет машина.

— Нет, ребятки, — сказал Лев Ильич и поднял длинный, немного кривоватый палец, — дело совсем не в этом. Месть — категория не матерьяльная, — он так и сказал «матерьяльная», — это вы приберегите для французского синематографа, — он так и сказал «синематографа», — у нас все гораздо проще и лучше.

Обычно Андрей любил слушать его рассуждения и словечки, вступать с ним в дискуссии и неизменно оставаться побежденным. Чем-то он напоминал Зиновия Гердта. Но сейчас у Андрея не было времени слушать его забавную болтовню.

— Лев Ильич! — поторопил он и постучал пальцем по часам. — Мы к вам еще приедем. А сейчас, если можно...

— Можно, можно, — сказал Лев Ильич, нисколько не обидевшись, — старики болтливы и медлительны, их нужно подгонять и напоминать о том, что молодость нетерпелива...

Лев Ильич Измайлов соображал стремительно и безжалостно, как весенняя анаконда. Быстродействие его мозгов можно было сравнить разве что с быстродействием «Пентиума» последнего поколения, но нравилось ему прикидываться эдаким бабелевским ученым евреем, готовым рассуждать о чем угодно и когда угодно, лишь бы рассуждать.

— Значит, так. Муж Натальи Рогожской недавно почил в кругу близких и друзей. Я, конечно, добыл вам его завещание, как вы и просили, Андрюша, но вы можете себе представить, чего мне это стоило и сколько правил нарушили я и тот человек, который мне его показал. Можете представить?

— Можем, — сказал Андрей.

— Это самое главное, — Лев Ильич поглядел на них из-под очков. — Так что сослаться ни на меня, ни на это завещание вы ни в каком случае не сможете. Вы ведь понимаете это, ребятки?

— Мы все понимаем, Лев Ильич, — уверил Полевой. — В первый раз, что ли? Мы бы и сами все узнали, просто с вашей помощью быстрее и проще.

— И качественнее, прошу заметить, — добавил Лев Ильич, слегка уязвленный. — Качественнее!

— С этим никто не спорит, — согласился Андрей и под столом наступил Полевому на ногу, как мамаша слишком увлекшейся дочери. — Мы ждем, Лев Ильич!

— Должен сказать, что он оставил очень необычное завещание. Деньги, деньги, вот что главное, молодые люди! Деньги и больше ничего!

Машина пришла ровно в два часа. Клавдия очень любила принимать товар по пятницам, потому что фармацевтическая фирма, присылавшая машину именно в пятницу, работала, как швейцарские часы — точно, без отклонений, не торопясь и все успевая. Бумаги у них всегда были в полном и безукоризненном порядке, грузовичок сиял, сопровождающий любезен, а одетый в униформу шофер мил и приветлив.

Клавдия отвалила в сторону тяжелый засов с задней двери, проверила сигнализацию — выключена ли, и только после этого навалилась на тяжелую, обитую несколькими слоями железа крашеную дверь. С улицы как будто плеснуло в лицо холодом и запахом стройки.

Дождь перестал, даже солнце кое-где пробивалось сквозь поднявшиеся облака, но похолодало так, что руки без перчаток моментально замерзали и становились красными, как гусиные лапы, а перчаток-то как раз у Клавдии не было.

Сопровождающий уже стоял у двери.

— Здравствуйте, Клава! — сказал он весело. — Это мы. Вы без нас скучали?

— Скучали, — согласилась Клавдия. — Сегодня за товар Варвара Алексеевна распишется, вы прямо к ней пройдите!

— Есть, — ответил сопровождающий, бывший военный, и протиснулся внутрь. — Вы на улице подождете?

— Как всегда, — сказала Клавдия, пропустив его, и мимо машины пробралась во двор. Шофер тоже был знакомый, и Клавдия ему кивнула.

Ей предстояло несколько минут проторчать на холоде, ожидая, пока из аптеки выйдет сопровождающий и начнется разгрузка.

Она закинула голову и посмотрела в высокое ледяное небо.

— Когда?! — переспросил Андрей и поднялся. Этого он никак не ожидал. — Когда оно вступает в силу?

— В понедельник, — подтвердил Лев Ильич, не понимая, почему так всполошились эти милые оперативники из уголовного розыска. Он еще раз заглянул в бумаги. — Ну да, в понедельник. А сегодня у нас что? А сегодня у нас пятница, правильно я понимаю?

Ларионов и Полевой переглянулись. Не зря они проработали вместе много лет, потому что этот обмен взглядами передал от одного к другому всю необходи-

мую информацию, и эта информация были неутеши-
тельна.

Они вдруг бросились бежать, оставив недоумеваю-
щего Льва Ильича над раскиданными на столе бумагами, и тяжело затопали по коридору. Какой-то охранник
попался навстречу, но Андрей толкнул его, и он упал,
вернее, сел к стене, недоуменно тараща глаза.

— Пропустите! — тонким голосом крикнул от двери
своего кабинета Лев Ильич. Он семенил по коридору
навстречу переполошившейся охране. — Это уголовный розыск!

Лифта ждать было некогда, и они кубарем скатились
по лестнице.

— Машина? — спросил Игорь. Они были на Твер-
ском бульваре, а успеть им нужно было в Воротниковский.

— Какая, к черту, машина, — сказал Андрей. Пыхтя,
он открывал дверь на улицу. Охранника почему-то не
было как раз в том единственном месте, где он был по-
настоящему нужен. Дверь наконец поддалась, и они
вылетели на Тверской бульвар.

— Быстрей! — крикнул Андрей. — Давай за «Извес-
тия», дворами!

Он увидел ее сразу, как только она вышла из аптеки.
Она показалась ему намного лучше, чем на убогой пас-
портной фотографии, которую он так внимательно изучал. В душе у него даже шевельнулась жалость. Он ее
сейчас убьет, а у нее такие славные волосы, и розовые
щеки, и веселые глаза...

Он выстрелит, и все это умрет. Жалко.

Он заставил себя вспомнить, чья она дочь и чем она
ему угрожает. Если он оставит ее в живых, она испортит, отравит всю его жизнь, как *та*, первая гадина ис-
портила и отравила всю жизнь его родителей.

Он должен защищаться. Он не может позволить себе жалость. Он всегда до конца выполняет свой долг. Особенно долг перед семьей.

Она смотрела в небо и зябко ежилась в широкой, безразмерной куртке. Все-таки жаль, что она такая хорошенькая и что она так похожа...

Нет! У него нет права жалеть ее!

Он *должен* ее застрелить.

Это ведь так просто, она и не почувствует ничего. Он поудобнее перехватил пистолет рукой в тонкой перчатке. На стройке за хлипким забором что-то гудело и бахало, и он мимолетно улыбнулся. Он все точно рассчитал, как рассчитывал всегда. Выстрела никто не услышит.

Никто не узнает, что он убил ее, и в этой истории будет наконец поставлена точка.

Сейчас он сделает это и через пять минут будет спокойно пить кофе у Станиславского и наслаждаться чувством превосходства и победы.

Он посмотрел по сторонам.

Никого.

Он еще раз осторожно перехватил пистолет и шагнул вперед.

Здесь не было забора, это Андрей знал совершенно точно. Еще вчера он осматривал подходы к аптеке и никакого забора не было. Он даже застонал сквозь стиснутые зубы.

Будь оно все проклято! Будь проклята эта стройка, будь проклят этот забор, через который придется перелезать или ломать его!

Он подтянулся на руках и перенес большое, тяжелое тело на другую сторону. Оно всегда хорошо ему служило, хотя Андрей мало о нем заботился, больше нагружал, и теперь он уговаривал себя: ну побыстрее, побы-

:трее же, ну постарайся, ты же тренированный мужик,
зсе можешь...

Как всегда в такие минуты, он ни о чем не думал,
ничего не анализировал и ничего не боялся. Он знал,
что должен успеть, и поэтому знал, что успеет. Рядом
тяжело плюхнулся Полевой.

— Куда?!

— Правее!

В ботинках были вода и песок со стройки.

Он должен успеть и успеет.

Он точно знает, что *это* происходит именно сейчас.

На бегу он достал из-под куртки пистолет и снял его
с предохранителя.

Клавдия вздрогнула и оглянулась. Прямо на нее шел
неизвестно откуда взявшийся человек. Он был высокий
и красивый, и в опущенной руке он держал что-то очень
похожее на пистолет.

На Клавдию напал столбняк.

Она просто стояла и смотрела, как он приближался,
стремительно и изящно, как танцор.

Деваться ей было некуда. Крикнуть она не могла, да
никто бы и не услышал ее крика.

Она растерянно оглянулась по сторонам, потом
снова посмотрела на него, зная, что сейчас он ее убьет.

И улыбнулась нерешительной улыбкой.

Жалко просто так умирать. Жалко, потому что только сейчас она поняла, что значит — жизнь. Андрей
будет расстроен. Он будет расстроен и несчастлив, потому что счастливым его может сделать только она, а ее
сейчас не станет. Это она понимала так ясно, как будто
тот человек прямо сказал ей об этом.

Она зажмурилась и покрепче стиснула в карманах
руки.

Ничего не поделаешь. По крайней мере она не будет
смотреть, *как* он это сделает.

Ему нужна была еще секунда. Еще одна крошечная секунда, чтобы сделать это так же хорошо, как он сделал это два предыдущих раза. Она поняла, что он все равно убьет ее, и поэтому ничем ему не мешала — стояла не шевелясь и зажмурившись.

Она сразу все поняла...

Жаль только, что ему некогда объяснить ей, за что она должна расплатиться.

Что-то страшно грохнуло за его спиной, и от неожиданности он оглянулся. Он не должен был оглядываться, но все-таки оглянулся.

Клавдия открыла глаза и увидела, как через забор стройки стремительно прыгает Андрей, а за ним еще кто-то, и чудовищный, ненатуральный грохот заполняет узкий каменный двор, как будто начинается землетрясение.

Как в замедленном повторе, она видела, как ее убийца поворачивается и вскидывает руку с пистолетом, и страшный пустой глаз пистолета упирается ей прямо в лицо.

И снова обвал звуков, от которых что-то как будто лопается в ушах, Андрей что-то кричит, разобрать невозможно, и страшный глаз уже не смотрит ей в лицо, а убийца удивленно смотрит на свою руку, которую держит как чужую.

— Оружие на землю!!! На землю, мать твою! Лицом вниз!!! — слышит она, и с этой секунды замедленная съемка почему-то пошла в реальном времени.

Как будто вернулся на несколько секунд исчезнувший шум улицы, и привычные звуки стройки, и тяжелое дыхание Андрея и того, кто прыгал с забора следом за ним, и звук захлопнувшейся автомобильной двери — очевидно, шофер выскочил наконец узнать, что происходит.

И еще кто-то кричал. Тоненько, подвывая.

Клавдия оглядела двор, посреди которого в луже лежал один мужчина, а двое других стояли над ним, и вдалеке увидела невесть как попавшую сюда милую старушку Наталью Ивановну.

Она кричала и изо всех сил зажимала рот платком, как будто старалась затолкать крик обратно в себя.

— Твоя Наталья Ивановна в пятидесятых годах была опереточной примой, а ее мужа звали Илларион Джапаридзе. Тебе что-нибудь говорит это имя?

Клавдия кивнула, не понимая, какое отношение эти люди могли иметь к ней.

Фамилия Джапаридзе была знакома всем москвичам, так что глупо было спрашивать, знает его Клавдия или не знает. Он был знаменитым скульптором, процветавшим как при Сталине, так и при Лужкове. Он построил половину всех новых московских памятников и, наверное, процентов девяносто домов и дворцов для элиты. Он был знаменит не только в Москве, но и в Грузии, откуда был родом, и даже за границей, где его привечали за близость к московскому мэру. Он умер... Когда же он умер? Клавдия точно не могла вспомнить, когда именно, но что-то недавно, и на его похороны в Тбилиси съехалась уйма знаменитостей — от Ростроповича с Вишневской и до Эрнста Неизвестного.

— Ну и что? — спросила она вяло. Шок все еще не отпустил ее. Андрею было ее жалко. Он знал, какой шок ей еще предстоит испытать.

Они сидели на кухне у него дома, куда он сразу же отвез Клавдию, поручив Игорю отправить задержанного на Петровку. Потом он вернулся на работу и возвратился домой, как всегда, поздно. Она сидела на диване в той же самой позе, в которой он оставил ее несколько часов назад.

Андрей вздохнул.

Он еще будет проклинать себя за то, что чуть был не опоздал, что примчался вовремя чисто случайно, чт еще пять секунд, и Клавдии Ковалевой не было бы н свете.

И еще он знал, что скорее всего потерял ее. Но пок он должен был все ей рассказать.

Он сел напротив нее, придвинулся поближе и стис нул коленями ее ноги.

— Илларион Джапаридзе был твоим отцом, — ска зал он. — И отцом Сергея Мерцалова, которого убил ночью первого сентября в сквере рядом с Хохловски переулком.

Клавдия медленно подняла на него глаза.

— Ты что? — спросила она. — Заболел?

— Илларион Джапаридзе был твоим отцом, — по вторил Андрей терпеливо. — А у тебя был брат, Серге Мерцалов. Вас отдали в разные детские дома посл смерти вашей матери, Нины Дашковой, которую Илла рион любил. Она работала в издательстве, где выходил книга его рисунков, и он ее... полюбил. Тебе было дв года, а Сергею — шесть, когда она умерла. Она умерл дома, от отека легких, как раз под Новый год. Ва нашли соседи, и Сергея сразу отдали в детдом, а тебя больницу, потому что ты тогда сильно болела.

— У меня был брат? — потрясенно прошептал Клавдия. — До этого понедельника у меня был живо брат? И нашу мать звали Ниной?

— Да, — сказал Андрей. Он не мог больше на не смотреть и поэтому поднялся и пошел в прихожую з сигаретами. — У тебя есть два племянника, семи и девя ти лет. Дети Сергея. И его вдова, твоя... кто она тебе Сноха?

— Андрей, — сказала Клавдия чужим голосом, — от куда ты все это узнал?

— К сожалению, я узнал поздно, — сказал Андрей
еприятным голосом. — Как видишь, я чуть не опоздал.

— Ты не опоздал, — Клавдия покачала головой. —
ы не мог опоздать...

— У Иллариона и Натальи Рогожской был сын. И он
енавидел Нину за то, что она увела отца из семьи. И
ама Наталья ненавидела ее так же сильно. Ее муж был
дачливый, богатый и знатный, и она никак не могла
опустить, чтобы он ушел к какой-то редакторше, у ко-
орой от него были маленькие дети. Он тоже не спешил
ешать этот вопрос, ему было вполне удобно в двух се-
ьях, но старший сын любил родителей такой чудовищ-
ой любовью, что решил, что самым правильным будет
Нину отравить, что он и сделал. Он первоклассный
имик, о ядах знал все, а Нина была доверчивой и моло-
енькой. Она на самом деле верила, что сын ее возлюб-
енного хочет с ней подружиться и поэтому приходит к
ей домой и пьет чай с ней и с детьми...

— Господи, что ты говоришь, Андрей... — пробор-
отала Клавдия.

— То, что есть, — ответил Андрей сердито. — Он
бил твою мать, а вас с братом отправили в детдома, Ил-
арион больше вами не интересовался. Он любил Нину,
вовсе не каких-то там детей... Он остался в семье и
рожил в спокойствии и благополучии еще почти трид-
ать лет. А потом он умер, и оказалось, что все свои
еньги — все! — он завещал *троим* своим детям. То есть
таршему сыну и вам с братом, если окажется, что вы
ще живы. У него были огромные возможности, Клава.
Даже мертвый, он мог найти кого угодно. На него рабо-
али самые лучшие адвокатские и сыскные конторы, и
ни бы вас нашли. И тогда очаровательная Наталья
Ивановна и ее сынуля получили бы *третью* часть вмес-
о того, чтобы получить все. И они решили, что им ни-
его не остается, только найти вас раньше и убить.
Мало ли кого убивают в большом городе каждый день!
Рогожская знала, что вас раздали по разным детдомам и

связь между вами установить очень трудно, если не невозможно. Конечно, она не знала, что ты — это ты, пока они не начали за тобой следить. Но когда узнала, это даже придало ситуации остроту — ты ее любила, ухаживала за ней и оставалась для нее лютым врагом. Она об этом знала, а ты — нет...

— Боже мой... — пробормотала Клавдия и взялась руками за щеки, — боже мой...

— Им нужно было убить и тебя, и Сергея *до того,* как вас начнут искать адвокаты, только тогда это не вызвало бы подозрений. Нет человека и нет, мало ли что. Они очень торопились потому, что завещание вступает в силу с будущего понедельника, а я узнал об этом от своего осведомителя только сегодня днем и понял, что он непременно постарается прикончить тебя, пока ты на работе, ведь после работы я забирал тебя и увозил, о этом наверняка соглядатаи ему доложили. Он должен был знать о тебе все, вот почему и за тобой, и за Сергеем так долго следили. Он должен был быть уверен, что это именно вы, вот почему у тебя утащили паспорт. Он должен был в точности знать ваше расписание и привычки. Он ненавидел вас так остро, что даже не понимал, почему убить вас — это плохо. Я ему чуть в морду не вмазал, — сказал Андрей, опустив глаза, чтобы не смотреть на Клавдию.

Он врал потому, что на самом деле вмазал.

— Подожди, Андрей, — попросила Клавдия. — Но он же... брат. Он же наш брат...

Она выговорила слово «брат» осторожно, как будто попробовала на вкус.

— Это для него не имело значения. Имело значение только то, в чем убедила его мать, — что вы виноваты в том, что Илларион ушел из семьи и некоторое время не возвращался обратно. И что с вами никак нельзя делиться отцовским наследством. А оно, как я понимаю, огромное...

Он выбросил окурок в раковину, чего никогда не делал, и уставился в темное окно.

— Я увидел фотографию Рогожской в альбоме у Ирины Мерцаловой, вдовы твоего брата. Она сказала мне, что эту фотографию маленький Сережа зачем-то захватил из дома, когда его забирали в интернат. А потом я увидел эту женщину в твоей аптеке и долго не мог вспомнить, где я ее мог видеть раньше, а потом вспомнил... Ее сын так ненавидел Сергея, что даже убил его собаку, доброго, бестолкового, старого колли. И не забыл о том, что мы тоже придем с собакой, — обработал чем-то ноги, чтобы наша собака не взяла след. Я же говорю, химик он превосходный. Научным институтом руководил...

— Что с ним теперь будет?

Андрей оторвался от созерцания своего отражения в темном стекле и неохотно пожал плечами.

— Я хочу увидеть своих племянников, — сказала Клавдия твердо. — И свою... сноху. Ты меня отвезешь?

— Ну почему, Андрей?! — Она даже руки к груди прижала, как будто умоляя его. — Но почему ты не хочешь?

Он готов был немедленно задушить ее.

— Я хочу!! — заорал он. — Но не могу! Ты понимаешь это или нет?! Я три часа объясняю тебе положение дел, а ты меня ни черта не слушаешь!

— Да как же я могу тебя слушать, если ты несешь какую-то чушь! При чем здесь мои деньги?!

— При том, — сказал он, вдруг ужасно устав. — Дело не в том, что я благороден без меры. Дело в том, что у тебя теперь будет совсем другая жизнь и я тебе в этой жизни буду не нужен! Тем более в качестве мужа!

— Откуда ты знаешь? — спросила она с возмущением. — Ну откуда? Ты что, уже был женат на мне?

— Не на тебе, но был, — признался он и, глянув в ее дрогнувшее лицо, сказал помягче: — Ты теперь богатая женщина, Клава. Даже не просто богатая, а очень, *очень* богатая. У тебя, видишь, даже дом на Мальте имеется.

Даже если ты поделишь свои деньги с Ириной и паш нами...

— Уже поделила.

— Все равно ты осталась очень богатой женщино Сейчас тебе, может быть, и кажется, что я тебе нуже но очень скоро наши образы жизни перестанут... совп дать. Я не хочу этого ждать. Я не хочу с тобой разводит ся, когда ты встретишь и полюбишь кого-нибудь бол тебе подходящего. У меня нет на это времени и душе ных сил. — Он отвернулся. — Так что вопрос закры Я на тебе не женюсь.

— Ты просто... просто... — Глаза у Клавдии нал лись слезами. — Ты просто подлец, Ларионов. Я любл тебя. Мне тридцать один год, и я в полном рассудке. знаю, что ты там пророчишь и кого я должна, по план встретить, кто больше мне подойдет, но я люблю теб хочу жить с тобой и родить тебе детей, чтобы у Вани Гришкой были еще братья или сестры. Чтобы у н была нормальная семья, с бабушками, дедушками, те ками, дядьями, днями рождения в Отрадном и плюшка ми по воскресеньям. Это что, преступление?

— Это не преступление, — ответил он.

Кажется, впервые в жизни после переходного во раста у него закололо под лопаткой от страха. Он тож хотел всего этого, но не мог себе этого позволить. П крайней мере не с ней, теперешней.

Она загнала его в угол, и, как выбраться оттуда, о не знал. Он был совершенно уверен, что ей, богатой защищенной, он не нужен. Не может быть нужен. У не го всегда будет одна и та же напряженная, отнимающа все силы и время работа, на которой он ни черта не за работает, кроме разве что еще нескольких ранений. О будет поздно приходить, думать на кухне свои думы таскаться на работу по выходным, оставлять ее одну, для нее теперь существует миллион новых возможнос тей, которых не существовало раньше, и эти нереализ ванные возможности стеной встанут между ними.

Даже мысли об этом он не мог вынести потому, что любил ее.

Его мечты — о том, чтобы пятнадцать лет, как один месяц, о собственном щенке, о веселом мальчишке, который висел бы на его джинсах и называл его папой, о том, чтобы вернуться со своей поганой работы, обнять ее и ни о чем больше не думать и не волноваться, — имели смысл, пока она была просто Клавой Ковалевой, детдомовским заморышем и давней подругой.

— Клава, — сказал он холодно. — Я буду с тобой, пока ты этого хочешь. Можешь считать меня мужем или любовником — мне все равно. Но жениться на тебе я не могу. Это нечестно. Ты этого не понимаешь, но я знаю, что рано или поздно поймешь. Я за всю жизнь не заработаю столько, сколько лежит на одном твоем счете, а у тебя их пятнадцать. Я не уйду с работы потому, что это единственное, что я умею делать хорошо. И я больше не хочу разговаривать об этом.

— Я не справлюсь с такой кучей денег одна, без тебя, — сказала она жалобно. — Ты же умный и хваткий, ты знал бы, как с ними управляться. А я совсем не знаю.

— Наймешь кого-нибудь, кто знает, — четко выговорил он тоном майора Ларионова. — Я тебе не банкир.

Она поднялась со стула и некоторое время молча ходила по комнате. Андрей уже знал эту ее привычку ходить, когда она над чем-то думала. Потом она остановилась и взглянула на него.

Надумала, понял он. Сердце тяжело, как чужое, бухнуло в грудь и переместилось выше, к горлу.

— Ну вот что, Ларионов, — сказала она почти таким же холодным тоном, каким только что говорил он. — Ты мне не банкир, а я тебе... — она поискала слово, — не постельная грелка. Ты не хочешь на мне жениться и можешь проваливать к чертям собачьим. Я не согласна быть просто твоей любовницей. Я хочу быть твоей женой и хочу сейчас же завести ребенка. Если ты так трусишь, то я тебя отпускаю. Катись отсюда. Но сидеть и ждать, когда я тебе надоем и ты под каким-нибудь предлогом вышвырнешь меня из своей жизни, я не желаю.

— Я не собираюсь тебя вышвыривать, — пробормотал Андрей, пристально глядя ей в лицо. Такой Клавы Ковалевой он не знал.

— Уходи! — приказала она. — Чеши на дачу к Елене Васильевне. Скажи ей, что я последняя сволочь и выгнала тебя. Ну!

Андрей Ларионов, как правило, хорошо владел собой, но у него тоже была гордость.

Большими шагами он вышел в прихожую, натянул куртку и так бахнул дверью, что в подъезде задрожали стекла и на пол с тихим хрустом посыпалась штукатурка.

Он пришел в себя только на Ленинградском шоссе.

Она не хочет его видеть — и прекрасно. Так ему даже проще. Не придется потом привыкать жить без нее.

Он заскрежетал зубами от злости.

Она его выгнала — подумаешь! Он же прав. Он совершенно уверен, что прав!

Или не уверен?

Или все-таки уверен?

Он добавил газ и вылетел на левую полосу.

Пусть посидит там одна и малость остынет. Странно, но то обстоятельство, что она выгнала его из его собственной квартиры, нисколько его не удивляло. Это была их общая квартира. Она стала общей очень быстро. Очень быстро *его* квартира приспособилась к Клавдии.

В гардеробе лежали ее вещи, и каждое утро он даже жмурился от счастья, когда видел их рядом со своими. Он как бы забывал о них и каждое утро вспоминал снова. Ее зубная щетка стояла в ванной вместе с его щеткой в смешной подставке в виде ежика, которую она тоже привезла с собой. Ее лохматые тапки, которые они вместе купили на рынке у «Сокола», в виде заячьих морд, торчали из-под его любимого кресла. На столах появились какие-то салфеточки, а в спальне любовные романы, которые она обожала. И пахло везде хорошо.

И так славно было завтракать вдвоем, собираясь на работу, путаясь чашками и откусывая от одного бутерброда. Они спешили и иногда по утрам сердились друг на друга, особенно когда ему приходилось подолгу ждать ее в машине, а она все никак не выходила.

Она старалась не засыпать без него, и если случайно засыпала, то всегда просыпалась, когда он приходил, и таскалась за ним по квартире — на кухню и в ванную, — и терла ему спину, когда он грелся в своем любимом кипятке, и даже однажды зачем-то притащила ему в ванну чашку чая.

— Мне показалось, что тебе хочется чаю, — сказала она тогда и улыбнулась робкой улыбкой.

Сердце болело так сильно, что он даже вспотел немного.

Он не сможет без нее жить. Не сможет, как бы ни хорохорился. Куда, блин, он собрался ее отпускать, когда он каждую минуту только и думает, где она и что с ней и как бы ему поскорее ее увидеть?!

Как Сергей Мерцалов...

Андрей вытер лоб.

Он трусит, конечно. Это она правильно сказала.

Всю оставшуюся жизнь он будет отвечать за нее, бояться за нее, ревновать ее, контролировать ее, руководить ею и подчиняться ей. Он будет трястись над ней, ругаться с ней, заниматься с ней любовью, расходиться во взглядах на воспитание детей и на то, где и как они проведут отпуск. Она разделит с ним тяготы его работы, его ранения, его тяжелый характер и мало ли еще что.

Она разделит с ним жизнь.

Визжа тормозами, как юнец, впервые севший за руль папиного автомобиля, он остановился у автомата.

Только бы на карточке еще были какие-то деньги.

Карточка никак не вынималась, влажные пальцы скользили. Сердито сопя, он вытащил наконец карточку и вставил ее в автомат.

Трубку сняли сразу же.

— Я женюсь на тебе, черт тебя побери!! — с ходу заорал он, и какая-то парочка на автобусной остановке шарахнулась от него в испуге. Андрей отвернулся от них. — Но если ты мечтаешь, что я завтра же брошу работу, что я буду вести светскую жизнь и таскаться каждый день на премьеры и в рестораны...

— Я мечтаю только о тебе, — сказала Клавдия и всхлипнула. — Только о тебе, ты, придурок!

Он улыбнулся и прижался лбом к холодному и влажному стеклу будки.

— Я тоже о тебе мечтаю, — сказал он. — Я люблю тебя, и я женюсь на тебе. Только потом пеняй на себя.

Она что-то заверещала, очень радостное и громкое, но он не стал слушать.

— Я через пятнадцать минут приеду, — сказал он и повесил трубку.

Вылез из будки и глубоко вздохнул.

— Все в порядке, ребята! — крикнул он той самой парочке, что шарахнулась от него и забилась в автобусную остановку.

Потом он сел в машину, развернулся через две сплошные и поехал домой.

Литературно-художественное издание

Устинова Татьяна Витальевна

МИФ ОБ ИДЕАЛЬНОМ МУЖЧИНЕ

Ответственный редактор *О. Рубис*
Редактор *Г. Калашников*
Художественный редактор *Д. Сазонов*
Технический редактор *Н. Носова*
Компьютерная верстка *Т. Жарикова*
Корректор *В. Назарова*

В оформлении переплета использован рисунок художника *А. Сальникова*

ООО «Издательство «Эксмо».
127299, Москва, ул. Клары Цеткин, д. 18, корп. 5. Тел.: 411-68-86, 956-39-21.
Интернет/Home page — www.eksmo.ru
Электронная почта (E-mail) — **info@ eksmo.ru**

По вопросам размещения рекламы в книгах издательства «Эксмо»
обращаться в рекламное агентство «Эксмо». Тел. 234-38-00.

Оптовая торговля:
109472, Москва, ул. Академика Скрябина, д. 21, этаж 2.
Тел./факс: (095) 745-89-16.
Многоканальный тел. 411-50-74. E-mail: **reception@eksmo-sale.ru**

Мелкооптовая торговля:
117192, Москва, Мичуринский пр-т, д. 12/1. Тел./факс: (095) 411-50-76.

Книжные магазины издательства «Эксмо»:
Супермаркет «Книжная страна». Страстной бульвар, д. 8а. Тел. 783-47-96.
Москва, ул. Маршала Бирюзова, 17 (рядом с м. «Октябрьское Поле»). Тел. 194-97-86.
Москва, Пролетарский пр-т, 20 (м. «Кантемировская»). Тел. 325-47-29.
Москва, Комсомольский пр-т, 28 (в здании МДМ, м. «Фрунзенская»). Тел. 782-88-26.
Москва, ул. Сходненская, д. 52 (м. «Сходненская»). Тел. 492-97-85.
Москва, ул. Митинская, д. 48 (м. «Тушинская»). Тел. 751-70-54.
Москва, Волгоградский пр-т, 78 (м. «Кузьминки»). Тел. 177-22-11.

Северо-Западная Компания представляет весь ассортимент книг издательства «Эксмо».
Санкт-Петербург, пр-т Обуховской Обороны, д. 84Е.
Тел. отдела реализации (812) 265-44-80/81/82.

Сеть книжных магазинов «БУКВОЕД». Крупнейшие магазины сети:
Книжный супермаркет на Загородном, д. 35. Тел. (812) 312-67-34
и Магазин на Невском, д. 13. Тел. (812) 310-22-44.

Сеть магазинов «Книжный клуб «СНАРК»
представляет самый широкий ассортимент книг издательства «Эксмо».
Информация о магазинах и книгах в Санкт-Петербурге по тел. 050.

Всегда в ассортименте новинки издательства «Эксмо»:
ТД «Библио-Глобус», ТД «Москва», ТД «Молодая гвардия»,
«Московский дом книги», «Дом книги в Медведково», «Дом книги на Соколе».

Весь ассортимент продукции издательства «Эксмо»
в Нижнем Новгороде и Челябинске:
ООО «Пароль НН», г. Н. Новгород, ул. Деревообделочная, д. 8.
Тел. (8312) 77-87-95.
ООО «ИКЦ «ДИС», г. Челябинск, ул. Братская, д. 2а. Тел. (8512) 62-22-18.
ООО «ИнтерСервис ЛТД», г. Челябинск, Свердловский тракт, д. 14.
Тел. (3512) 21-35-16.

Книги «Эксмо» в Европе — фирма «Атлант». Тел. + 49 (0) 721-1831212.

Подписано в печать с готовых монтажей 15.01.2004.
Формат 84x108 1/32. Гарнитура «Таймс». Печать офсетная.
Бум. газ. Усл. печ. л. 20,16. Уч.-изд. л. 17,1.
Доп. тираж 7 000 экз. Заказ № 6311.

Отпечатано в полном соответствии с качеством
предоставленных диапозитивов в Тульской типографии.
300600, г. Тула, пр. Ленина,109 .

Дарья Калинина

в новой серии "Дамские приколы"

Любовник для Курочки Рябы

Если за детектив берется Дарья Калинина,
впереди вас ждет встреча с веселыми и обаятельными героинями,
умопомрачительные погони за преступниками
и масса дамских приколов!

Также в серии:
Д. Калинина «Сглаз порче не помеха»
«Шустрое ребро Адама»